クスリ早見帖ブック

市販薬730

株式会社プラメドプラス
平 憲二 著

南山堂

はじめに

　本書は、患者さんの服用した市販薬の成分特定を容易にするために制作され、初版は2018年に発行されましたが、この度、皆様のおかげで第2版を発行することができました。

　私は、1991年から臨床医の仕事をしておりますが、患者さんの服用した市販薬を正確に把握し、診療に役立てることは難しいことだと感じておりました。そのことが初版の発行動機になりました。

　患者さんの多くは、診察の際、市販薬のブランド名（パブロンやバファリン等）や、外箱・錠剤等の色までは、ご説明いただけますが、それだけでは正確な製品名に辿り着くことは出来ません。そのため、市販薬の成分・分量の確認に至らないことが多くありました。

　そんな経験から、製品名の外箱や中身の写真を患者さんに見せて、服用した製品名をより正確に思い出していただき、市販薬に含まれている成分・分量をすぐに確認できる本があれば、医療現場ではきっと役に立つだろうと考え、初版を発行いたしました。

　そして、2020年、コロナ禍のために大きな変化がありました。これまでは患者さんに、かぜのような症状があれば、スムーズに受診いただけましたが、今ではそれが簡単には出来なくなりました。受診までの自宅での待機時間も長くなり、その間の対症療法のために、市販薬を電話ですすめる機会が増えました。そのため、市販薬の製品情報をより多くした情報源が必要となり、急遽、第2版を発行することにいたしました。第2版の改訂内容は次の通りです。

■外用薬の追加　（初版では内服薬と漢方製剤のみ掲載していました）

■QRコードのリンク先WEBサイトの拡充
　・連携WEBサイト「市販薬アップデート」開始　（新製品情報を追加、製造終了品の掲載も継続）
　・連携WEBサイト「漢方薬アップデート」開始　（医療用漢方製剤の情報も掲載）
　・成分構成の同一製品を探すための機能を追加

　そして、掲載製品数も初版の354製品から730製品に増えました。その結果、初版の情報量の2倍以上となりましたので、より一層、有益な情報源になったのではないかと思います。

　まずは、本書の全体をご覧ください。宣伝でよく耳にするブランド名＋○○のように、類似した名前の製品が多くあり、製品毎に成分の配合状況も異なることが分かります。そして、単剤が少ないこと、合剤が多いこと、医療用医薬品ではあまり見かけない成分が少なからずあることに、気付くのではないかと思います。

　そのため、どんな効果や副作用があるのか分かりにくいと感じる方も多いかもしれませんが、本書には市販薬の成分一覧表や、スマートフォン等でより充実した情報にアクセスできるQRコード、製薬会社窓口一覧が付いています。市販薬の情報をより詳しく知りたい時などに、是非ともご活用ください。

　医療現場では正確な情報を短時間で収集することが必要となる場面が多くあります。本書を皆様の業務の場の傍らに置いていただき、日常的にお役ていただくことを切に願っております。

2021年3月
株式会社プラメドプラス
代表取締役　平　憲二

ブランド別インデックス INDEX

ブランド	会社	商品	ページ
アオーク	日野薬品工業株式会社		
●眠気防止薬		アオーク（AWOUK）	76
浅田飴	株式会社浅田飴		
●鎮咳去痰薬		浅田飴せきどめ	56
		固形浅田飴クールS	56
●うがい薬		浅田飴AZうがい薬	113
●口腔咽喉外用薬		浅田飴AZのどスプレーS	115
アシノンZ	ゼリア新薬工業株式会社		
●H₂遮断薬		アシノンZ胃腸内服液	83
		アシノンZ錠	83
アスクロン	大正製薬株式会社		
●鎮咳去痰薬		アスクロン	57
アセス	佐藤製薬株式会社		
●外用歯槽膿漏薬		アセス	119
		アセスL	119
		アセス液	119
		アセスメディクリーン	120
アダム	皇漢堂製薬株式会社		
●解熱鎮痛薬		アダムA錠	42
アネトン	ジョンソン・エンド・ジョンソン株式会社		
●鎮咳去痰薬		アネトンせき止め液	57
		アネトンせき止め顆粒	57
		アネトンせき止め錠	57
●鼻炎用内服薬		アネトンアルメディ鼻炎錠	64
アネロン	エスエス製薬株式会社		
●乗物酔い薬		アネロン「キャップ」	78
		アネロン「ニスキャップ」	78
アフタガード	佐藤製薬株式会社		
●口内炎用薬		アフタガード	116
アフタッチ	佐藤製薬株式会社		
●口内炎用薬		アフタッチA	117
アラセナ	佐藤製薬株式会社		
●口唇用薬		アラセナS	118
		アラセナSクリーム	118
アルピタン	小林製薬株式会社		
●漢方製剤		アルピタンγ（茵蔯五苓散）	154
		アルピタン	158
アレグラ	久光製薬株式会社		
●鼻炎用内服薬		アレグラFX	65
		アレグラFXジュニア	65
アレジオン	エスエス製薬株式会社		
●鼻炎用内服薬		アレジオン20	65
アレルギール	第一三共ヘルスケア株式会社		
●内服アレルギー用薬		アレルギール錠	71
アレルビ	皇漢堂製薬株式会社		
●鼻炎用内服薬		アレルビ	65
アロゲイン	佐藤製薬株式会社		
●発毛・養毛薬		アロゲイン5	152
アロパノール	全薬工業株式会社		
●漢方製剤		アロパノール内服液	168
アンメルツ	小林製薬株式会社		
●外用消炎鎮痛薬		アンメルツゴールドEX NEO	104
		ニューアンメルツヨコヨコA	104
イソジン	シオノギヘルスケア株式会社		
●うがい薬		イソジンうがい薬	114
イノセア	佐藤製薬株式会社		
●胃腸薬		イノセアグリーン	84
		イノセアプラス錠	85
命の母	小林製薬株式会社		
●女性保健薬		女性保健薬 命の母A	99
		女性薬 命の母ホワイト	99
イハダ	資生堂薬品株式会社		
●皮膚用薬		イハダ ダーマキュア軟膏	129
イブ	エスエス製薬株式会社		
●解熱鎮痛薬		イブ	42
		イブ＜糖衣錠＞	42
		イブメルト	42
		イブA錠	42
		イブA錠EX	43
		イブクイック頭痛薬	43
		イブクイック頭痛薬DX	43
イボコロリ	横山製薬株式会社		
●魚の目・たこ・いぼ用薬		イボコロリ	144
		イボコロリ絆創膏ワンタッチS	144
ウィズワン	ゼリア新薬工業株式会社		
●便秘薬		ウィズワンエル	94
		新ウィズワン	94
		新ウィズワンα	94
ヴィックス	大正製薬株式会社		
●外用かぜ薬		ヴィックス ヴェポラッブ	103

ウオノメコロリ　横山製薬株式会社
●魚の目・たこ・いぼ用薬
- ウオノメコロリ　144ページ
- ウオノメコロリ絆創膏足うら用　144ページ

宇津　宇津救命丸株式会社
●かぜ薬
- 宇津こどもかぜ薬AⅡ　22ページ
- 宇津こどもかぜ薬CⅡ　22ページ
- 宇津こどもかぜシロップA　22ページ
- 宇津ジュニアかぜ薬A　22ページ

●鎮咳去痰薬
- 宇津こどもせきどめ　57ページ
- 宇津こどもせきどめシロップA　58ページ

●鼻炎用内服薬
- 宇津こども鼻炎顆粒　65ページ
- 宇津こども鼻炎シロップA　66ページ

●鎮静薬
- 宇津救命丸　75ページ
- 宇津救命丸「糖衣」　75ページ

●整腸薬
- 宇津こども整腸薬TP　90ページ

●解熱坐薬
- こども解熱坐薬　103ページ

ウット　伊丹製薬株式会社
●鎮静薬
- ウット　75ページ

ウナコーワ　興和株式会社
●皮膚用薬
- ウナコーワエースL　129ページ
- 新ウナコーワクール　129ページ

エアミット　佐藤製薬株式会社
●乗物酔い薬
- エアミットサットF　78ページ

エージー　第一三共ヘルスケア株式会社
●鼻炎用点鼻薬
- エージーアレルカットEXc〈季節性アレルギー専用〉　109ページ
- エージーノーズアレルカットC　109ページ
- エージーノーズアレルカットM　110ページ
- エージーノーズアレルカットS　110ページ

エキセドリン　ライオン株式会社
●解熱鎮痛薬
- エキセドリンA錠　43ページ
- エキセドリンプラスS　43ページ

エスタック　エスエス製薬株式会社
●かぜ薬
- エスタック総合感冒　22ページ
- 新エスタック顆粒　23ページ
- エスタックイブ　23ページ
- エスタックイブFT　23ページ
- エスタックイブNT　23ページ
- エスタックイブTT　23ページ
- エスタックイブ顆粒　24ページ
- エスタックイブファイン　24ページ
- エスタックイブファインEX　24ページ
- エスタックイブファイン顆粒　24ページ

●鼻炎用内服薬
- エスタック鼻炎カプセル12　66ページ

エスタロンモカ　エスエス製薬株式会社
●眠気防止薬
- エスタロンモカ12　76ページ
- エスタロンモカ錠　76ページ
- エスタロンモカ内服液　76ページ

エバステル　興和株式会社
●鼻炎用内服薬
- エバステルAL　66ページ

エパデール　大正製薬株式会社
●循環器用薬
- エパデールT　99ページ

エバユーススリム　第一三共ヘルスケア株式会社
●漢方製剤
- エバユーススリムF　165ページ

エメロット　奥田製薬株式会社
●鼻炎用点鼻薬
- エメロットALGプラス点鼻薬　109ページ

エルキス　ゼネル薬工粉河株式会社
●皮膚用薬
- エルキスN　129ページ

エルペイン　興和株式会社
●解熱鎮痛薬
- エルペインコーワ　44ページ

エンペキュア　佐藤製薬株式会社
●皮膚用薬
- エンペキュア　129ページ

エンペシド　佐藤製薬株式会社
●女性用薬
- エンペシドL　149ページ
- エンペシドLクリーム　149ページ

太田　株式会社太田胃散
●制酸薬
- 太田胃散チュアブルNEO　82ページ

●胃腸薬
- 太田胃散　85ページ
- 太田胃散〈分包〉　85ページ
- 太田胃散A〈錠剤〉　85ページ

●整腸薬
- 太田胃散整腸薬　90ページ
- 太田胃散整腸薬デ・ルモア錠　90ページ

●漢方製剤
- 太田漢方胃腸薬Ⅱ　154ページ
- 太田漢方胃腸薬Ⅱ〈錠剤〉　154ページ

奥田　奥田製薬株式会社
●鎮静薬
- 奥田脳神経薬　75ページ

●胃腸薬
- 奥田胃腸薬（錠剤）　85ページ

オシリア　小林製薬株式会社
●痔疾用薬
- オシリア　147ページ

オロナイン　大塚製薬株式会社
●皮膚用薬
- オロナインH軟膏　130ページ

カーフェソフト　エーザイ株式会社
●眠気防止薬
- カーフェソフト錠　77ページ

改源　カイゲンファーマ株式会社
●かぜ薬
- 改源　24ページ
- 改源かぜカプセル　25ページ
- 改源錠　25ページ
- カイゲン顆粒　25ページ
- カイゲン感冒液小児用　25ページ
- カイゲン感冒カプセル「プラス」　25ページ

●鎮咳去痰薬
- カイゲンせき止め液W　58ページ
- カイゲンせき止めカプセル　58ページ
- カイゲン咳止錠　58ページ
- 新カイゲンせき止め液W　58ページ

●鼻炎用点鼻薬
- カイゲン点鼻スプレー　110ページ
- カイゲン点鼻薬　110ページ

カコナール　第一三共ヘルスケア株式会社
●かぜ薬
- カコナールカゼブロックUP錠　26ページ

●外用かぜ薬
- カコナールかぜパップ　103ページ

●漢方製剤
- カコナール2　155ページ

ガスター　第一三共ヘルスケア株式会社
●H₂遮断薬
- ガスター10　83ページ

ガストール　エスエス製薬株式会社
●胃腸薬
- ガストール細粒　86ページ

カフェクール　株式会社アラクス
●眠気防止薬
- カフェクール500　77ページ

カフェロップ　第一三共ヘルスケア株式会社
●眠気防止薬
- カフェロップ　77ページ

亀田　株式会社亀田利三郎薬舗
●循環器用薬
- 亀田六神丸　99ページ

肝生　大鵬薬品工業株式会社
●生薬製剤
- 肝生　101ページ

キアガード　ロート製薬株式会社
●漢方製剤
- キアガード　158ページ

キオフィーバ　樋屋奇応丸株式会社
●解熱坐薬
- キオフィーバ　103ページ

ギャクリア　小林製薬株式会社
●漢方製剤
- ギャクリア　168ページ

キャベジン　興和株式会社
●胃腸薬
- キャベジンコーワα　86ページ

救心　救心製薬株式会社
●循環器用薬
- 救心　100ページ
- 救心カプセルF　100ページ
- 救心錠剤　100ページ

キューピーコーワゴールド　興和株式会社
●保健薬
- キューピーコーワゴールドα　98ページ
- キューピーコーワゴールドα-プラス　98ページ

キンカン　株式会社金冠堂
●皮膚用薬
- キンカン　130ページ
- キンカン　ノアール　130ページ
- キンカン　ソフトかゆみどめ　130ページ

グ・スリーP　第一三共ヘルスケア株式会社
●睡眠改善薬
- グ・スリーP　73ページ

クールワン　杏林製薬株式会社
●鎮咳去痰薬
- クールワン去たんソフトカプセル　59ページ
- クールワンせき止めGX　59ページ
- クールワンせき止めGX液　59ページ

●鼻炎用点鼻薬
- クールワン鼻スプレー　110ページ

クニヒロ　皇漢堂製薬株式会社
●かぜ薬
- 総合かぜ薬A「クニヒロ」　26ページ

●解熱鎮痛薬
- ロキソプロフェン錠「クニヒロ」　44ページ

●鼻炎用内服薬
- 鼻炎薬A「クニヒロ」　66ページ

●内服アレルギー用薬
- 抗アレルギー錠「クニヒロ」　71ページ

●乗物酔い薬
- 乗りもの酔いの薬「クニヒロ」　78ページ

●H₂遮断薬
- ファモチジン錠「クニヒロ」　84ページ

●止瀉薬
- 下痢止め錠「クニヒロ」　92ページ

クラシエ　クラシエ薬品株式会社
●かぜ薬
- 銀翹散エキス顆粒Aクラシエ　26ページ

●胃腸薬
- 止逆清和錠　86ページ

●生薬製剤
- クラシエヨクイニンタブレット　101ページ
- コイクラセリド　101ページ
- 四物血行散　101ページ

●漢方製剤
- 「クラシエ」漢方葛根湯エキスEX錠　154ページ
- 葛根湯エキス顆粒Sクラシエ　155ページ
- 葛根湯クイック　155ページ
- 杞菊地黄丸クラシエ　157ページ
- こども咳止め漢方ゼリー　157ページ
- 「クラシエ」漢方五苓散料エキス顆粒　158ページ
- 「クラシエ」漢方芍薬甘草湯エキス顆粒　159ページ
- 十味敗毒湯エキス錠クラシエ　160ページ
- 「クラシエ」漢方小青竜湯エキスEX錠　160ページ
- 疎経活血湯エキス錠クラシエ　161ページ
- JPS知柏地黄丸料エキス錠N　162ページ
- クラシエ当帰芍薬散錠　162ページ

製品名	ページ
人参養栄湯エキス顆粒クラシエ	163
「クラシエ」漢方麦門冬湯エキス顆粒A	163
クラシエ八味地黄丸A	164
「クラシエ」漢方半夏厚朴湯エキス顆粒	164
補中益気湯エキス錠クラシエ	167
麻黄湯エキスEX錠クラシエ	167
抑肝散加陳皮半夏エキス顆粒クラシエ	168

クラリチン　大正製薬株式会社
●鼻炎用内服薬
クラリチンEX	66
クラリチンEX　OD錠	67

クリーンデンタル　第一三共ヘルスケア株式会社
●外用歯槽膿漏薬
クリーンデンタルN	120

グレラン　武田コンシューマーヘルスケア株式会社
●解熱鎮痛薬
グレラン・ビット	44
グレランエース錠	44

クロキュア　小林製薬株式会社
●皮膚用薬
クロキュアEX	130

クロマイ　第一三共ヘルスケア株式会社
●皮膚用薬
クロマイ-N軟膏	131
クロロマイセチン軟膏2% A	131

KM　北日本製薬株式会社
●漢方製剤
響声破笛丸料エキス顆粒KM	156

ケラチナミンコーワ　興和株式会社
●皮膚用薬
ケラチナミンコーワ20%尿素配合クリーム	131
ケラチナミンコーワ乳状液20	131

ケロリン　富山めぐみ製薬株式会社
●解熱鎮痛薬
ケロリン	44
ケロリンA錠	45
ケロリンIBカプレット	45

健栄　健栄製薬株式会社
●便秘薬
酸化マグネシウムE便秘薬	95

●うがい薬
ケンエーうがい薬S	114

コーラック　大正製薬株式会社
●便秘薬
コーラック	95
コーラックII	95
コーラックMg	95
コーラックハーブ	95
コーラックファイバーplus	96
コーラックファースト	96

●便秘坐薬
コーラック坐薬タイプ	147

コールタイジン　ジョンソン・エンド・ジョンソン株式会社
●鼻炎用点鼻薬
コールタイジン点鼻液a	111

コタロー　小太郎漢方製薬株式会社
●漢方製剤
五淋散カプレット「コタロー」	157
ネオカキックス細粒「コタロー」	159
小太郎漢方せき止め錠N	160
漢方せき止めトローチS「麦門冬湯」	164
補中益気湯エキス錠N「コタロー」	166

コッコアポ　クラシエ薬品株式会社
●漢方製剤
コッコアポG錠	162
コッコアポL錠	165
コッコアポEX錠	165

後藤散　うすき製薬株式会社
●かぜ薬
後藤散かぜ薬顆粒	26

●解熱鎮痛薬
後藤散	45
後藤散いたみどめ顆粒G	45

●鎮咳去痰薬
後藤散せきどめ	59

コフジス　福地製薬株式会社
●鎮咳去痰薬
新コフジスシロップ	59

コフト　日本臓器製薬株式会社
●かぜ薬
コフト顆粒	26

コムレケア　小林製薬株式会社
●漢方製剤
コムレケアa	159

コムロン　小太郎漢方製薬株式会社
●漢方製剤
コムロン	159

コリホグス　小林製薬株式会社
●内服肩こり薬
コリホグス	56

コルゲン　興和株式会社
●かぜ薬
コルゲンコーワIB2	27
コルゲンコーワIB錠TXα	27
コルゲンコーワIB透明カプセルαプラス	27

●解熱鎮痛薬
コルゲンコーワ鎮痛解熱LXα	45

●鎮咳去痰薬
新コルゲンコーワ咳止め透明カプセル	60

●鼻炎用内服薬
コルゲンコーワ鼻炎ジェルカプセルα	67
コルゲンコーワ鼻炎フィルムα	67

●うがい薬
新コルゲンコーワうがいぐすり	114
新コルゲンコーワうがいぐすり「ワンプッシュ」	114

●漢方製剤
コルゲンコーワ液体かぜ薬	167

コンタック　グラクソ・スミスクライン・コンシューマー・ヘルスケア・ジャパン株式会社
●かぜ薬
新コンタックかぜEX持続性	27
新コンタックかぜ総合	27
新コンタック総合かぜ薬トリプルショット	28

●鎮咳去痰薬
新コンタックせき止めダブル持続性	60

● 鼻炎用内服薬
- 新コンタック600プラス　67ページ
- 新コンタック600プラス小児用　67ページ
- 新コンタック鼻炎Z　68ページ

ザ・ガード　興和株式会社
● 胃腸薬
- ザ・ガードコーワ整腸錠α3+　86ページ

ザーネ　エーザイ株式会社
● 皮膚用薬
- ザーネメディカルクリーム　131ページ
- ザーネメディカルスプレー　132ページ

再春　株式会社再春館製薬所
● 生薬製剤
- 再春痛散湯エキス顆粒　102ページ

サクロン　エーザイ株式会社
● 制酸薬
- サクロン　83ページ

サトウ　佐藤製薬株式会社
● 口内炎用薬
- サトウ口内軟膏　117ページ

サトラックス　佐藤製薬株式会社
● 便秘薬
- サトラックス　96ページ
- サトラックス「分包」　96ページ

サラリン　大塚製薬株式会社
● 便秘薬
- 新サラリン　96ページ

サリドン　第一三共ヘルスケア株式会社
● 解熱鎮痛薬
- サリドンA　46ページ
- サリドンWi　46ページ
- サリドンエース　46ページ

サロメチール　佐藤製薬株式会社
● 外用消炎鎮痛薬
- サロメチールジクロLα　104ページ
- サロメチールジクロα　104ページ
- サロメチールジクロゲル　104ページ

サロンシップ　久光製薬株式会社
● 外用消炎鎮痛薬
- のびのびサロンシップF　105ページ

サロンパス　久光製薬株式会社
● 外用消炎鎮痛薬
- サロンパス　105ページ
- サロンパスAe　105ページ

サンテ　参天製薬株式会社
● 点眼薬
- サンテFXVプラス　121ページ
- サンテFXネオ　121ページ
- サンテPC　121ページ
- サンテPC　コンタクト　122ページ
- サンテボーティエ　122ページ
- サンテボーティエ コンタクト　122ページ
- サンテボーティエ ムーンケア　122ページ
- サンテメディカル12　122ページ
- サンテメディカルアクティブ　123ページ
- サンテメディカルガードEX　123ページ
- サンテメディカル抗菌　123ページ

ジキナ　株式会社富士薬品
● かぜ薬
- ジキナ顆粒ゴールド　28ページ

ジキニン　全薬工業株式会社
● かぜ薬
- 小児用ジキニンシロップ　28ページ
- ジキニンC　28ページ
- ジキニン顆粒エース　28ページ
- ジキニン錠エースIP　29ページ
- ジキニンファースト顆粒N　29ページ
- 新ジキニン顆粒　29ページ
- 新ジキニン錠D　29ページ

シジラック　小林製薬株式会社
● 漢方製剤
- シジラック　163ページ

生葉　小林製薬株式会社
● 外用歯槽膿漏薬
- 生葉液薬　120ページ
- 生葉口内塗薬　120ページ

● 漢方製剤
- 生葉漢方内服薬　163ページ

スクラート　ライオン株式会社
● 胃腸薬
- スクラートG　86ページ
- スクラート胃腸薬（顆粒）　87ページ
- スクラート胃腸薬（錠剤）　87ページ
- スクラート胃腸薬S（散剤）　87ページ
- スクラート胃腸薬S（錠剤）　87ページ

ストッパ　ライオン株式会社
● 止瀉薬
- 小中学生用ストッパ下痢止めEX　92ページ
- ストッパエル下痢止めEX　92ページ
- ストッパ下痢止めEX　92ページ

ストナ　佐藤製薬株式会社
● かぜ薬
- ストナシロップA小児用　29ページ
- ストナメルティ小児用　30ページ
- ストナジェルサイナスEX　30ページ
- ストナデイタイム　30ページ
- ストナプラスジェルEX　30ページ
- ストナアイビー　30ページ
- ストナアイビージェルEX　31ページ

● 鎮咳去痰薬
- ストナ去たんカプセル　60ページ

ストナリニ　佐藤製薬株式会社
● 鼻炎用内服薬
- ストナリニ・サット小児用　68ページ
- ストナリニS　68ページ
- ストナリニZ　68ページ
- ストナリニ　Zジェル　68ページ

製品名	会社名	ページ
スピール	ニチバン株式会社	
●魚の目・たこ・いぼ用薬		
スピール膏ワンタッチEX		144
スマイル	ライオン株式会社	
●点眼薬		
スマイル40プレミアムDX		123
スマイル40メディクリアDX		123
スマイルザメディカルA DX		124
スマイルザメディカルA DX コンタクト		124
スメクタ	佐藤製薬株式会社	
●止瀉薬		
スメクタテスミン		92
スラジン	佐藤製薬株式会社	
●内服アレルギー用薬		
スラジンA		71
スリーピン	薬王製薬株式会社	
●睡眠改善薬		
スリーピン		74
スルーラック	エスエス製薬株式会社	
●便秘薬		
スルーラックS		97
スルーラックデトファイバー		97
スルーラックファイバー		97
清風散	ロート製薬株式会社	
●かぜ薬		
清風散		31
正露丸	大幸薬品株式会社	
●止瀉薬		
正露丸		93
正露丸クイックC		93
セイロガン糖衣A		93
セデス	シオノギヘルスケア株式会社	
●解熱鎮痛薬		
新セデス錠		46
セデス・ハイ		46
セデス・ハイG		47
セデス・ファースト		47
セデスV		47
セデスキュア		47
セルベール	エーザイ株式会社	
●健胃薬		
新セルベール整胃プレミアム〈細粒〉		82
新セルベール整胃プレミアム〈錠〉		82
セレキノン	田辺三菱製薬株式会社	
●鎮痙薬		
セレキノンS		84
センパア	大正製薬株式会社	
●乗物酔い薬		
センパア Kidsドリンク		79
センパア トラベル1		79
センパア ドリンク		79
センパア プチベリー		79
センパア ラムキュア		79
センパア・QT		80
センパアQT＜ジュニア＞		80
ソフトサンティア	参天製薬株式会社	
●点眼薬		
ソフトサンティア		124
ソフトサンティアひとみストレッチ		124
ソルマック	大鵬薬品工業株式会社	
●健胃薬		
ソルマックプラス		82
ダイアフラジン	富山めぐみ製薬株式会社	
●皮膚用薬		
ダイアフラジンAソフト		132
ダイアフラジンA軟膏		132
ダイアフラジンEX軟膏		132
ダイアフラジンHB軟膏		132
第一三共	第一三共ヘルスケア株式会社	
●胃腸薬		
第一三共胃腸薬〔細粒〕a		87
第一三共胃腸薬プラス細粒		88
大正	大正製薬株式会社	
●解熱鎮痛薬		
大正トンプク		47
●口腔咽喉内服薬		
大正口内炎チュアブル錠		72
●鎮痙薬		
大正胃腸薬P		84
●胃腸薬		
大正胃腸薬G		88
大正胃腸薬K		88
大正胃腸薬K〈錠剤〉		88
大正胃腸薬バランサー		88
大正漢方胃腸薬		89
大正漢方胃腸薬〈錠剤〉		89
●口内炎用薬		
口内炎軟膏大正クイックケア		117
口内炎パッチ大正A		117
口内炎パッチ大正クイックケア		117
タイレノール	ジョンソン・エンド・ジョンソン株式会社	
●解熱鎮痛薬		
タイレノールA		48
タウロミン	興和株式会社	
●内服アレルギー用薬		
小粒タウロミン		71
タウロミン	日邦薬品工業株式会社	
●内服アレルギー用薬		
タウロミン		72
タケダ	武田コンシューマーヘルスケア株式会社	
●漢方製剤		
タケダ漢方便秘薬		161
ダスモック	小林製薬株式会社	
●漢方製剤		
ダスモックa		161
タナベ	田辺三菱製薬株式会社	
●消化薬		
タナベ胃腸薬ウルソ		82
●胃腸薬		
タナベ胃腸薬＜調律＞		89
ダマリン	大正製薬株式会社	
●水虫たむし薬		
ダマリンL		145
ダマリングランデX		145

タリオン　田辺三菱製薬株式会社
●鼻炎用内服薬
- タリオンAR　69ページ

チクナイン　小林製薬株式会社
●漢方製剤
- チクナインa　161ページ

ツムラ　株式会社ツムラ
●女性保健薬
- ツムラの婦人薬　中将湯　99ページ

●漢方製剤
- ツムラ漢方葛根湯エキス顆粒A　155ページ
- ツムラ漢方加味逍遙散エキス顆粒　156ページ
- ツムラ漢方桔梗湯エキス顆粒　156ページ
- ツムラ漢方桂枝茯苓丸エキス顆粒A　157ページ
- ツムラ漢方小青竜湯エキス顆粒　160ページ
- ツムラ漢方猪苓湯エキス顆粒A　162ページ
- ツムラ漢方当帰芍薬散料エキス顆粒　162ページ
- ツムラ漢方麦門冬湯エキス顆粒　164ページ
- ツムラ漢方半夏厚朴湯エキス顆粒　164ページ
- ツムラ漢方補中益気湯エキス顆粒　166ページ
- ツムラ漢方麻黄湯エキス顆粒　167ページ

ツラレス　ロート製薬株式会社
●漢方製剤
- ツラレス　159ページ

ディアポピー　ダイヤ製薬株式会社
●口腔咽喉外用薬
- ディアポピー　115ページ

テイラック　小林製薬株式会社
●漢方製剤
- テイラック　158ページ

テラ　ジョンソン・エンド・ジョンソン株式会社
●皮膚用薬
- テラ・コートリル軟膏a　133ページ
- テラマイシン軟膏a　133ページ

デリケア　株式会社池田模範堂
●皮膚用薬
- デリケアb　133ページ
- デリケアエムズ　133ページ

テレスHi　ジョンソン・エンド・ジョンソン株式会社
●皮膚用薬
- テレスHi　クリームH　133ページ

デントヘルス　ライオン株式会社
●外用歯槽膿漏薬
- デントヘルスB　120ページ
- デントヘルスR　121ページ

ドキシン　武田コンシューマーヘルスケア株式会社
●内服肩こり薬
- ドキシン錠　56ページ

トニン　佐藤製薬株式会社
●鎮咳去痰薬
- 新トニン咳止め液　60ページ

トメダイン　興和株式会社
●止瀉薬
- トメダインコーワフィルム　93ページ

トメルミン　ライオン株式会社
●眠気防止薬
- トメルミン　77ページ

トラフル　第一三共ヘルスケア株式会社
●口腔咽喉内服薬
- トラフル錠　73ページ

●口内炎用薬
- トラフル　ダイレクト　118ページ
- トラフル軟膏PROクイック　118ページ

トラベルミン　エーザイ株式会社
●乗物酔い薬
- トラベルミン　80ページ
- トラベルミン　チュロップぶどう味　80ページ
- トラベルミン　チュロップレモン味　80ページ
- トラベルミン　ファミリー　81ページ
- トラベルミン・ジュニア　81ページ
- トラベルミンR　81ページ

トランシーノ　第一三共ヘルスケア株式会社
●しみ改善薬
- トランシーノⅡ　100ページ

ドリーミオ　資生堂薬品株式会社
●睡眠改善薬
- ドリーミオ　74ページ

ドリエル　エスエス製薬株式会社
●睡眠改善薬
- ドリエル　74ページ
- ドリエルEX　74ページ

トレンタム　佐藤製薬株式会社
●皮膚用薬
- トレンタムGクリーム　134ページ
- トレンタムGローション　134ページ

ナイシトール　小林製薬株式会社
●漢方製剤
- ナイシトール85a　166ページ
- ナイシトールZa　166ページ

ナザール　佐藤製薬株式会社
●鼻炎用点鼻薬
- ナザール「スプレー」　111ページ
- ナザールαAR0.1%＜季節性アレルギー専用＞　111ページ
- ナザールαAR0.1%C＜季節性アレルギー専用＞　111ページ

ナシビン　佐藤製薬株式会社
●鼻炎用点鼻薬
- ナシビンMスプレー　111ページ

ナロン　大正製薬株式会社
●解熱鎮痛薬
- ナロン顆粒　48ページ
- ナロン錠　48ページ
- ナロンエースR　48ページ
- ナロンエースT　48ページ
- ナロンLoxy　49ページ
- ロキソプロフェンT液　49ページ

ニコチネル　グラクソ・スミスクライン・コンシューマー・ヘルスケア・ジャパン株式会社
●禁煙補助薬
- ニコチネルスペアミント　150ページ
- ニコチネルマンゴー　150ページ
- ニコチネルミント　150ページ
- ニコチネルパッチ10　150ページ
- ニコチネルパッチ20　151ページ

ニコレット　ジョンソン・エンド・ジョンソン株式会社
● 禁煙補助薬

ニコレット	151ページ
ニコレットアイスミント	151ページ
ニコレットクールミント	151ページ
ニコレットフルーティミント	151ページ

ネオデイ　大正製薬株式会社
● 睡眠改善薬

ネオデイ	74ページ

ノアール　佐藤製薬株式会社
● 点眼薬

ノアールCL	124ページ

ノーシン　株式会社アラクス
● 解熱鎮痛薬

ノーシン	49ページ
ノーシン「細粒」	49ページ
ノーシン錠	50ページ
ノーシンホワイト＜細粒＞	50ページ
ノーシンホワイト錠	50ページ
ノーシンアイ頭痛薬	50ページ
ノーシンエフ200	50ページ
小中学生用ノーシンピュア	51ページ
ノーシンピュア	51ページ
ノーシンピュア（ピルケース入り）	51ページ

のどぬ～る　小林製薬株式会社
● 解熱鎮痛薬

鎮痛カプセルa	49ページ

● 口腔咽喉外用薬

のどぬ～るスプレーEXクール	116ページ
のどぬ～るスプレーB	116ページ

ノバコデ　森田薬品工業株式会社
● かぜ薬

小児用ノバコデS	31ページ

パープルショット　ダイヤ製薬株式会社
● うがい薬

パープルショットうがい薬F	115ページ

● 口腔咽喉外用薬

パープルショット	116ページ

ハイエナル　米田薬品株式会社
● 眠気防止薬

ハイエナル"88"内服液	77ページ

バイエルアスピリン　佐藤製薬株式会社
● 解熱鎮痛薬

バイエルアスピリン	51ページ

ハイタミン　株式会社アラクス
● 解熱鎮痛薬

ハイタミン錠	51ページ

パイロン　シオノギヘルスケア株式会社
● かぜ薬

パイロンPL顆粒	31ページ
パイロンPL錠	31ページ
パイロンPL錠　ゴールド	32ページ

バストップケア　株式会社池田模範堂
● 皮膚用薬

バストップケア	134ページ

ハッキリエース　小林製薬株式会社
● 解熱鎮痛薬

ハッキリエースa	52ページ

パテックス　第一三共ヘルスケア株式会社
● 外用消炎鎮痛薬

パテックス　うすぴたシップ	105ページ

バファリン　ライオン株式会社
● かぜ薬

キッズバファリンかぜシロップP	32ページ
キッズバファリンかぜシロップS	32ページ
キッズバファリンシロップS	32ページ
バファリンジュニアかぜ薬a	32ページ

● 解熱鎮痛薬

小児用バファリンCII	52ページ
小児用バファリンチュアブル	52ページ
バファリンA	52ページ
バファリンライト	52ページ
バファリンEX	53ページ
バファリンルナi	53ページ
バファリンルナJ	53ページ
バファリンプレミアム	53ページ

● 鎮咳去痰薬

キッズバファリンせきどめシロップS	60ページ

● 鼻炎用内服薬

キッズバファリン鼻炎シロップS	69ページ

パブロン　大正製薬株式会社
● かぜ薬

パブロンキッズかぜ錠	33ページ
パブロンキッズかぜシロップ	33ページ
パブロンキッズかぜ微粒	33ページ
パブロン50錠	33ページ
パブロンゴールドA＜錠＞	33ページ
パブロンゴールドA＜微粒＞	34ページ
パブロンSα〈錠〉	34ページ
パブロンSα〈微粒〉	34ページ
パブロンSゴールドW錠	34ページ
パブロンSゴールドW微粒	34ページ
パブロンメディカルC	35ページ
パブロンメディカルN	35ページ
パブロンメディカルT	35ページ
パブロンエースPro錠	35ページ
パブロンエースPro微粒	35ページ

● 鎮咳去痰薬

パブロンせき止め液	61ページ
パブロンSせき止め	61ページ

● 鼻炎用内服薬

パブロン鼻炎カプセルSα小児用	69ページ
パブロン鼻炎カプセルSα	69ページ
パブロン鼻炎速溶錠EX	69ページ

● 口腔咽喉内服薬

パブロンのど錠	73ページ

● 解熱坐薬

こどもパブロン坐薬	103ページ

- ●鼻炎用点鼻薬
  - パブロン点鼻 112ページ
  - パブロン点鼻EX 112ページ
  - パブロン鼻炎アタックJL＜季節性アレルギー専用＞ 112ページ
- ●うがい薬
  - パブロンうがい薬AZ 114ページ
- ●口腔咽喉外用薬
  - パブロントローチAZ 116ページ

パラデント　ライオン株式会社
- ●外用歯槽膿漏薬
  - パラデントエース 121ページ

ハリックス　ライオン株式会社
- ●外用消炎鎮痛薬
  - ハリックス55EX 温感A 105ページ
  - ハリックス55EX 冷感A 106ページ

ハルンケア　大鵬薬品工業株式会社
- ●生薬製剤
  - ハルンケア内服液 102ページ

ハレナース　小林製薬株式会社
- ●口腔咽喉内服薬
  - ハレナース 73ページ

パンシロン　ロート製薬株式会社
- ●乗物酔い薬
  - パンシロントラベルSP 81ページ
- ●制酸薬
  - パンシロンAZ 83ページ
- ●胃腸薬
  - パンシロン01プラス 89ページ
  - パンシロンG 89ページ
  - パンシロンキュアSP 90ページ

パンセダン　佐藤製薬株式会社
- ●鎮静薬
  - パンセダン 76ページ

バンテリン　興和株式会社
- ●外用消炎鎮痛薬
  - バンテリンコーワ液α 106ページ
  - バンテリンコーワクリーミィーゲルα 106ページ
  - バンテリンコーワクリームα 106ページ
  - バンテリンコーワゲルα 106ページ
  - バンテリンコーワパットEX 107ページ
  - バンテリンコーワパップS 107ページ

ヒアレイン　参天製薬株式会社
- ●点眼薬
  - ヒアレインS 125ページ

ビオスリー　武田コンシューマーヘルスケア株式会社
- ●整腸薬
  - ビオスリー Hi錠 90ページ

ビオフェルミン　ビオフェルミン製薬株式会社
- ●整腸薬
  - 新ビオフェルミンS細粒 91ページ
  - 新ビオフェルミンS錠 91ページ
  - ビオフェルミン ぽっこり整腸チュアブル 91ページ
  - ビオフェルミンVC 91ページ
- ●止瀉薬
  - ビオフェルミン下痢止め 93ページ
  - ビオフェルミン止瀉薬 94ページ
- ●便秘薬
  - ビオフェルミン便秘薬 97ページ

ピシャット　大幸薬品株式会社
- ●止瀉薬
  - ピシャット下痢止めOD錠 94ページ

ビスラット　小林製薬株式会社
- ●漢方製剤
  - アクリアEX 165ページ

ヒビケア　株式会社池田模範堂
- ●皮膚用薬
  - ヒビケアFT 134ページ
  - ヒビケア軟膏a 134ページ

樋屋　樋屋奇応丸株式会社
- ●かぜ薬
  - ヒヤこどもかぜシロップS 36ページ
  - ヒヤこども総合かぜ薬 M 36ページ
- ●鎮咳去痰薬
  - ヒヤこどもせきシロップN 61ページ
  - ヒヤこどもせきどめチュアブル 61ページ
- ●生薬製剤
  - 樋屋奇応丸特撰金粒 102ページ

ビューラック　皇漢堂製薬株式会社
- ●便秘薬
  - ビューラックA 97ページ

ヒルマイルド　健栄製薬株式会社
- ●皮膚用薬
  - ヒルマイルドクリーム 135ページ
  - ヒルマイルドローション 135ページ

ピロエース　第一三共ヘルスケア株式会社
- ●水虫たむし薬
  - ピロエースW液 145ページ
  - ピロエースZ液 145ページ

ヒロレス　小林製薬株式会社
- ●漢方製剤
  - ヒロレス 加味帰脾湯錠 155ページ
  - ヒロレス 酸棗仁湯錠 158ページ
  - ヒロレス 十全大補湯錠 160ページ
  - ヒロレス 当帰芍薬散錠 163ページ

ファイチ　小林製薬株式会社
- ●貧血用薬
  - ファイチ 98ページ

フェイタス　久光製薬株式会社
- ●外用消炎鎮痛薬
  - フェイタス5.0 107ページ
  - フェイタスZαジクサス 107ページ
  - フェイタスZαジクサスゲル 107ページ

フェミニーナ　小林製薬株式会社
- ●皮膚用薬
  - フェミニーナ軟膏S 135ページ

フェルゼア　ライオン株式会社
- ●皮膚用薬
  - フェルゼア DX20ローション 135ページ
  - フェルゼア HA20クリーム 135ページ
  - フェルゼア クリームM 136ページ

ブスコパン　エスエス製薬株式会社
- ●鎮痙薬
  - ブスコパンA錠 84ページ

フステノン　エスエス製薬株式会社
- ●鎮咳去痰薬
  - 新フステノン 61ページ

製品名	会社名	商品	ページ
ブテナロック	久光製薬株式会社		
●水虫たむし薬		ブテナロックVαクリーム	145
プリザ	大正製薬株式会社		
●痔疾用薬		プリザSクリーム	147
		プリザS坐剤	147
		プリザS坐剤T	147
		プリザエース坐剤T	148
		プリザエース注入軟膏T	148
		プリザエース軟膏	148
フルコート	田辺三菱製薬株式会社		
●皮膚用薬		フルコートf	136
フルナーゼ	グラクソ・スミスクライン・コンシューマー・ヘルスケア・ジャパン株式会社		
●鼻炎用点鼻薬		フルナーゼ点鼻薬〈季節性アレルギー専用〉	112
プレコール	第一三共ヘルスケア株式会社		
●かぜ薬		プレコールエース顆粒	36
		プレコール持続性カプセル	36
		プレコールCR持続性錠	36
●鎮咳去痰薬		プレコール持続性せき止めカプセル	62
●鼻炎用内服薬		プレコール持続性鼻炎カプセルL	70
		プレコール持続性鼻炎カプセルLX	70
プレバリン	ゼリア新薬工業株式会社		
●皮膚用薬		プレバリンαクリーム	136
		プレバリンマイケア	136
プレフェミン	ゼリア新薬工業株式会社		
●西洋ハーブ		プレフェミン	101
プレミナス	奥田製薬株式会社		
●解熱鎮痛薬		プレミナスIP	53
ブロン	エスエス製薬株式会社		
●鎮咳去痰薬		エスエスブロン液L	62
		エスエスブロン錠	62
		新エスエスブロン錠エース	62
		新ブロン液エース	62
ペア	ライオン株式会社		
●皮膚用薬		ペアアクネクリームW	136
ペラック	第一三共ヘルスケア株式会社		
●かぜ薬		ペラックコールドTD錠	37
●口腔咽喉内服薬		ペラックT錠	73
ヘルペシア	大正製薬株式会社		
●口唇用薬		ヘルペシアクリーム	118
ベンザ	武田コンシューマーヘルスケア株式会社		
●かぜ薬		ベンザエースA	37
		ベンザエースA錠	37
		ベンザブロックS	37
		ベンザブロックSプレミアム	37
		ベンザブロックSプレミアム錠	38
		ベンザブロックL	38
		ベンザブロックLプレミアム	38
		ベンザブロックLプレミアム錠	38
		ベンザブロックIP	38
		ベンザブロックIPプレミアム	39
		ベンザブロックIPプレミアム錠	39
●鎮咳去痰薬		ベンザブロックせき止め錠	63
●鼻炎用内服薬		ベンザ鼻炎薬α〈1日2回タイプ〉	70
●鼻炎用点鼻薬		ベンザ鼻炎スプレー	112
扁鵲	大鵬薬品工業株式会社		
●生薬製剤		扁鵲	102
ボーコレン	小林製薬株式会社		
●漢方製剤		ボーコレン	157
ポパドン	米田薬品株式会社		
●解熱鎮痛薬		ポパドンA	54
ボラギノール	武田コンシューマーヘルスケア株式会社		
●痔疾用薬		ボラギノールA注入軟膏	148
		ボラギノールM坐剤	148
ポリベビー	佐藤製薬株式会社		
●皮膚用薬		ポリベビー	137
ボルタレン	グラクソ・スミスクライン・コンシューマー・ヘルスケア・ジャパン株式会社		
●外用消炎鎮痛薬		ボルタレンACαテープ	108
		ボルタレンACαテープL	108
		ボルタレンEXテープ	108
		ボルタレンEXテープL	108
マイティア	千寿製薬株式会社		
●点眼薬		マイティアV	125
		マイティアアルピタットEXα	125
		マイティアアルピタットNEXα	125
		マイティアピントケアEX	125
		マイティアピントケアEXマイルド	126
		NewマイティアCL-s	126
		NewマイティアCLクール-s	126
		NewマイティアCLクールHi-s	126
		NewマイティアCLアイスクラッシュ	126
		NewマイティアCLアイスリフレッシュ	127
		NewマイティアCLビタクリアクール	127
		NewマイティアCL-Wケア	127

製品名	会社名	ページ
マイトラベル	興和株式会社	
●乗物酔い薬		
マイトラベル錠		81
マキロン	第一三共ヘルスケア株式会社	
●皮膚用薬		
マキロンs		137
マスチゲン	日本臓器製薬株式会社	
●貧血用薬		
マスチゲン錠		98
マスチゲン錠8〜14歳用		98
ミーミエイド	小林製薬株式会社	
●皮膚用薬		
ミーミエイド		137
ミルコデ	佐藤製薬株式会社	
●鎮咳去痰薬		
ミルコデ錠A		63
ムヒ	株式会社池田模範堂	
●かぜ薬		
ムヒのこどもかぜ顆粒a		39
●解熱鎮痛薬		
ムヒのこども解熱鎮痛顆粒		54
●内服アレルギー用薬		
ムヒAZ錠		72
ムヒDC速溶錠		72
●皮膚用薬		
ムヒのきず液		137
ムヒパッチA		137
ムヒS		138
液体ムヒS2a		138
ポケムヒS		138
ポケムヒSハローキティ		138
ムヒソフトGX		138
ムヒソフトGX乳状液		139
ムヒ・ベビーb		139
液体ムヒベビー		139
ムヒアルファEX		139
液体ムヒアルファEX		139
ムヒアルファSⅡ		140
アセムヒEX		140
液体アセムヒEX		140
ムヒHDm		140
ムヒエイチディ		140
ムヒER		141
明治	株式会社明治	
●うがい薬		
明治うがい薬		115
メソッド	ライオン株式会社	
●皮膚用薬		
メソッド ASクリーム		141
メソッド AS軟膏		141
メソッド ASローション		141
メソッド CLローション		141
メソッド UFクリーム		142
メソッド WOクリーム		142
メソッド シート		142
メソッドプレミアム ASクリーム		142
メソッドプレミアム AS軟膏		142
メンソレータム	ロート製薬株式会社	
●口唇用薬		
メンソレータム メディカルリップnc		119
●皮膚用薬		
メンソレータムADクリームm		143
●水虫たむし薬		
メンソレータム エクシブW液		146
メンソレータム エクシブWきわケアジェル		146
メンソレータム エクシブWディープ10クリーム		146
●女性用薬		
メンソレータム フレディCC1		149
メンソレータム フレディCC1A		149
メンソレータム フレディCCクリーム		149
メンソレータム フレディCC膣錠		150
モアリップ	資生堂薬品株式会社	
●口唇用薬		
モアリップN		119
モリピン	森田薬品工業株式会社	
●眠気防止薬		
モリピン内服液		78
ユースキン	ユースキン製薬株式会社	
●皮膚用薬		
ユースキン リカAソフト		143
ユースキン リカAソフトP		143
ユースキンAa		143
ユースキンI		143
ユービケア	小林製薬株式会社	
●漢方製剤		
ユービケア		156
ユクリズム	ロート製薬株式会社	
●漢方製剤		
ユクリズム		156
ユリナール	小林製薬株式会社	
●漢方製剤		
ユリナールb		161
ラックル	日本臓器製薬株式会社	
●解熱鎮痛薬		
ラックル		54
ラッパ	大幸薬品株式会社	
●整腸薬		
ラッパ整腸薬BF		91
LABOMO	カイゲンファーマ株式会社	
●発毛・養毛薬		
LABOMO ヘアグロウ ハナミノキ		152
LABOMO ヘアグロウ ミノキシ5		152
ラミシール	グラクソ・スミスクライン・コンシューマー・ヘルスケア・ジャパン株式会社	
●水虫たむし薬		
ラミシールATクリーム		146
ラミシールプラスクリーム		146
ラリンゴール	佐藤製薬株式会社	
●うがい薬		
ラリンゴール		115

ラングロン　佐藤製薬株式会社
●循環器用薬
- ラングロン　100ページ

リアップ　大正製薬株式会社
●発毛・養毛薬
- リアップ　152ページ
- リアップX5プラスネオ　152ページ
- リアップジェット　153ページ
- リアッププラス　153ページ
- リアップリジェンヌ　153ページ

リココデ　ゼネル薬工粉河株式会社
●かぜ薬
- 小児用感冒薬リココデS液　39ページ

●鎮咳去痰薬
- 新リココデ錠　63ページ

リハビット　ロート製薬株式会社
●漢方製剤
- リハビット　167ページ

リポスミン　皇漢堂製薬株式会社
●睡眠改善薬
- リポスミン　75ページ

龍角散　株式会社龍角散
●鎮咳去痰薬
- 龍角散　63ページ
- 龍角散せき止め錠　63ページ
- 龍角散のせきどめ液　64ページ
- 龍角散ダイレクトスティックピーチ　64ページ
- 龍角散ダイレクトスティックミント　64ページ
- 龍角散ダイレクトトローチマンゴーR　64ページ

●鼻炎用内服薬
- 龍角散鼻炎朝夕カプセル　70ページ

リングル　佐藤製薬株式会社
●解熱鎮痛薬
- リングルアイビー　54ページ
- リングルアイビーα200　54ページ
- リングルアイビー錠α200　55ページ

ルナール　日本臓器製薬株式会社
●解熱鎮痛薬
- ルナールi　55ページ

ルナフェミン　ロート製薬株式会社
●漢方製剤
- ルナフェミン　154ページ

ルミフェン　佐藤製薬株式会社
●解熱鎮痛薬
- ルミフェン　55ページ

ルル　第一三共ヘルスケア株式会社
●かぜ薬
- 新ルル-A錠s　39ページ
- 新ルルAゴールドs　40ページ
- 新ルルAゴールドDX　40ページ
- 新ルルAゴールドDX（PTP）　40ページ
- 新ルルAゴールドDX細粒　40ページ
- ルルアタックFXa　40ページ
- ルルアタックEX　41ページ
- ルルアタックEX顆粒　41ページ
- ルルアタックNX　41ページ
- ルルアタックCX　41ページ
- ルルアタックTR　41ページ

●鼻炎用点鼻薬
- 新ルル点鼻薬　113ページ

レスタミン　興和株式会社
●内服アレルギー用薬
- レスタミンコーワ糖衣錠　72ページ

ロイヒ　ニチバン株式会社
●外用消炎鎮痛薬
- ロイヒ膏ロキソプロフェン　108ページ
- ロイヒつぼ膏　109ページ

ロート　ロート製薬株式会社
●鼻炎用内服薬
- ロート アルガード 鼻炎内服薬ゴールドZ　70ページ
- ロートアルガード ゼロダイレクト　71ページ

●鼻炎用点鼻薬
- アルガード 鼻炎クールスプレーa　113ページ
- ロートアルガード ST鼻炎スプレー　113ページ
- ロートアルガード クリアノーズ 季節性アレルギー専用　113ページ

●点眼薬
- ロート アルガード こどもクリア　127ページ
- ロートこどもソフト　127ページ
- ロートジーb　128ページ
- ロートジープロd　128ページ
- Vロートジュニア　128ページ
- Vロート アクティブプレミアム　128ページ
- Vロートプレミアム　128ページ

●漢方製剤
- 新・ロート防風通聖散錠満量　165ページ
- 新生補中益気湯内服液　166ページ

ロキソニン　第一三共ヘルスケア株式会社
●解熱鎮痛薬
- ロキソニンS　55ページ
- ロキソニンSプラス　55ページ
- ロキソニンSプレミアム　56ページ

●外用消炎鎮痛薬
- ロキソニンSテープ　109ページ

本誌の目的
本誌は医療現場での利用を想定し、患者さんの服用した医薬品の成分特定を目的に制作されております。

市販薬の成分一覧表 【内服薬】

有効成分	メモ
■解熱鎮痛薬	
アセトアミノフェン（パラセタモール）	医 カロナール® 錠
イソプロピルアンチピリン	医 ヨシピリン[調剤用] / ピリン系
[サリチル酸系NSAID]	
アスピリン（アセチルサリチル酸）	医 バイアスピリン® 錠
エテンザミド	医 エテンザミド[調剤用]
サリチルアミド	医 ＰＬ配合顆粒［合剤］
[プロピオン酸系NSAID]	
アルミノプロフェン	医 ミナルフェン錠（販売終了2008年）
イブプロフェン	医 ブルフェン® 錠
ロキソプロフェンナトリウム水和物	医 ロキソニン® 錠
■抗ヒスタミン薬	
[第1世代]	
カルビノキサミンマレイン酸塩	医 シベロン散®（販売終了1990年）
クレマスチンフマル酸塩	医 タベジール® 錠
クロルフェニラミンマレイン酸塩	医 アレルギン® 散
d-クロルフェニラミンマレイン酸塩	医 ポララミン® 錠
ジフェニルピラリン塩酸塩	医 *ハイスタミン® 注（販売終了2017年）
ジフェンヒドラミン塩酸塩	医 レスタミンコーワ錠
ジフェンヒドラミンサリチル酸塩	医 トラベルミン® 配合錠［合剤］
フェニラミンマレイン酸塩	
プロメタジンメチレンジサリチル酸塩	医 ピレチア® 錠
メクリジン塩酸塩	
[第2世代]	
アゼラスチン塩酸塩	医 アゼプチン® 錠
エバスチン	医 エバステル® 錠
エピナスチン塩酸塩	医 アレジオン® 錠
セチリジン塩酸塩	医 ジルテック® 錠
フェキソフェナジン塩酸塩	医 アレグラ® 錠
ベポタスチンベシル酸塩	医 タリオン® 錠
メキタジン	医 ニポラジン® 錠
ロラタジン	医 クラリチン® 錠
■副交感神経遮断薬/抗コリン薬	
スコポラミン臭化水素酸塩水和物	医 *ハイスコ® 皮下注
チキジウム臭化物	医 チアトン® カプセル注
トリメブチンマレイン酸塩	医 セレキノン® 錠
ブチルスコポラミン臭化物	医 ブスコパン® 錠
ベラドンナ総アルカロイド	
ヨウ化イソプロパミド	
ロート	医 ロートエキス散
■交感神経刺激薬	
トリメトキノール塩酸塩水和物	医 イノリン® 錠
フェニレフリン塩酸塩	医 *ネオシネジンコーワ注
メトキシフェナミン塩酸塩	医 アストーマ配合カプセル［合剤］
[エフェドリン]	
プソイドエフェドリン塩酸塩	医 ディレグラ® 配合錠［合剤］
dl-メチルエフェドリン塩酸塩	医 メチエフ® 散
[キサンチン誘導体]	
ジプロフィリン	医 *ジプロフィリン注
テオフィリン	医 テオドール® 錠
■カフェイン■	
安息香酸ナトリウムカフェイン	医 アンナカ

有効成分	メモ
■交感神経刺激薬（つづき）	
カフェイン水和物	医 カフェイン水和物原末
クエン酸カフェイン	
無水カフェイン	医 無水カフェイン
■鎮咳薬/去痰薬	
[麻薬性鎮咳薬]	
コデインリン酸塩水和物	医 リン酸コデイン錠
ジヒドロコデインリン酸塩	医 ジヒドロコデインリン酸塩散
[非麻薬性鎮咳薬]	
デキストロメトルファン臭化水素酸塩水和物	医 メジコン® 錠
ノスカピン	医 ノスカピン
ノスカピン塩酸塩水和物	
[鎮咳去痰薬]	
チペピジンクエン酸塩	
チペピジンヒベンズ酸塩	医 アスベリン® 錠
[去痰薬]	
アンブロキソール塩酸塩	医 ムコソルバン® 錠
L-カルボシステイン	医 ムコダイン® 錠
グアイフェネシン	医 *フストジル® 注射液
グアヤコールスルホン酸カリウム	
クレゾールスルホン酸カリウム	医 メジコン® 配合シロップ［合剤］
ブロムヘキシン塩酸塩	医 ビソルボン® 錠
■グリチルリチン　甘草（カンゾウ）にも含まれている	
グリチルリチン酸	
グリチルリチン酸カリウム	
グリチルリチン酸二カリウム	医 *ノイボルミチン® 点眼液
■催眠鎮静薬	
アリルイソプロピルアセチル尿素	医 SG配合顆粒［合剤］
ブロモバレリル尿素	医 ブロバリン® 原末
■筋弛緩薬	
クロルゾキサゾン	
メトカルバモール	医 ロバキシン® 顆粒
■胃薬	
カルニチン塩化物	医 *エントミン® 注
グリシン	
L-グルタミン	医 L-グルタミン顆粒
シロキサリース	
ソファルコン	医 ソロン® 錠
テプレノン	医 セルベックス® カプセル
銅クロロフィリンカリウム	
ピレンゼピン塩酸塩水和物	医 ガストロゼピン® 錠
メチルメチオニンスルホニウムクロリド	医 キャベジンUコーワ錠
[H_2遮断薬]	
ニザチジン	医 アシノン® 錠
ファモチジン	医 ガスター® 錠
■制酸薬	
アルジオキサ	医 アルジオキサ錠 /Al含
乾燥水酸化アルミニウムゲル	医 乾燥水酸化アルミニウムゲル原末 /Al含
ケイ酸アルミン酸マグネシウム	Al,Mg含
合成ケイ酸アルミニウム	医 合成ケイ酸アルミニウム /Al含
サナルミン	医 YM散［合剤］/Al,Mg含

略語
NSAID：Non-Steroidal Anti-Inflammatory Drug（非ステロイド性抗炎症薬のこと）　Al：アルミニウムの元素記号　Mg：マグネシウムの元素記号　Ca：カルシウムの元素記号
医：医療用医薬品で確認できた場合にマークし、代表的と判断した製品名を記載。*は内服以外の製品に付記。

有効成分	メモ
■制酸薬（つづき）	
スクラルファート水和物	医 アルサルミン® 細粒/Al含
ヒドロタルサイト	Al,Mg含
メタケイ酸アルミン酸マグネシウム	Al,Mg含
［制酸薬以外の目的でも使用される成分］	
酸化マグネシウム	医 マグミット® 錠/Mg含/浸透圧作用便秘薬にも使用
水酸化マグネシウム	医 ミルマグ® 錠/Mg含/浸透圧作用便秘薬にも使用
炭酸マグネシウム	医 炭酸マグネシウム/Mg含/浸透圧作用便秘薬にも使用
沈降炭酸カルシウム	医 カルタン® 錠/Ca含/高リン血症薬にも使用
炭酸水素ナトリウム	医 炭酸水素ナトリウム/重曹/アルカリ化薬にも使用
■消化酵素	
ジアスメン	医 タフマック® E配合カプセル［合剤］
タカヂアスターゼ	医 タカヂアスターゼ® 原末
ビオヂアスターゼ	医 YM散［合剤］
ビオヂアスターゼ1000	医 ベリチーム® 配合顆粒［合剤］
ビオヂアスターゼ2000	医 オーネス® N配合顆粒［合剤］
プロザイム6	医 オーネス® N配合顆粒［合剤］
リパーゼAP6	医 ベリチーム® 配合顆粒［合剤］
リパーゼAP12	医 オーネス® N配合顆粒［合剤］
■整腸薬	
コンク・アシドフィルス菌末	
コンク・ビフィズス菌末	
コンク・フェーカリス菌末	
糖化菌	医 ビオスリー® 配合錠［合剤］
納豆菌	
ビフィズス菌	医 ビオフェルミン® 錠剤
フェーカリス菌	
有胞子性乳酸菌	医 ラックメロン® 散（販売終了2019年）
酪酸菌	医 ミヤBM® 錠
ラクトサン	
ラクトミン	医 アタバニン® 散
■止瀉薬	
タンニン酸アルブミン	医 タンニン酸アルブミン
タンニン酸ベルベリン	
天然ケイ酸アルミニウム	医 アドソルビン® 原末 / Al含
ロペラミド塩酸塩	医 ロペミン® カプセル
■便秘薬	
［膨張性］	
プランタゴオバタ種子	
プランタゴオバタ種皮	
［軟化］	
ジオクチルソジウムスルホサクシネート	医 ビーマス® 配合錠［合剤］
［刺激性］	
カスカラサグラダ	医 カスカラサグラダ流エキス
センノサイドカルシウム	
センノシド	医 プルゼニド® 錠
ピコスルファートナトリウム水和物	医 ラキソベロン® 錠
ビサコジル	医 *テレミンソフト® 坐薬
■ビタミン	
［ビタミンB_1］	
ジセチアミン塩酸塩水和物	医 ジセタミン® 錠
ジベンゾイルチアミン	
チアミン塩化物塩酸塩	医 チアミン塩化物塩酸塩散
チアミン硝化物	医 トリドセラン® 配合錠［合剤］

有効成分	メモ
■ビタミン（つづき）	
［ビタミンB_1］	
ビスイブチアミン	
ビスベンチアミン	医 ベストン® 糖衣錠
ベンフォチアミン	医 ビオタミン® 散
［ビタミンB_2］	
ビタミンB_2	
ビタミンB_2リン酸エステル	
リボフラビン	医 ビフロキシン® 配合錠
リボフラビン酪酸エステル	医 ハイボン® 錠
リボフラビンリン酸エステルナトリウム	医 *ビスラーゼ® 注射液
［ビタミンB_6］	
ピリドキシン塩酸塩	医 ビタミンB_6錠
［ビタミンB_{12}］	
シアノコバラミン	医 *シアノコバラミン注
［ビタミンC］	
アスコルビン酸	医 ハイシー® 顆粒
アスコルビン酸カルシウム	
L-アスコルビン酸ナトリウム	
ビタミンC	
［ビタミンD_2］	
エルゴカルシフェロール	
［ビタミンE］	
トコフェロールコハク酸エステル	
トコフェロールコハク酸エステルカルシウム	
トコフェロール酢酸エステル	医 ユベラ® 錠
［その他のビタミン類］	
ヘスペリジン	
イノシトール	
ニコチン酸アミド	医 ニコチン酸アミド散
パントテン酸カルシウム	医 シナール® 配合錠［合剤］
パントテン酸ナトリウム	
ビオチン	医 ビオチン散
葉酸	医 フォリアミン® 錠
■カルシウム補充薬	
グリセロリン酸カルシウム	
グルコン酸カルシウム水和物	医 グルコン酸カルシウム
乳酸カルシウム	
無水リン酸水素カルシウム	
リン酸水素カルシウム	
リン酸水素カルシウム水和物	医 リン酸水素カルシウム
■鉄補充薬	
溶性ピロリン酸第二鉄	医 インクレミン® シロップ
■脂質異常症治療薬	
イコサペント酸エチル	医 エパデールカプセル
■その他	
アズレンスルホン酸ナトリウム水和物	医 アズノール® 錠
アミノ安息香酸エチル	医 *ハリケインゲル歯科用
L-アルギニン	
ウルソデオキシコール酸	医 ウルソ® 錠
グルクロノラクトン	
L-グルタミン酸ナトリウム	
コンドロイチン硫酸エステルナトリウム	医 コンドロイチンZ錠
L-システイン	医 ハイチオール® 錠
ジフェニドール塩酸塩	医 セファドール® 錠

有効成分	メモ
■その他（つづき）	
ジメチルポリシロキサン	医 ガスコン® 錠
セチルピリジニウム塩化物水和物	医 *セチルピリジニウム塩化物トローチ
タウリン	医 タウリン散98%「大正」
トラネキサム酸	医 トランサミン® 錠
l-メントール	医 l-メントール「ホエイ」
L-リシン塩酸塩	
ルチン	
レシチン	
■西洋ハーブ	
チェストベリー乾燥エキス	ダイレクトOTC薬
■生薬等	
[エフェドリンを含むことが知られている生薬]	
半夏（ハンゲ）	
麻黄（マオウ）	
[グリチルリチンを含むことが知られている生薬]	
甘草（カンゾウ）	
[ヒゲナミン（非選択的β₂作用薬）を含むことが知られている生薬]	
加工ブシ（カコウブシ）	
呉茱萸（ゴシュユ）	
細辛（サイシン）	
丁子（チョウジ）	
南天実（ナンテンジツ）	
[その他]	

赤目柏（アカメガシワ）、阿膠（アキョウ）、阿仙薬（アセンヤク）、蘆薈（アロエ）、威霊仙（イレイセン）、茵蔯蒿（インチンコウ）、淫羊藿（インヨウカク）、茴香（ウイキョウ）、鬱金（ウコン）、烏梅（ウバイ）、蝦夷五加（エゾウコギ）、延胡索（エンゴサク）、延命草（エンメイソウ）、黄耆（オウギ）、黄芩（オウゴン）、黄柏（オウバク）、桜皮（オウヒ）、黄連（オウレン）、オキソアミヂン、遠志（オンジ）、艾葉（ガイヨウ）、夏枯草（カゴソウ）、訶子（カシ）、葛根（カッコン）、滑石（カッセキ）、鹿子草（カノコソウ）、加密列（カミツレ）、ガラナ、乾姜（カンキョウ）、桔梗（キキョウ）、菊花（キクカ）、枳実（キジツ）、橘皮（キッピ）、牛胆（ギュウタン）、羌活（キョウカツ）、杏仁（キョウニン）、金銀花（キンギンカ）、枸杞子（クコシ）、荊芥（ケイガイ）、桂皮（ケイヒ）、決明子（ケツメイシ）、ゲンチアナ、ゲンノショウコ、紅花（コウカ）、香附子（コウブシ）、粳米（コウベイ）、厚朴（コウボク）、牛黄（ゴオウ）、牛膝（ゴシツ）、牛蒡子（ゴボウシ）、五味子（ゴミシ）、コロンボ、柴胡（サイコ）、サフラン、山帰来（サンキライ）、山梔子（サンシシ）、山茱萸（サンシュユ）、山椒（サンショウ）、酸棗仁（サンソウニン）、山薬（サンヤク）、地黄（ジオウ）、地骨皮（ジコッピ）、柿蒂（シテイ）、芍薬（シャクヤク）、麝香（ジャコウ）、車前子（シャゼンシ）、十薬（ジュウヤク）、縮砂（シュクシャ）、生姜（ショウキョウ）、升麻（ショウマ）、地竜（ジリュウ）、辛夷（シンイ）、沈香（ジンコウ）、真珠（シンジュ）、セイヨウヤドリギ、石膏（セッコウ）、セネガ、ゼラチン、川芎（センキュウ）、蟾酥（センソ）、センナ実（センナジツ）、千振（センブリ）、蒼朮（ソウジュツ）、桑白皮（ソウハクヒ）、蘇葉（ソヨウ）、大黄（ダイオウ）、大棗（タイソウ）、沢瀉（タクシャ）、ダツラ、淡豆豉・香豉（タンズシ・コウシ）、淡竹葉（タンチクヨウ）、竹茹（チクジョ）、知母（チモ）、釣藤鉤・鉤葛（チョウトウコウ・カギカズラ）、猪苓（チョレイ）、陳皮（チンピ）、天南星（テンナンショウ）、天門冬（テンモンドウ）、当帰（トウキ）、桃仁（トウニン）、橙皮（トウヒ）、動物胆（ドウブツタン）、独活（ドクカツ）、吐根（トコン）、苦木（ニガキ）、肉豆蔲（ニクズク）、人参（ニンジン）、貝母（バイモ）、麦門冬（バクモンドウ）、薄荷（ハッカ）、パッシフローラ、浜防風（ハマボウフウ）、百合（ビャクゴウ）、白芷（ビャクシ）、白朮（ビャクジュツ）、枇杷葉（ビワヨウ）、茯苓（ブクリョウ）、防已（ボウイ）、芒硝、防風（ボウフウ）、牡丹皮（ボタンピ）、ホップ、牡蛎（ボレイ）、無水芒硝、木クレオソート、木通（モクツウ）、木香（モッコウ）、熊胆（ユウタン）、薏苡仁（ヨクイニン）、竜眼肉（リュウガンニク）、竜胆（リュウタン）、龍脳（リュウノウ）、良姜（リョウキョウ）、羚羊角（レイヨウカク）、レモン油、連翹（レンギョウ）、蓮肉（レンニク）、鹿茸（ロクジョウ）

市販薬の成分一覧表【外用薬】

有効成分	メモ
■解熱薬/鎮痛薬/皮膚軟化薬	
アセトアミノフェン（パラセタモール）	医 *アルピニー® 坐剤
[サリチル酸系NSAID]	
サリチル酸	医 *スピール™膏M
サリチル酸グリコール	医 *GSプラスターC「ユートク」［合剤］
サリチル酸フェニル	
サリチル酸メチル	医 *MS冷シップ「タイホウ」［合剤］
[プロピオン酸系NSAID]	
イブプロフェンピコノール	医 *ベシカム® 軟膏
プラノプロフェン	医 *ニフラン® 点眼液
ロキソプロフェンナトリウム水和物	医 *ロキソニン® テープ
[フェニル酢酸系NSAID]	
ジクロフェナクナトリウム	医 *ボルタレン® テープ
フェルビナク	医 *セルタッチ® パップ
[インドール酢酸系NSAID]	
インドメタシン	医 *インテナース® パップ
[フェナム酸系NSAID]	
ウフェナマート	医 *コンベック® 軟膏
■抗ヒスタミン薬	
[第1世代]	
クロルフェニラミンマレイン酸塩	医 アレルギン® 散
ジフェンヒドラミン	医 *レスタミンコーワクリーム
ジフェンヒドラミン塩酸塩	医 レスタミンコーワ錠
■副交感神経遮断薬/抗コリン薬	
ネオスチグミンメチル硫酸塩	医 *ワゴスチグミン® 注
■交感神経刺激薬	
オキシメタゾリン塩酸塩	医 *ナシビン® 点鼻・点眼液
テトラヒドロゾリン塩酸塩	医 *コールタイジン® 点鼻液 ［合剤］
ナファゾリン塩酸塩	
■副腎皮質ステロイド	
デキサメタゾン酢酸エステル	
トリアムシノロンアセトニド	医 *アフタッチ® 口腔用貼付剤
ヒドロコルチゾン	医 コートリル® 錠
ヒドロコルチゾン酢酸エステル	
フルオシノロンアセトニド	医 *フルコート® クリーム
フルチカゾンプロピオン酸エステル	医 *フルナーゼ点鼻液
フルニソリド	医 *シナクリン点鼻液（販売終了2005年）
プレドニゾロン	医 *プレドニゾロンクリーム
プレドニゾロン吉草酸エステル酢酸エステル	医 *リドメックスコーワクリーム
プレドニゾロン酢酸エステル	医 *プレドニン® 眼軟膏
ベクロメタゾンプロピオン酸エステル	医 *リノコート® カプセル鼻用
■グリチルリチン 甘草（カンゾウ）にも含まれている	
グリチルリチン酸ーアンモニウム	医 *強力ネオミノファーゲンシー® 静注 ［合剤］
グリチルリチン酸二カリウム	医 *ノイボルミチン® 点眼液
グリチルレチン酸	医 *デルマクリン® A軟膏
■抗菌薬	
[アミノグリコシド系]	
フラジオマイシン硫酸塩	医 *ソフラチュール® 貼付剤

略語
NSAID：Non-Steroidal Anti-Inflammatory Drug（非ステロイド性抗炎症薬のこと）　Al：アルミニウムの元素記号　Mg：マグネシウムの元素記号　Ca：カルシウムの元素記号
医：医療用医薬品で確認できた場合にマークし、代表的と判断した製品名を記載。*は内服以外の製品に付記。

有効成分	メモ
■抗菌薬（つづき）	
[アンフェニコール系]	
クロラムフェニコール	医 *クロマイ® 腟錠
[サルファ剤]	
スルファメトキサゾール	医 *バクトラミン® 注［合剤］
[テトラサイクリン系]	
オキシテトラサイクリン塩酸塩	医 *オキシテトラコーン歯科用挿入剤
[ポリペプチド系]	
ポリミキシンB硫酸塩	医 硫酸ポリミキシンB散
■抗真菌薬	
イソコナゾール硝酸塩	医 *アデスタン® 腟錠
クロトリマゾール	医 *エンペシド® クリーム
テルビナフィン塩酸塩	医 *ラミシール® クリーム
ナイスタチン	
ピロールニトリン	
ブテナフィン塩酸塩	医 *ボレー® クリーム
ミコナゾール硝酸塩	医 *フロリードDクリーム
ラノコナゾール	医 *アスタット® クリーム
■抗ウイルス薬	
アシクロビル	医 *ゾビラックス軟膏
ビダラビン	医 *アラセナ−A軟膏
■殺菌消毒薬	
イソプロピルメチルフェノール	
クロルヘキシジン塩酸塩	
クロルヘキシジングルコン酸塩	医 *ヒビテン® 液
セチルピリジニウム塩化物水和物	医 *セチルピリジニウム塩化物トローチ
トリクロロカルバニリド	
ベンザルコニウム塩化物	医 *ウエルパス® 手指消毒液
ベンゼトニウム塩化物	医 *ベゼトン® 液
ポビドンヨード	医 *イソジン® 液
ヨウ素	医 *ヨードコート® 軟膏
■ビタミン	
[ビタミンA]	
ビタミンA油	医 *ザーネ® 軟膏
レチノールパルミチン酸エステル	医 *チョコラ® A筋注
[ビタミンB_2]	
フラビンアデニンジヌクレオチドナトリウム	医 *フラビタン® 点眼液
[ビタミンB_6]	
ピリドキシン塩酸塩	医 ビタミンB_6錠
[ビタミンB_{12}]	
シアノコバラミン	医 *サンコバ® 点眼液
[ビタミンD_2]	
エルゴカルシフェロール	
[ビタミンE]	
酢酸d-α-トコフェロール	
トコフェロール酢酸エステル	医 ユベラ® 錠
[その他のビタミン類]	
ニコチン酸ベンジルエステル	
パンテノール	医 *パントール® 注射液
パンテニールエチルエーテル	

有効成分	メモ
■電解質補充	
L-アスパラギン酸カリウム	医 アスパラ® カリウム散
塩化カリウム	医 *K.C.L.® 点滴液
塩化ナトリウム	医 *塩化Na補正液
■局所麻酔薬	
ジブカイン塩酸塩	医 *ネオビタカイン® 注シリンジ［合剤］
リドカイン	医 *ペンレス® テープ
リドカイン塩酸塩	医 *キシロカイン® ゼリー
■外用発毛促進薬	
ミノキシジル	ダイレクトOTC薬
■その他	
アズレンスルホン酸ナトリウム水和物	医 *アズレンうがい液
アラントイン	
アンモニア	
イプシロン-アミノカプロン酸	
d-カンフル	医 *カンフル精
dl-カンフル	医 *「エビス」カンフル精
ガンマオリザノール	医 ハイゼット® 錠
グリセリン	
クロタミトン	医 *オイラックス® クリーム
クロモグリク酸ナトリウム	医 *インタール® 点眼液
コンドロイチン硫酸エステルナトリウム	医 コンドロイチンZ錠
酸化亜鉛	医 *サトウザルベ軟膏
精製ヒアルロン酸ナトリウム	医 *ヒアレイン® 点眼液
タウリン	医 タウリン散98%「大正」
タンニン酸	
炭酸水素ナトリウム	医 炭酸水素ナトリウム
チモール	医 *チモール「ファイザー」原末
ニコチン	医 *ニコチネルTTS
乳酸	医 乳酸
尿素	医 *ウレパール® クリーム
ノナン酸バニリルアミド（ノニル酸ワニリルアミド）	
ヒノキチオール	医 *ヒノポロン® 口腔用軟膏［合剤］
ブドウ糖	医 ブドウ糖
ヘパリン類似物質	医 *ヒルドイド® ゲル
ベルベリン塩化物水和物	医 キョウベリン錠
無水リン酸二水素ナトリウム	
l-メントール	医 l-メントール「ホエイ」
硫酸亜鉛水和物	医 *サンチンク® 点眼液

■生薬等

アルニカ、加密列（カミツレ）、紫根（シコン）、杉葉油（杉葉油）、チミアン油、テレビン油、丁子（チョウジ）、唐辛子（トウガラシ）、肉豆蔲（ニクズク）、薄荷（ハッカ）、ミルラ、ユーカリ油、ラタニア

製薬会社窓口一覧（50音順）：電話番号 / 受付時間

株式会社浅田飴	お客様相談室	03-3953-4044	9:00～17:00（土、日、祝日を除く）
株式会社アラクス	お客様相談室	0120-225-081	9:00～16:30（土、日、祝日を除く）
株式会社池田模範堂	お客様相談窓口	076-472-0911	9:00～17:00（土、日、祝日を除く）
伊丹製薬株式会社	お客様相談室	0740-22-2059	9:00～16:30（土、日、祝日を除く）
うすき製薬株式会社	お客様相談室	0120-5103-81	8:00～17:00（土、日、祝日を除く）
宇津救命丸株式会社	お客様相談室	03-3295-2681	9:00～17:00（土、日、祝日を除く）
エーザイ株式会社	エーザイhhcホットライン	0120-161-454	9:00～18:00（平日）、9:00～17:00（土日・祝日）
エスエス製薬株式会社	お客様相談室	0120-028-193	9:00～17:30（土、日、祝日を除く）
株式会社太田胃散	お客様相談室	03-3944-1311	9:30～17:00（土、日、祝日を除く）
大塚製薬株式会社	お客様相談窓口	03-3293-3212	9:00～17:00（土、日、祝日を除く）
奥田製薬株式会社	お客様相談窓口	06-6351-2100	9:00～17:00（土、日、祝日を除く）
カイゲンファーマ株式会社	お客様相談室	06-6202-8911	9:00～17:00（土、日、祝日、会社休日を除く）
株式会社亀田利三郎薬舗		075-462-1640	9:00～17:00（土、日、祝日を除く）
北日本製薬株式会社		076-472-1011	9:00～16:30（土、日、祝日を除く）
救心製薬株式会社	お客様相談室	03-6861-9494	9:00～17:00（土、日、祝日、会社休日を除く）
杏林製薬株式会社	くすり情報センター	0120-965-961	9:00～17:00（土、日、祝日を除く）
株式会社金冠堂	消費者相談窓口	03-3421-6171	9:00～16:00（土、日、祝日を除く）
グラクソ・スミスクライン・コンシューマー・ヘルスケア・ジャパン株式会社	お客様相談室	0120-099-301	9:00～17:00（土、日、祝日、会社休日を除く）
クラシエ薬品株式会社	お客様相談窓口	03-5446-3334	10:00～17:00（土、日、祝日を除く）
健栄製薬株式会社	学術情報部（くすり相談窓口）	0120-231-562	8:45～17:30（土、日、祝日、会社休日を除く）
皇漢堂製薬株式会社	お客様相談窓口	0120-023520	9:00～17:00（土、日、祝日を除く）
興和株式会社	お客様相談センター	03-3279-7755	9:00～17:00（土、日、祝日を除く）
小太郎漢方製薬株式会社	医薬事業部　お客様相談室	06-6371-9106	9:00～17:30（土、日、祝日を除く）
小林製薬株式会社	お客様相談室	0120-5884-01	9:00～17:00（土、日、祝日を除く）
株式会社再春館製薬所		0120-305-305	8:00～22:00
佐藤製薬株式会社	お客様相談窓口	03-5412-7393	9:00～17:00（土、日、祝日を除く）
参天製薬株式会社	お客様相談室	0120-127-023	9:00～17:00（土、日、祝日を除く）
シオノギヘルスケア株式会社	医薬情報センター	大阪：06-6209-6948 東京：03-3406-8450	9:00～17:00（土、日、祝日を除く）
資生堂薬品株式会社	お客さま窓口	03-3573-6673	10:00～16:00（土曜、祝日、年末年始、夏季休暇を除く）
ジョンソン・エンド・ジョンソン株式会社	お客様相談室	0120-834389	9:00～17:00（土、日、祝日を除く）
ゼネル薬品工業株式会社		06-6352-2381	9:00～17:00（土、日、祝日を除く）

会社名	窓口	電話番号	受付時間
ゼリア新薬工業株式会社	お客様相談室	03-3661-2080	9:00～17:50（土、日、祝日、会社休日を除く）
千寿製薬株式会社	お客様インフォメーション	0120-078-552	9:00～17:30（土、日、祝日を除く）
全薬工業株式会社	お客様相談室	03-3946-3610	9:00～17:00（土、日、祝日を除く）
第一三共ヘルスケア株式会社	お客様相談室	0120-337-336	9:00～17:00（土、日、祝日、会社休日を除く）
大幸薬品株式会社	お客様相談係	0570-783-818	9:00～17:00（土、日、祝日を除く）
大正製薬株式会社	お客様119番室	03-3985-1800	8:30～17:00（土、日、祝日を除く）
大鵬薬品工業株式会社	お客様相談室	0120-4527-66	9:00～17:00（土、日、祝日、会社休日を除く）
ダイヤ製薬株式会社	お客様相談室	0744-21-5588	9:00～17:00（土、日、祝日を除く）
武田コンシューマーヘルスケア株式会社	お客様相談室	0120-567-087	9:00～17:00（土、日、祝日を除く）
田辺三菱製薬株式会社	くすり相談センター	0120-54-7080	9:00～17:30（会社営業日）
株式会社ツムラ	お客様相談窓口	0120-329-930	9:00～17:30（土、日、祝日、会社休日を除く）
富山めぐみ製薬株式会社	お客様相談窓口	076-421-5531	9:00～17:00（土、日、祝日を除く）
ニチバン株式会社	お客様相談室	0120-377218	9:00～12:00、13:00～17:00（土、日、祝日を除く）
日邦薬品工業株式会社	お客様相談室	03-3370-7174	9:00～17:00（土、日、祝日を除く）
日本臓器製薬株式会社	お客様相談窓口	06-6222-0441	9:00～17:00（土、日、祝日を除く）
ビオフェルミン製薬株式会社	お客様相談窓口	078-332-7210	9:00～17:00（土、日、祝日を除く）
久光製薬株式会社	お客様相談室	0120-133250	9:00～17:50（土、日、祝日、会社休日を除く）
日野薬品工業株式会社		0748-52-1232	9:00～17:00（土、日、祝日を除く）
樋屋奇応丸株式会社	お客様相談室	072-871-2990	9:00～17:30（土、日、祝日を除く）
福地製薬株式会社		0748-52-2323	9:00～17:00（土、日、祝日を除く）
株式会社富士薬品	学術室	048-648-1118	9:00～17:30（土、日、祝日を除く）
Meiji Seika ファルマ株式会社	くすり相談室	0120-841-704	9:00～17:00（土、日、祝日を除く）
森田薬品工業株式会社	お客様相談室	084-943-8171	9:00～17:00（土、日、祝日を除く）
薬王製薬株式会社	お客様相談室	0744-33-8855	9:00～17:00（土、日、祝日を除く）
ユースキン製薬株式会社	お客様相談室	0120-22-1413	9:00～17:00（土、日、祝日を除く）
横山製薬株式会社	お客様相談室	078-911-2948	9:00～12:00、13:00～17:00（土、日、祝日を除く）
米田薬品株式会社	お客様相談窓口	06-6562-7411	10:00～17:00（土、日、祝日を除く）
ライオン株式会社	お客様センター	0120-813-752	9:00～17:00（土、日、祝日を除く）
株式会社龍角散	お客様相談室	03-3866-1326	10:00～17:00（土、日、祝日を除く）
ロート製薬株式会社	お客さま安心サポートデスク	東京：03-5442-6020 大阪：06-6758-1230	9:00～18:00（土、日、祝日を除く）

※新型コロナウイルス感染症の影響で、受付時間が変更されている場合があります。

掲載内容に関する説明

1．市販薬ごとに掲載している製品データ（730製品）

【掲載項目】　製品カテゴリー＊、販売名、用法・用量［用法］、有効成分・分量［成分］、製薬会社、製品写真
【分　　量】　原則として、1回量に統一。1回量に範囲がある場合は、最大量を掲載。
【注：注記】　製薬会社にヒアリングしたデータや注意事項、一部の外用薬では剤型、効能・効果を記載
【掲載順序】　内服薬・外用薬：製品カテゴリーの順 → 製品のブランド50音順 → 原則として、製品名50音順
　　　　　　　漢方製剤　　　：漢方処方名称の50音順→製品名50音順

＊市販薬の製品カテゴリー（表示：製品データ左上、[ ]は略称）

内服薬
かぜ薬 | 解熱鎮痛薬 | 内服肩こり薬[肩こり薬] | 鎮咳去痰薬 | 鼻炎用内服薬[鼻炎内服薬] | 内服アレルギー用薬[アレルギー]
口腔咽喉内服薬[口腔内服薬] | 睡眠改善薬 | 鎮静薬 | 眠気防止薬 | 乗物酔い薬 | 健胃薬 | 消化薬 | 制酸薬 | H_2遮断薬 | 鎮痙薬 | 胃腸薬
整腸薬 | 止瀉薬 | 便秘薬 | 貧血用薬 | 保健薬 | 女性保健薬 | 循環器用薬 | しみ改善薬 | 西洋ハーブ | 生薬製剤

外用薬
外用かぜ薬 | 解熱坐薬 | 外用消炎鎮痛薬[外用鎮痛薬] | 鼻炎用点鼻薬[鼻炎点鼻薬] | うがい薬 | 口腔咽喉外用薬[口腔外用薬] | 口内炎用薬
口唇用薬 | 外用歯槽膿漏薬[歯槽膿漏薬] | 点眼薬 | 皮膚用薬 | 魚の目・たこ・いぼ用薬[うおのめ他] | 水虫たむし薬[水虫たむし]
便秘坐薬 | 痔疾用薬 | 女性用薬 | 禁煙補助薬 | 発毛・養毛薬[発毛養毛薬]

漢方製剤
漢方ア行 | 漢方カ行 | 漢方サ行 | 漢方タ行 | 漢方ナ行 | 漢方ハ行 | 漢方マ行 | 漢方ヤ行 | 漢方ラ行

2．製品データを囲むフレームの色

医薬品の区分を示しています。医薬品の区分の詳細は右ページをご参考にしてください。

3．漢方製剤の注記の数字の意味

　漢方製剤の各製品の注注記には製製品番号（医療用漢方製剤の包装などに記載の番号）と、処処方番号（「一般用漢方製剤承認基準の改正について」の新処方番号）の2種類の「番号」を併記しました。両方とも番号が記載されている処方は、一般用・医療用のどちらも承認されており、製製品番号なしの処方は、一般用漢方製剤のみ販売されている製品（例：響声破笛丸、柿蔕湯、独活葛根湯）です。
　本書での製製品番号は市場シェアの大きい製薬会社の製製品番号としております。製製品番号はすべての製薬会社で統一はされていません。ご注意してご活用ください。

4．QRコード

　QRコードからは、スマートフォン等を使って、（株）プラメドプラス運営のWEBサイト「市販薬アップデート」にアクセスしていただくと、医療従事者向け製品要約テキストや添付文書をご覧いただけます。QRコードは（株）デンソーウェーブの登録商標です。

5．留意事項

● 本書は医療現場での利用を想定し、患者さんの服用した医薬品の成分特定を目的に制作されております。当社の承諾を得ずに、製品の広告やその他の目的で利用することを禁じます。

● 本書の情報は、当社が収集したデータをもとに編集・加工し、正確性・信頼性を高める努力を継続的に積み重ねた成果であり、その内容のすべては当社に帰属しております。

● 本書においては、その有用性、正確性、安全性、合法性をすべて保証するものではなく、これに起因して利用者に生じた損害について、一切の責任は負いません。

● 本書掲載のQRコードのリンク先につきましては、（株）プラメドプラスのWEBサイトに設定されております。インターネット通信の障害をはじめ、様々な理由でアクセスできなくなることがあること、事前通知なく変更もしくは終了されることがあることについて、予めご了承ください。

市販薬の区分

薬局やドラッグストアなどで処方せん無しに購入できる医薬品である「要指導医薬品」、「一般用医薬品」、「指定医薬部外品」は、その含有する成分等により、以下のように区分されています。

要指導医薬品：「要指導医薬品」。初めて市場に登場したものでは、その取り扱いに十分注意を要することから、販売に先立って薬剤師
〔要指導〕　が需要者の提供する情報を聞くとともに、書面による当該医薬品に関する説明を行うことが原則とされています。その
　　　　　ため、インターネット等での販売はできません。店舗においても、生活者が薬剤師の説明を聞かずに購入することがな
　　　　　いよう、すぐには手の届かない場所に陳列などすることとされています。

第1類医薬品：「一般用医薬品」。副作用、相互作用などの項目で安全性上、特に注意を要するものです。店舗においても、生活者が薬
〔第1類〕　　剤師の説明を聞かずに購入することがないよう、すぐには手の届かない場所に陳列などすることとされています。販売
　　　　　は薬剤師に限られており、販売店では、情報を提供する場所において対面で、書面による情報提供が義務付けられてい
　　　　　ます。

第2類医薬品：「一般用医薬品」。副作用、相互作用などの項目で安全性上、注意を要するものです。またこの中で、より注意を要する
〔第2類〕　　ものは　**指定第2類医薬品**〔指定2〕となっています。第2類医薬品には、主なかぜ薬や解熱剤、鎮痛剤など日常生活
　　　　　で必要性の高い製品が多くあります。専門家からの情報提供は努力義務となっています。

第3類医薬品：「一般用医薬品」。副作用、相互作用などの項目で、第1類医薬品や第2類医薬品に相当するもの以外の一般用医薬品
〔第3類〕　　です。

指定医薬部外品：「指定医薬部外品」。医薬品であったものが、販売規制緩和された製品の区分です。薬剤師、登録販売者がいなくても販
〔指定外〕　　売できます。

本書では、これらの区分を製品データページ見開き毎に、下記表示を左下にプリントしました。製品の区分確認にご活用ください。

要指導　第1類　指定2　第2類　第3類　指定外

＊一般用医薬品は、インターネットを含め、郵便等を通じ薬局・ドラッグストアから購入することが可能です。
＊一部の薬局やドラッグストアでは当該薬局において製造販売する「薬局製剤」と呼ばれる医薬品を取り扱うことがあります。

医薬品分類		対応する専門家	情報提供	相談対応	インターネット、郵便等での販売
要指導医薬品		薬剤師	書面での情報提供（義務）	義務	不可
一般用医薬品	第1類医薬品				可
	第2類医薬品	薬剤師または登録販売者	努力義務		
	第3類医薬品		法律上の規定なし		

外箱などに下記のように表示されます。

要指導医薬品

第1類医薬品　　第2類医薬品　　第3類医薬品

指定第2類医薬品　→　第⃞2類医薬品　又は　第②類医薬品

p.22 かぜ薬　　p.42 解熱鎮痛薬　　p.56 内服肩こり薬[肩こり薬]

かぜ薬　宇津こどもかぜ薬AⅡ

用法 7歳以上11歳未満1回1包、3歳以上7歳未満1回2/3包、1歳以上3歳未満1回1/2包を、1日3回食後なるべく30分以内に服用。

成分 1包中[7歳以上11歳未満の1回量に相当]
アセトアミノフェン 150mg
d-クロルフェニラミンマレイン酸塩 0.58333mg
チペピジンヒベンズ酸塩 12.5mg
dl-メチルエフェドリン塩酸塩 10mg
キキョウ末 33.3mg

宇津救命丸株式会社

かぜ薬　宇津こどもかぜ薬CⅡ

用法 7歳以上11歳未満1回1包、3歳以上7歳未満1回2/3包、1歳以上3歳未満1回1/2包を、1日3回食後なるべく30分以内に服用。

成分 1包中[7歳以上11歳未満の1回量に相当]
アセトアミノフェン 150mg
d-クロルフェニラミンマレイン酸塩 0.58333mg
チペピジンヒベンズ酸塩 12.5mg
dl-メチルエフェドリン塩酸塩 10mg
チアミン硝化物 1.667mg
アスコルビン酸カルシウム 12.5mg

宇津救命丸株式会社

かぜ薬　宇津こどもかぜシロップA

用法 3歳以上7歳未満1回10mL、1歳以上3歳未満1回7.5mL、6ヵ月以上1歳未満1回6mL、3ヵ月以上6ヵ月未満1回5mLを、1日3回食後なるべく30分以内に、また、必要な場合には就寝前に服用。場合により1日6回まで服用できるが、服用間隔は4時間以上。

成分 10mL中[3歳以上7歳未満の1回量に相当]
アセトアミノフェン 50mg
d-クロルフェニラミンマレイン酸塩 0.18333mg
デキストロメトルファン臭化水素酸塩水和物 2.667mg
dl-メチルエフェドリン塩酸塩 3.33mg
グアイフェネシン 10mg

宇津救命丸株式会社

かぜ薬　宇津ジュニアかぜ薬A

用法 11歳以上15歳未満1回4錠、7歳以上11歳未満1回3錠、5歳以上7歳未満1回2錠を、1日3回食後なるべく30分以内に服用。

成分 4錠中[11歳以上15歳未満の1回量に相当]
アセトアミノフェン 200mg
d-クロルフェニラミンマレイン酸塩 0.77667mg
デキストロメトルファン臭化水素酸塩水和物 10.667mg
dl-メチルエフェドリン塩酸塩 6.67mg
グアヤコールスルホン酸カリウム 33.3mg
無水カフェイン 33.3mg
カンゾウ粗エキス 35.5333mg(原生薬換算量177.667mg)
キキョウエキス 17.7667mg(原生薬換算量177.667mg)

宇津救命丸株式会社

かぜ薬　エスタック®総合感冒

用法 15歳以上1回3錠、11歳以上15歳未満1回2錠、5歳以上11歳未満1回1錠を、1日3回食後なるべく30分以内に水又はぬるま湯で服用。

成分 3錠中[15歳以上の1回量に相当]
アセトアミノフェン 300mg
クロルフェニラミンマレイン酸塩 2.5mg
デキストロメトルファン臭化水素酸塩水和物 16mg
dl-メチルエフェドリン塩酸塩 20mg
ヘスペリジン 15mg
カンゾウエキス 62.5mg（カンゾウ 250mgに相当）
ショウキョウ末 50mg
無水カフェイン 25mg

エスエス製薬株式会社

| かぜ薬 | **新エスタック®顆粒** |

用法 15歳以上1回1包、12歳以上15歳未満1回2/3包を、1日3回食後なるべく30分以内に水又はぬるま湯で服用。

成分 1包中 [15歳以上の1回量に相当]
- カッコン 0.53g
- マオウ 0.27g
- ケイヒ 0.2g
- シャクヤク 0.2g
- タイソウ 0.27g
- ショウキョウ 0.07g
- カンゾウ 0.13g
- キキョウ 0.27g
- アセトアミノフェン 240mg
- ジヒドロコデインリン酸塩 5mg
- クロルフェニラミンマレイン酸塩 2.5mg
- 無水カフェイン 25mg

注 枠内の8生薬は葛根湯加桔梗エキスとして1,000mg含有

エスエス製薬株式会社

| かぜ薬 | **エスタックイブ®** |

用法 15歳以上1回3錠、1日3回食後なるべく30分以内に水又はぬるま湯で服用。

成分 3錠中 [15歳以上の1回量に相当]
- イブプロフェン 150mg
- ジヒドロコデインリン酸塩 8mg
- dl-メチルエフェドリン塩酸塩 20mg
- クロルフェニラミンマレイン酸塩 2.5mg
- 無水カフェイン 25mg
- チアミン硝化物(ビタミンB₁硝酸塩) 8mg
- アスコルビン酸(ビタミンC) 100mg

エスエス製薬株式会社

| かぜ薬 | **エスタックイブ®FT** |

用法 15歳以上1回2錠、1日3回食後なるべく30分以内に水又はぬるま湯で服用。

成分 2錠中 [15歳以上の1回量に相当]
- イブプロフェン 150mg
- クロルフェニラミンマレイン酸塩 2.5mg
- ジヒドロコデインリン酸塩 8mg
- dl-メチルエフェドリン塩酸塩 20mg
- 無水カフェイン 25mg
- ケイヒ末 133.3mg
- ショウキョウ末 66.7mg

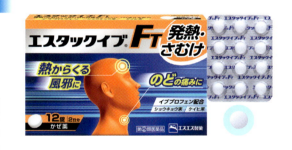

エスエス製薬株式会社

| かぜ薬 | **エスタックイブ®NT** |

用法 15歳以上1回3錠、1日3回食後なるべく30分以内に水又はぬるま湯で服用。

成分 3錠中 [15歳以上の1回量に相当]
- イブプロフェン 150mg
- ヨウ化イソプロパミド 2mg
- クロルフェニラミンマレイン酸塩 2.5mg
- ジヒドロコデインリン酸塩 8mg
- dl-メチルエフェドリン塩酸塩 20mg
- 無水カフェイン 25mg
- チアミン硝化物(ビタミンB₁硝酸塩) 8mg
- アスコルビン酸(ビタミンC) 100mg

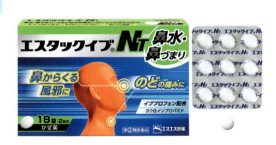

エスエス製薬株式会社

| かぜ薬 | **エスタックイブ®TT** |

用法 15歳以上1回2錠、1日3回食後なるべく30分以内に水又はぬるま湯で服用。

成分 2錠中 [15歳以上の1回量に相当]
- イブプロフェン 150mg
- グリチルリチン酸 13mg
- ジヒドロコデインリン酸塩 8mg
- dl-メチルエフェドリン塩酸塩 20mg
- クロルフェニラミンマレイン酸塩 2.5mg
- 無水カフェイン 25mg
- 酸化マグネシウム 100mg

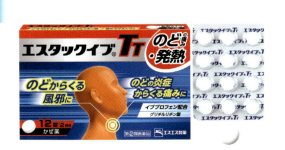

エスエス製薬株式会社

QRコードからWEBサイトの医療従事者向け製品要約テキストや添付文書をご覧いただけます。

p.22 かぜ薬　　p.42 解熱鎮痛薬　　p.56 内服肩こり薬[肩こり薬]

かぜ薬　エスタックイブ®顆粒

用法 15歳以上1回1包、1日3回食後なるべく30分以内に水又はぬるま湯で服用。

成分 1包中 [15歳以上の1回量に相当]
- イブプロフェン 150mg
- ジヒドロコデインリン酸塩 8mg
- dl-メチルエフェドリン塩酸塩 20mg
- クロルフェニラミンマレイン酸塩 2.5mg
- 無水カフェイン 25mg
- チアミン硝化物(ビタミンB_1硝酸塩) 8mg
- アスコルビン酸(ビタミンC) 100mg

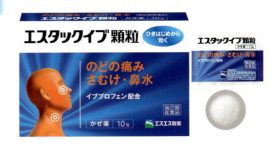

エスエス製薬株式会社

かぜ薬　エスタックイブ®ファイン

用法 15歳以上1回3錠、1日3回食後なるべく30分以内に水又はぬるま湯で服用。

成分 3錠中 [15歳以上の1回量に相当]
- イブプロフェン 150mg
- アンブロキソール塩酸塩 15mg
- ジヒドロコデインリン酸塩 8mg
- dl-メチルエフェドリン塩酸塩 20mg
- ヨウ化イソプロパミド 2mg
- クロルフェニラミンマレイン酸塩 2.5mg
- 無水カフェイン 25mg
- アスコルビン酸(ビタミンC) 100mg
- チアミン硝化物(ビタミンB_1硝酸塩) 8mg

エスエス製薬株式会社

かぜ薬　エスタックイブ®ファインEX

用法 15歳以上1回2錠、1日3回食後なるべく30分以内に水又はぬるま湯で服用。

成分 2錠中 [15歳以上の1回量に相当]
- イブプロフェン 150mg
- ヨウ化イソプロパミド 2mg
- クロルフェニラミンマレイン酸塩 2.5mg
- アンブロキソール塩酸塩 15mg
- ジヒドロコデインリン酸塩 8mg
- dl-メチルエフェドリン塩酸塩 20mg
- 無水カフェイン 25mg
- 酸化マグネシウム 100mg

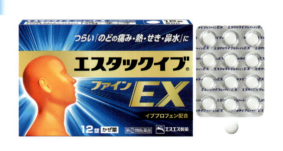

エスエス製薬株式会社

かぜ薬　エスタックイブ®ファイン顆粒

用法 15歳以上1回1包、1日3回食後なるべく30分以内に水又はぬるま湯で服用。

成分 1包中 [15歳以上の1回量に相当]
- イブプロフェン 150mg
- アンブロキソール塩酸塩 15mg
- ジヒドロコデインリン酸塩 8mg
- dl-メチルエフェドリン塩酸塩 20mg
- ヨウ化イソプロパミド 2mg
- クロルフェニラミンマレイン酸塩 2.5mg
- 無水カフェイン 25mg
- アスコルビン酸(ビタミンC) 100mg
- チアミン硝化物(ビタミンB_1硝酸塩) 8mg

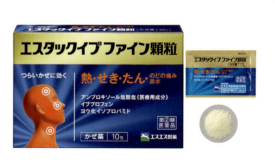

エスエス製薬株式会社

かぜ薬　改源

用法 15歳以上1回1包、11歳以上15歳未満1回2/3包、7歳以上11歳未満1回1/2包、3歳以上7歳未満1回1/3包、1歳以上3歳未満1回1/4包を、1日3回食後なるべく30分以内に茶湯又は湯水で服用。

成分 1包中 [15歳以上の1回量に相当]
- アセトアミノフェン 300mg
- dl-メチルエフェドリン塩酸塩 10mg
- 無水カフェイン 25mg
- カンゾウ末 66.7mg
- ケイヒ末 66.7mg
- ショウキョウ末 33.3mg

カイゲンファーマ株式会社

かぜ薬　改源かぜカプセル

用法　15歳以上1回2カプセル、7歳以上15歳未満1回1カプセルを、1日3回食後なるべく30分以内に服用。

成分　2カプセル中 [15歳以上の1回量に相当]
アセトアミノフェン 300mg
dl-メチルエフェドリン塩酸塩 13.3mg
無水カフェイン 25mg
カンゾウ末 66.7mg
ケイヒ末 50mg
ショウキョウ末 45mg

カイゲンファーマ株式会社

かぜ薬　改源錠

用法　15歳以上1回3錠、11歳以上15歳未満1回2錠、5歳以上11歳未満1回1錠を、1日3回食後なるべく30分以内に服用。

成分　3錠中 [15歳以上の1回量に相当]
アセトアミノフェン 300mg
dl-メチルエフェドリン塩酸塩 15mg
無水カフェイン 25mg
カンゾウ末 75mg
ケイヒ末 66.7mg
ショウキョウ末 50mg

カイゲンファーマ株式会社

かぜ薬　カイゲン顆粒

用法　15歳以上1回1包、11歳以上15歳未満1回2/3包、8歳以上11歳未満1回1/2包、5歳以上8歳未満1回1/3包、3歳以上5歳未満1回1/4包を、1日3回食後なるべく30分以内に服用。

成分　1包中 [15歳以上の1回量に相当]
アセトアミノフェン 300mg
ノスカピン 10mg
dl-メチルエフェドリン塩酸塩 10mg
クロルフェニラミンマレイン酸塩 2.5mg
無水カフェイン 25mg
カンゾウ末 250mg
キキョウ末 333.3mg
ケイヒ末 166.7mg

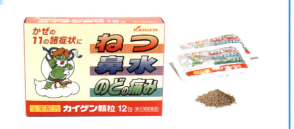

カイゲンファーマ株式会社

かぜ薬　カイゲン感冒液小児用

用法　3歳以上7歳未満1回5mL、1歳以上3歳未満1回3.5mL、6ヵ月以上1歳未満1回3mL、3ヵ月以上6ヵ月未満1回2.5mLを、1日3回食後なるべく30分以内および必要な場合には就寝前に服用。また、場合により約4時間間隔で1日6回まで服用できる。添付のカップで量を計り服用。

成分　5mL中 [3歳以上7歳未満の1回量に相当]
カンゾウエキス 33.3mg(カンゾウとして133.3mg)
人参流エキス 0.041667mL(ニンジンとして41.667mg)
アセトアミノフェン 50mg
dl-メチルエフェドリン塩酸塩 3.33mg
クロルフェニラミンマレイン酸塩 0.41667mg
無水カフェイン 4.1667mg

カイゲンファーマ株式会社

かぜ薬　カイゲン感冒カプセル「プラス®」

用法　15歳以上1回2カプセル、12歳以上15歳未満1回1カプセルを、1日3回食後なるべく30分以内に水又はお湯で服用。

成分　2カプセル中 [15歳以上の1回量に相当]
アセトアミノフェン 256.7mg
d-クロルフェニラミンマレイン酸塩 1.17mg
ジヒドロコデインリン酸塩 5.33mg
dl-メチルエフェドリン塩酸塩 20mg
無水カフェイン 25mg
ビスベンチアミン(ビタミンB₁誘導体) 3.33mg
リボフラビン(ビタミンB₂)2mg
乾燥水酸化アルミニウムゲル 90mg
カンゾウエキス末 32mg(カンゾウとして224mg)
ゴオウ 1mg
地竜乾燥エキス 18.17mg
(ジリュウとして140mg)

カイゲンファーマ株式会社

QRコードからWEBサイトの医療従事者向け製品要約テキストや添付文書をご覧いただけます。

p.22 かぜ薬　　p.42 解熱鎮痛薬　　p.56 内服肩こり薬[肩こり薬]

かぜ薬　カコナール®カゼブロックUP®錠

用法 15歳以上1回3錠、1日3回食後なるべく30分以内に水又はお湯で服用。

成分 3錠中 [15歳以上の1回量に相当]
- イブプロフェン 150.0mg
- クロルフェニラミンマレイン酸塩 2.5mg
- ジヒドロコデインリン酸塩 8.0mg
- dl-メチルエフェドリン塩酸塩 20.0mg
- 無水カフェイン 25.0mg
- リボフラビン(ビタミンB_2) 4.0mg

第一三共ヘルスケア株式会社

かぜ薬　総合かぜ薬A「クニヒロ」

用法 15歳以上1回3錠、1日3回食後なるべく30分以内に水又はお湯でかまずに服用。

成分 3錠中 [15歳以上の1回量に相当]
- イブプロフェン 150mg
- d-クロルフェニラミンマレイン酸塩 1.17mg
- チペピジンヒベンズ酸塩 25mg
- dl-メチルエフェドリン塩酸塩 20mg
- グアヤコールスルホン酸カリウム 83.33mg
- 無水カフェイン 25mg
- チアミン硝化物 8.33mg
- リボフラビン 4mg

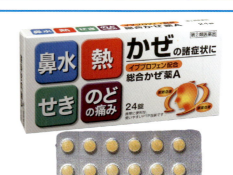

皇漢堂製薬株式会社

かぜ薬　銀翹散エキス顆粒Aクラシエ

用法 15歳以上1回1包、7歳以上15歳未満1回1/2包、5歳以上7歳未満1回1/4包を、1日3回食前又は食間に水又は白湯で服用。

成分 1包中 [15歳以上の1回量に相当]
銀翹散エキス粉末として1,966.7mg含有 / 以下に相当
- キンギンカ 1.42g　　ケイガイ 0.568g
- レンギョウ 1.42g　　タンズシ 0.712g
- ハッカ 0.852g　　　ゴボウシ 0.712g
- キキョウ 0.852g　　レイヨウカク 0.044g
- カンゾウ 0.852g
- タンチクヨウ 0.568g

クラシエ薬品株式会社

かぜ薬　後藤散かぜ薬顆粒

用法 15歳以上1回1包、1日3回食後なるべく30分以内に服用。

成分 1包中 [15歳以上の1回量に相当]
- アスピリン(アセチルサリチル酸) 450mg
- 無水カフェイン 50mg
- dl-メチルエフェドリン塩酸塩 10mg
- ノスカピン 10mg
- クロルフェニラミンマレイン酸塩 2.5mg

注 添加物として1包あたりカンゾウ末49mg、ケイヒ末33mg含有

うすき製薬株式会社

かぜ薬　コフト®顆粒

用法 15歳以上1回1包、12歳以上15歳未満1回2/3包を、いずれも1日3回食後なるべく30分以内に水と一緒に服用。

成分 1包中 [15歳以上の1回量に相当]

カッコン 1.2767g	アセトアミノフェン 150mg
マオウ 0.6367g	クロルフェニラミンマレイン酸塩 2.5mg
タイソウ 0.6367g	ジヒドロコデインリン酸塩 8mg
ケイヒ 0.4767g	ビタミンC 166.7mg
シャクヤク 0.4767g	ビタミンB_2 1.33mg
カンゾウ 0.32g	グアイフェネシン 83.3mg
ショウキョウ 0.16g	無水カフェイン 30mg

注 枠内の7生薬は葛根湯エキスとして733.3mg含有

日本臓器製薬株式会社

要指導　第1類　指定2　第2類　第3類　指定外

かぜ薬　コルゲンコーワIB2

用法　15歳以上1回2カプセル、1日2回朝夕食後なるべく30分以内に水又は温湯で服用。

成分　2カプセル中 [15歳以上の1回量に相当]
- イブプロフェン 200mg
- d-クロルフェニラミンマレイン酸塩 1.75mg
- ヨウ化イソプロパミド 2.5mg
- デキストロメトルファン臭化水素酸塩水和物 24mg
- dl-メチルエフェドリン塩酸塩 30mg
- 無水カフェイン 37.5mg

興和株式会社

かぜ薬　コルゲンコーワIB錠TXα

用法　15歳以上1回3錠、1日3回食後なるべく30分以内に水又は温湯で服用。

成分　3錠中 [15歳以上の1回量に相当]
- イブプロフェン 200mg
- トラネキサム酸 250mg
- アンブロキソール塩酸塩 15mg
- d-クロルフェニラミンマレイン酸塩 1.17mg
- ジヒドロコデインリン酸塩 8mg
- dl-メチルエフェドリン塩酸塩 20mg
- 無水カフェイン 25mg

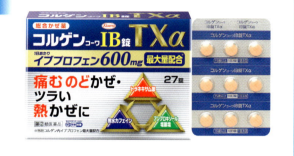

興和株式会社

かぜ薬　コルゲンコーワIB透明カプセルαプラス

用法　15歳以上1回2カプセル、1日3回食後なるべく30分以内に水又は温湯で服用。

成分　2カプセル中 [15歳以上の1回量に相当]
- イブプロフェン 200mg
- アンブロキソール塩酸塩 15mg
- d-クロルフェニラミンマレイン酸塩 1.17mg
- ジヒドロコデインリン酸塩 8mg
- dl-メチルエフェドリン塩酸塩 20mg
- 無水カフェイン 13.33mg

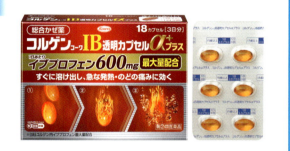

興和株式会社

かぜ薬　新コンタックかぜEX持続性

用法　15歳以上1回2カプセル、1日2回朝夕食後なるべく30分以内に水又はお湯と一緒に服用。

成分　2カプセル中 [15歳以上の1回量に相当]
- イブプロフェン 200mg
- 無水カフェイン 37.5mg
- ヨウ化イソプロパミド 2.5mg
- d-クロルフェニラミンマレイン酸塩 1.75mg
- デキストロメトルファン臭化水素酸塩水和物 24mg
- dl-メチルエフェドリン塩酸塩 30mg

グラクソ・スミスクライン・コンシューマー・ヘルスケア・ジャパン株式会社

かぜ薬　新コンタックかぜ総合

用法　15歳以上1回2カプセル、7歳以上15歳未満1回1カプセルを、1日2回朝夕食後なるべく30分以内に水又はお湯と一緒に服用。

成分　2カプセル中 [15歳以上の1回量に相当]
- アセトアミノフェン 450mg
- 無水カフェイン 37.5mg
- デキストロメトルファン臭化水素酸塩水和物 24mg
- dl-メチルエフェドリン塩酸塩 20mg
- ブロムヘキシン塩酸塩 4mg
- d-クロルフェニラミンマレイン酸塩 1.75mg

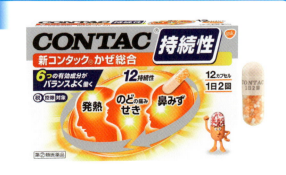

グラクソ・スミスクライン・コンシューマー・ヘルスケア・ジャパン株式会社

QRコードからWEBサイトの医療従事者向け製品要約テキストや添付文書をご覧いただけます。

p.22 かぜ薬　　p.42 解熱鎮痛薬　　p.56 内服肩こり薬[肩こり薬]

かぜ薬　新コンタック総合かぜ薬　トリプルショット

用法　15歳以上1回2カプセル、7歳以上15歳未満1回1カプセルを、1日3回食後なるべく30分以内に水又はお湯と一緒に服用。

成分　2カプセル中 [15歳以上の1回量に相当]
アセトアミノフェン 166.7mg
エテンザミド 133.3mg
クロルフェニラミンマレイン酸塩 2.5mg
dl-メチルエフェドリン塩酸塩 13.33mg
無水カフェイン 40mg

グラクソ・スミスクライン・コンシューマー・ヘルスケア・ジャパン株式会社

かぜ薬　ジキナ®顆粒ゴールド

用法　15歳以上1回1包、12歳以上15歳未満1回2/3包を、1日3回食後なるべく30分以内に水又はお湯で服用。

成分　1包中 [15歳以上の1回量に相当]
アセトアミノフェン 300mg
クロルフェニラミンマレイン酸塩 2.5mg
ジヒドロコデインリン酸塩 8mg
dl-メチルエフェドリン塩酸塩 20mg
グアヤコールスルホン酸カリウム 83.3mg
無水カフェイン 25mg
ベンフォチアミン(ビタミンB₁) 8.3mg
リボフラビン(ビタミンB₂) 4mg
ヘスペリジン(ビタミンPの一種) 15mg
カンゾウ末 266.7mg
セネガ乾燥エキス 8mg
　(原生薬換算量：133.6mg)

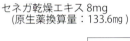

株式会社富士薬品

かぜ薬　小児用ジキニン®シロップ

用法　3歳以上7歳未満1回5mL、6ヵ月以上3歳未満1回3mL、3ヵ月以上6ヵ月未満1回2mLを、1日3回、1回量を(添付の計量カップではかり)食後なるべく30分以内に服用。なお、必要な場合には就寝前の服用も加えて1日6回まで服用できる。服用間隔は4時間以上。

成分　5mL中 [3歳以上7歳未満の1回量に相当]
dl-メチルエフェドリン塩酸塩 3.33mg
アセトアミノフェン 50mg
クロルフェニラミンマレイン酸塩 0.42mg
無水カフェイン 4.17mg
カンゾウ(甘草)エキス 55.33mg(原生薬換算量276.67mg)

全薬工業株式会社

かぜ薬　ジキニン®C

用法　15歳以上1回1包、12歳以上15歳未満1回2/3包を、1日3回食後なるべく30分以内に水又はぬるま湯で服用。

成分　1包中 [15歳以上の1回量に相当]
ジヒドロコデインリン酸塩 8mg
dl-メチルエフェドリン塩酸塩 20mg
アセトアミノフェン 300mg
d-クロルフェニラミンマレイン酸塩 1.17mg
アスコルビン酸 83.3mg
L-アスコルビン酸ナトリウム 83.3mg
無水カフェイン 25mg
カンゾウ(甘草)エキス粉末 96mg(原生薬換算量750mg)

全薬工業株式会社

かぜ薬　ジキニン®顆粒エース

用法　15歳以上1回1包、12歳以上15歳未満1回2/3包を、1日3回食後なるべく30分以内に水又はぬるま湯で服用。

成分　1包中 [15歳以上の1回量に相当]
アセトアミノフェン 300mg
dl-メチルエフェドリン塩酸塩 20mg
ジヒドロコデインリン酸塩 8mg
d-クロルフェニラミンマレイン酸塩 1.17mg
無水カフェイン 25mg
カミツレエキス 111.1mg
ニンジンエキス 14.3mg
カンゾウ(甘草)エキス 150mg(原生薬換算量750mg)

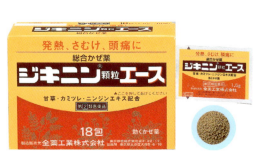

全薬工業株式会社

| かぜ薬 | **ジキニン®錠エースＩＰ** |

用法 15歳以上1回3錠、1日3回食後なるべく30分以内に水又はぬるま湯で服用。
成分 3錠中 [15歳以上の1回量に相当]
　イブプロフェン 150mg
　ジヒドロコデインリン酸塩 8mg
　dl-メチルエフェドリン塩酸塩 20mg
　グアヤコールスルホン酸カリウム 83.3mg
　クロルフェニラミンマレイン酸塩 2.5mg
　無水カフェイン 25mg
　カンゾウ(甘草)エキス 63.3mg(原生薬換算量317mg)

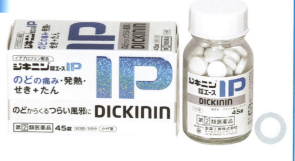

全薬工業株式会社

| かぜ薬 | **ジキニン®ファースト顆粒Ｎ** |

用法 15歳以上1回1包、12歳以上15歳未満1回2/3包を、1日3回食後なるべく30分以内に水又はぬるま湯で服用。
成分 1包中 [15歳以上の1回量に相当]
　アセトアミノフェン 300mg
　ジヒドロコデインリン酸塩 8mg
　ノスカピン 16mg
　dl-メチルエフェドリン塩酸塩 20mg
　カンゾウ(甘草)エキス粉末 96mg(原生薬換算量751mg)
　d-クロルフェニラミンマレイン酸塩 1.17mg
　無水カフェイン 25mg
　グリシン 60mg

全薬工業株式会社

| かぜ薬 | **新ジキニン®顆粒** |

用法 15歳以上1回1包、12歳以上15歳未満1回2/3包を、1日3回食後なるべく30分以内に水又はぬるま湯で服用。
成分 1包中 [15歳以上の1回量に相当]
　ジヒドロコデインリン酸塩 8mg
　dl-メチルエフェドリン塩酸塩 20mg
　カンゾウ(甘草)エキス 150mg(原生薬換算量750mg)
　アセトアミノフェン 300mg
　クロルフェニラミンマレイン酸塩 2.5mg
　無水カフェイン 25mg

全薬工業株式会社

| かぜ薬 | **新ジキニン®錠Ｄ** |

用法 15歳以上1回3錠、12歳以上15歳未満1回2錠を、1日3回食後なるべく30分以内に水又はぬるま湯で服用。
成分 3錠中 [15歳以上の1回量に相当]
　アセトアミノフェン 300mg
　d-クロルフェニラミンマレイン酸塩 1.17mg
　ジヒドロコデインリン酸塩 8mg
　グアヤコールスルホン酸カリウム 83.3mg
　dl-メチルエフェドリン塩酸塩 20mg
　無水カフェイン 25mg
　カンゾウ(甘草)エキス 63.3mg(原生薬換算量316.67mg)

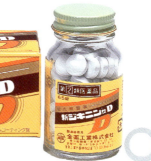

全薬工業株式会社

| かぜ薬 | **ストナ®シロップＡ小児用** |

用法 3歳以上7歳未満1回10mL、1歳以上3歳未満1回7.5mL、6ヵ月以上1歳未満1回6mL、3ヵ月以上6ヵ月未満1回5mLを、1日3回食後なるべく30分以内に服用。なお、場合により約4時間間隔で1日6回まで服用できる。
成分 10mL中 [3歳以上7歳未満の1回量に相当]
　アセトアミノフェン 40mg
　ジフェニルピラリン塩酸塩 0.22mg
　クエン酸チペピジン 3.33mg
　グアイフェネシン 10.83mg
　ビタミンB₁硝酸塩 1.33mg
　ビタミンB₂リン酸エステル 0.67mg

　マオウ 44.5mg
　キョウニン 44.5mg
　ケイヒ 33.33mg
　カンゾウ 22.17mg

枠内の4生薬は麻黄湯エキスとして21.67mg含有

佐藤製薬株式会社

QRコードからWEBサイトの医療従事者向け製品要約テキストや添付文書をご覧いただけます。

p.22 かぜ薬　　p.42 解熱鎮痛薬　　p.56 内服肩こり薬[肩こり薬]

かぜ薬　ストナ®メルティ小児用

用法 11歳以上15歳未満1回4錠、7歳以上11歳未満1回3錠、5歳以上7歳未満1回2錠を、1日3回食後なるべく30分以内にかむか口中で溶かして服用。

成分 4錠中 [11歳以上15歳未満の1回量に相当]
アセトアミノフェン 200mg
d-クロルフェニラミンマレイン酸塩 0.7667mg
dl-メチルエフェドリン塩酸塩 13.33mg
ノスカピン 10.667mg

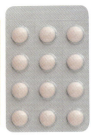

佐藤製薬株式会社

かぜ薬　ストナ®ジェルサイナスEX

用法 15歳以上1回2カプセル、1日3回食後なるべく30分以内に服用。

成分 2カプセル中 [15歳以上の1回量に相当]
ベラドンナ総アルカロイド 0.2mg
ジフェニルピラリン塩酸塩 1.333mg
アセトアミノフェン 300mg
dl-メチルエフェドリン塩酸塩 20mg
ジヒドロコデインリン酸塩 8mg
ノスカピン 16mg
アンブロキソール塩酸塩 15mg
無水カフェイン 25mg
リボフラビン 4mg

佐藤製薬株式会社

かぜ薬　ストナ®デイタイム

用法 15歳以上1回1包、12歳以上15歳未満1回2/3包を、1日3回食後なるべく30分以内に服用。

成分 1包中 [15歳以上の1回量に相当]
アセトアミノフェン 150mg　　小青竜湯乾燥エキス 266.7mg
エテンザミド 250mg　　無水カフェイン 25mg
ジヒドロコデインリン酸塩 6mg
グアヤコールスルホン酸カリウム 75mg

注 小青竜湯乾燥エキスの原生薬(ハンゲ 333mg、ゴミシ 200mg、ショウキョウ 133mg、サイシン 200mg、カンゾウ 133mg、シャクヤク 200mg、ケイヒ 200mg、マオウ 200mg)

佐藤製薬株式会社

かぜ薬　ストナ®プラスジェルEX

用法 15歳以上1回2カプセル、12歳以上15歳未満1回1カプセルを、1日3回食後なるべく30分以内に服用。

成分 2カプセル中 [15歳以上の1回量に相当]
L-カルボシステイン 250mg　　リボフラビン(ビタミンB_2) 4mg
ブロムヘキシン塩酸塩 4mg　　ヘスペリジン 30mg
ジヒドロコデインリン酸塩 8mg
dl-メチルエフェドリン塩酸塩 20mg
ノスカピン 16mg
アセトアミノフェン 300mg
ジフェニルピラリン塩酸塩 1.333mg
無水カフェイン 16.67mg

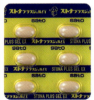

佐藤製薬株式会社

かぜ薬　ストナ®アイビー

用法 15歳以上1回2錠、1日3回食後なるべく30分以内に服用。

成分 2錠中 [15歳以上の1回量に相当]
イブプロフェン 150mg
ジヒドロコデインリン酸塩 4mg
グアヤコールスルホン酸カリウム 83.3mg
ジフェニルピラリン塩酸塩 1.33mg
無水カフェイン 25mg

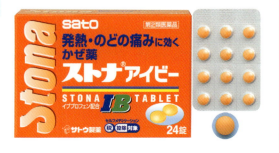

佐藤製薬株式会社

かぜ薬　ストナ®アイビージェルEX

用法　15歳以上1回2カプセル、1日3回食後なるべく30分以内に服用。

成分　2カプセル中 [15歳以上の1回量に相当]
- イブプロフェン 200mg
- トラネキサム酸 250mg
- ブロムヘキシン塩酸塩 4mg
- ジヒドロコデインリン酸塩 8mg
- dl-メチルエフェドリン塩酸塩 20mg
- d-クロルフェニラミンマレイン酸塩 1.1667mg
- 無水カフェイン 25mg

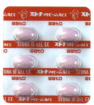

佐藤製薬株式会社

かぜ薬　清風散

用法　15歳以上1回1包、8歳以上15歳未満1回1/2包、4歳以上8歳未満1回1/3包を、1日3～5回食前又は食間に水又はお湯で服用。

成分　1包中 [15歳以上の1回量に相当]
下記の生薬より製したエキスを含有
- カッコン 0.8g　　キョウニン 0.3g
- ハンゲ 0.35g　　シャクヤク 0.35g
- マオウ 0.7g　　　オウゴン 0.35g
- サイコ 0.45g　　ケイヒ 0.3g
- タイソウ 0.5g　　カンゾウ 0.25g
- キキョウ 0.35g
- ショウキョウ 0.3g

ロート製薬株式会社

かぜ薬　小児用ノバコデS

用法　3歳以上7歳未満1回4mL、1歳以上3歳未満1回3mL、3ヵ月以上1歳未満1回2mLを、1日3回食後及び必要な場合には就寝前に服用。場合によっては、1日4回まで服用できるが、服用間隔は6時間以上。

成分　4mL中 [3歳以上7歳未満の1回量に相当]
- アセトアミノフェン 50mg
- デキストロメトルファン臭化水素酸塩水和物 2.5mg
- dl-メチルエフェドリン塩酸塩 3.125mg
- 無水カフェイン 4.5mg
- クロルフェニラミンマレイン酸塩 0.4125mg
- カンゾウエキス 20mg(原生薬換算量80mg)
- グアヤコールスルホン酸カリウム 12.5mg

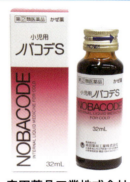

森田薬品工業株式会社

かぜ薬　パイロン®PL顆粒

用法　15歳以上1回1包、1日3回食後なるべく30分以内に水又はぬるま湯で服用。

成分　1包中 [15歳以上の1回量に相当]
- サリチルアミド 216mg
- アセトアミノフェン 120mg
- 無水カフェイン 48mg
- プロメタジンメチレンジサリチル酸塩 10.8mg

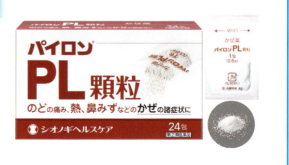

シオノギヘルスケア株式会社

かぜ薬　パイロン®PL錠

用法　15歳以上1回2錠、1日3回食後なるべく30分以内に水又はぬるま湯で服用。

成分　2錠中 [15歳以上の1回量に相当]
- サリチルアミド 216mg
- アセトアミノフェン 120mg
- 無水カフェイン 48mg
- プロメタジンメチレンジサリチル酸塩 10.8mg

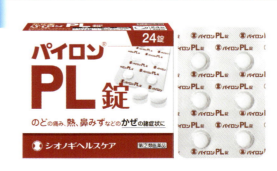

シオノギヘルスケア株式会社

QRコードからWEBサイトの医療従事者向け製品要約テキストや添付文書をご覧いただけます。

p.22 かぜ薬　　p.42 解熱鎮痛薬　　p.56 内服肩こり薬[肩こり薬]

かぜ薬　パイロン®ＰＬ錠　ゴールド

用法 15歳以上1回2錠、1日3回食後なるべく30分以内に水又はぬるま湯で服用。

成分 2錠中 [15歳以上の1回量に相当]
- サリチルアミド 216mg
- アセトアミノフェン 120mg
- 無水カフェイン 48mg
- プロメタジンメチレンジサリチル酸塩 10.8mg
- デキストロメトルファン臭化水素酸塩水和物 16mg
- ブロムヘキシン塩酸塩 4mg

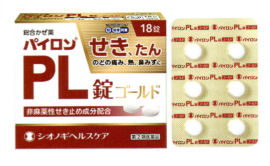

シオノギヘルスケア株式会社

かぜ薬　キッズバファリンかぜシロップＰ

用法 3歳以上7歳未満1回10mL、1歳以上3歳未満1回7.5mL、6ヵ月以上1歳未満1回6mL、3ヵ月以上6ヵ月未満1回5mLを、1日3回毎食後及び必要な場合には就寝前に服用。なお、場合により4時間間隔で1日6回まで服用できる。

成分 10mL中 [3歳以上7歳未満の1回量に相当]
- アセトアミノフェン 50mg
- dl-メチルエフェドリン塩酸塩 3.33mg
- デキストロメトルファン臭化水素酸塩水和物 2.67mg
- グアイフェネシン 13.33mg
- ジフェンヒドラミン塩酸塩 4.17mg

ライオン株式会社

かぜ薬　キッズバファリンかぜシロップＳ

用法 3歳以上7歳未満1回10mL、1歳以上3歳未満1回7.5mL、6ヵ月以上1歳未満1回6mL、3ヵ月以上6ヵ月未満1回5mLを、1日3回毎食後及び必要な場合には就寝前に服用。なお、場合により4時間間隔で1日6回まで服用できる。

成分 10mL中 [3歳以上7歳未満の1回量に相当]
- アセトアミノフェン 50mg
- dl-メチルエフェドリン塩酸塩 3.33mg
- デキストロメトルファン臭化水素酸塩水和物 2.67mg
- グアイフェネシン 13.33mg
- ジフェンヒドラミン塩酸塩 4.17mg

ライオン株式会社

かぜ薬　キッズバファリンシロップＳ

用法 3歳以上7歳未満1回10mL、1歳以上3歳未満1回7.5mL、6ヵ月以上1歳未満1回6mL、3ヵ月以上6ヵ月未満1回5mLを、1日3回毎食後及び必要な場合には就寝前に服用。なお、場合により4時間間隔で1日6回まで服用できる。

成分 10mL中 [3歳以上7歳未満の1回量に相当]
- アセトアミノフェン 50mg
- ジフェンヒドラミン塩酸塩 4.17mg

ライオン株式会社

かぜ薬　バファリンジュニアかぜ薬ａ

用法 11歳以上15歳未満1回4錠、7歳以上11歳未満1回3錠、5歳以上7歳未満1回2錠を、1日3回食後なるべく30分以内に、水又はぬるま湯で服用。

成分 4錠中 [11歳以上15歳未満の1回量に相当]
- アセトアミノフェン 200mg
- dl-メチルエフェドリン塩酸塩 13.33mg
- デキストロメトルファン臭化水素酸塩水和物 10.67mg
- グアヤコールスルホン酸カリウム 53.33mg
- クロルフェニラミンマレイン酸塩 1.6mg
- 無水カフェイン 16.67mg

ライオン株式会社

かぜ薬　パブロンキッズかぜ錠

用法　11歳以上15歳未満1回4錠、7歳以上11歳未満1回3錠、5歳以上7歳未満1回2錠を、1日3回食後なるべく30分以内に水又はぬるま湯で服用。

成分　4錠中 [11歳以上15歳未満の1回量に相当]
チペピジンヒベンズ酸塩 16.7mg
グアイフェネシン 33.3mg
クロルフェニラミンマレイン酸塩 1.6mg
アセトアミノフェン 200mg

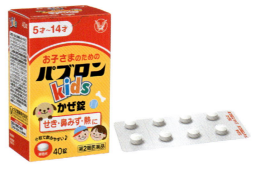

大正製薬株式会社

かぜ薬　パブロンキッズかぜシロップ

用法　3歳以上7歳未満1回10mL、1歳以上3歳未満1回7.5mL、6ヵ月以上1歳未満1回6mL、3ヵ月以上6ヵ月未満1回5mLを、1日3回毎食後及び必要な場合には就寝前に服用。なお、場合により約4時間間隔で1日6回まで服用できる。

成分　10mL中 [3歳以上7歳未満の1回量に相当]
デキストロメトルファン臭化水素酸塩水和物 2.67mg
グアイフェネシン 13.88mg
クロルフェニラミンマレイン酸塩 0.42mg
アセトアミノフェン 50mg

大正製薬株式会社

かぜ薬　パブロンキッズかぜ微粒

用法　7歳以上11歳未満1回1包、3歳以上7歳未満1回2/3包、1歳以上3歳未満1回1/2包を、1日3回食後なるべく30分以内に水又はぬるま湯で服用。

成分　1包中 [7歳以上11歳未満の1回量に相当]
チペピジンヒベンズ酸塩 12.5mg
グアイフェネシン 25mg
クロルフェニラミンマレイン酸塩 1.2mg
アセトアミノフェン 150mg

大正製薬株式会社

かぜ薬　パブロン５０錠

用法　15歳以上1回4錠、1日3回食後なるべく30分以内に水又はぬるま湯で服用。

成分　4錠中 [15歳以上の1回量に相当]
アセトアミノフェン 150mg
グアヤコールスルホン酸カリウム 80mg
｜バクモンドウ(麦門冬) 533.3mg
｜カンゾウ(甘草) 133.3mg
｜コウベイ(粳米) 666.7mg
｜タイソウ(大棗) 200mg
｜ニンジン(人参) 133.3mg
｜ハンゲ(半夏) 333.3mg

注 枠内の6生薬は麦門冬湯乾燥エキスとして600mg含有

大正製薬株式会社

かぜ薬　パブロンゴールドＡ＜錠＞

用法　15歳以上1回3錠、12歳以上15歳未満1回2錠を、1日3回食後なるべく30分以内に水又はぬるま湯で服用。

成分　3錠中 [15歳以上の1回量に相当]
グアイフェネシン 60mg
ジヒドロコデインリン酸塩 8mg
dl-メチルエフェドリン塩酸塩 20mg
アセトアミノフェン 300mg
クロルフェニラミンマレイン酸塩 2.5mg
無水カフェイン 25mg
リボフラビン(ビタミンB_2) 4mg

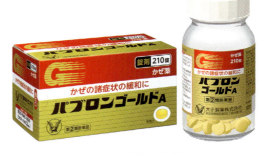

大正製薬株式会社

p.22 かぜ薬　　p.42 解熱鎮痛薬　　p.56 内服肩こり薬[肩こり薬]

かぜ薬　パブロンゴールドA＜微粒＞

用法 15歳以上1回1包、12歳以上15歳未満1回2/3包を、1日3回食後なるべく30分以内に水又はぬるま湯で服用。

成分 1包中 [15歳以上の1回量に相当]
グアイフェネシン 60mg
ジヒドロコデインリン酸塩 8mg
dl-メチルエフェドリン塩酸塩 20mg
アセトアミノフェン 300mg
クロルフェニラミンマレイン酸塩 2.5mg
無水カフェイン 25mg
リボフラビン(ビタミンB_2) 4mg

大正製薬株式会社

かぜ薬　パブロンSα〈錠〉

用法 15歳以上1回3錠、11歳以上15歳未満1回2錠、5歳以上11歳未満1回1錠を、1日3回食後なるべく30分以内に水又はぬるま湯で服用。

成分 3錠中 [15歳以上の1回量に相当]
ブロムヘキシン塩酸塩 4mg
デキストロメトルファン臭化水素酸塩水和物 16mg
dl-メチルエフェドリン塩酸塩 20mg
アセトアミノフェン 300mg
マレイン酸カルビノキサミン 2.5mg
無水カフェイン 25mg
ビスイブチアミン(ビタミンB_1誘導体) 8mg
リボフラビン(ビタミンB_2) 4mg

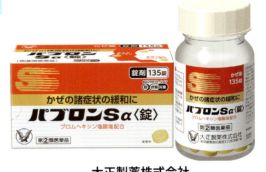

大正製薬株式会社

かぜ薬　パブロンSα〈微粒〉

用法 15歳以上1回1包、11歳以上15歳未満1回2/3包、7歳以上11歳未満1回1/2包、3歳以上7歳未満1回1/3包、1歳以上3歳未満1回1/4包を、1日3回食後なるべく30分以内に水又はぬるま湯で服用。

成分 1包中 [15歳以上の1回量に相当]
ブロムヘキシン塩酸塩 4mg　　リボフラビン(ビタミンB_2) 4mg
デキストロメトルファン臭化水素酸塩水和物 16mg
dl-メチルエフェドリン塩酸塩 20mg
アセトアミノフェン 300mg
マレイン酸カルビノキサミン 2.5mg
無水カフェイン 25mg
ビスイブチアミン(ビタミンB_1誘導体) 8mg

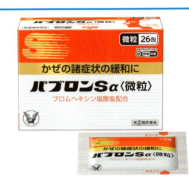

大正製薬株式会社

かぜ薬　パブロンSゴールドW錠

用法 15歳以上1回2錠、12歳以上15歳未満1回1錠を、1日3回食後なるべく30分以内に水又はぬるま湯で服用。

成分 2錠中 [15歳以上の1回量に相当]
アンブロキソール塩酸塩 15mg
L-カルボシステイン 250mg
ジヒドロコデインリン酸塩 8mg
アセトアミノフェン 300mg
クロルフェニラミンマレイン酸塩 2.5mg
リボフラビン(ビタミンB_2) 4mg

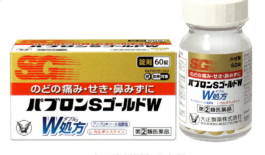

大正製薬株式会社

かぜ薬　パブロンSゴールドW微粒

用法 15歳以上1回1包、12歳以上15歳未満1回1/2包を、1日3回食後なるべく30分以内に水又はぬるま湯で服用。

成分 1包中 [15歳以上の1回量に相当]
アンブロキソール塩酸塩 15mg
L-カルボシステイン 250mg
ジヒドロコデインリン酸塩 8mg
アセトアミノフェン 300mg
クロルフェニラミンマレイン酸塩 2.5mg
リボフラビン(ビタミンB_2) 4mg

大正製薬株式会社

かぜ薬　パブロンメディカルC

用法　15歳以上1回2錠、1日3回食後なるべく30分以内に水又はぬるま湯で服用。

成分　2錠中 [15歳以上の1回量に相当]
　ジヒドロコデインリン酸塩 8mg
　dl-メチルエフェドリン塩酸塩 20mg
　グアイフェネシン 60mg
　キキョウ乾燥エキス末 53.3mg(キキョウ266.7mgに相当)
　オウヒ乾燥エキス 24mg(オウヒ400mgに相当)
　イブプロフェン 150mg
　クロルフェニラミンマレイン酸塩 2.5mg
　リボフラビン(ビタミンB_2) 4mg

大正製薬株式会社

かぜ薬　パブロンメディカルN

用法　15歳以上1回2錠、1日3回食後なるべく30分以内に水又はぬるま湯で服用。

成分　2錠中 [15歳以上の1回量に相当]
　塩酸プソイドエフェドリン 45mg
　d-クロルフェニラミンマレイン酸塩 1.17mg
　グリチルリチン酸二カリウム 13.3mg
　イブプロフェン 150mg
　L-カルボシステイン 250mg
　ジヒドロコデインリン酸塩 8mg

大正製薬株式会社

かぜ薬　パブロンメディカルT

用法　15歳以上1回2錠、1日3回食後なるべく30分以内に水又はぬるま湯で服用。

成分　2錠中 [15歳以上の1回量に相当]
　イブプロフェン 150mg
　アンブロキソール塩酸塩 15mg
　L-カルボシステイン 250mg
　ジヒドロコデインリン酸塩 8mg
　dl-メチルエフェドリン塩酸塩 20mg
　クロルフェニラミンマレイン酸塩 2.5mg
　リボフラビン(ビタミンB_2) 4mg

大正製薬株式会社

かぜ薬　パブロンエースＰｒｏ錠

用法　15歳以上1回3錠、1日3回食後なるべく30分以内に水又はぬるま湯で服用。

成分　3錠中 [15歳以上の1回量に相当]
　イブプロフェン 200mg
　L-カルボシステイン 250mg
　アンブロキソール塩酸塩 15mg
　ジヒドロコデインリン酸塩 8mg
　dl-メチルエフェドリン塩酸塩 20mg
　クロルフェニラミンマレイン酸塩 2.5mg
　リボフラビン(ビタミンB_2) 4mg

大正製薬株式会社

かぜ薬　パブロンエースＰｒｏ微粒

用法　15歳以上1回1包、1日3回食後なるべく30分以内に水又はぬるま湯で服用。

成分　1包中 [15歳以上の1回量に相当]
　イブプロフェン 200mg
　L-カルボシステイン 250mg
　アンブロキソール塩酸塩 15mg
　ジヒドロコデインリン酸塩 8mg
　dl-メチルエフェドリン塩酸塩 20mg
　クロルフェニラミンマレイン酸塩 2.5mg
　リボフラビン(ビタミンB_2) 4mg

大正製薬株式会社

QRコードからWEBサイトの医療従事者向け製品要約テキストや添付文書をご覧いただけます。

p.22 かぜ薬　　p.42 解熱鎮痛薬　　p.56 内服肩こり薬[肩こり薬]

かぜ薬　ヒヤこどもかぜシロップS

用法　3歳以上7歳未満1回8mL、1歳以上3歳未満1回6mL、6ヵ月以上1歳未満1回4.5mL、3ヵ月以上6ヵ月未満1回4mLを、1日3回毎食後及び必要な場合には就寝前に服用。また、1日6回まで服用できるが、服用間隔は4時間以上。

成分　8mL中 [3歳以上7歳未満の1回量に相当]
アセトアミノフェン 50mg
クロルフェニラミンマレイン酸塩 0.41667mg
dl-メチルエフェドリン塩酸塩 3.33mg

樋屋奇応丸株式会社

かぜ薬　ヒヤこども総合かぜ薬　M

用法　7歳以上15歳未満1回1包、3歳以上7歳未満1回2/3包、1歳以上3歳未満1回1/2包を、1日3回食後なるべく30分以内に服用。

成分　1包中 [7歳以上15歳未満の1回量に相当]
アセトアミノフェン 150mg
チペピジンヒベンズ酸塩 12.5mg
クロルフェニラミンマレイン酸塩 1.25mg
ナンテンジツエキス 22.333mg(原生薬換算223.33mg)

樋屋奇応丸株式会社

かぜ薬　プレコール®エース顆粒

用法　15歳以上1回1包、12歳以上15歳未満1回2/3包を、1日3回食後なるべく30分以内に水又はお湯で服用。

成分　1包中 [15歳以上の1回量に相当]
葛根湯エキス(乾燥) 380mg　　アスコルビン酸(ビタミンC) 100mg
アセトアミノフェン 235mg
クロルフェニラミンマレイン酸塩 2.5mg
ジヒドロコデインリン酸塩 8mg
グアヤコールスルホン酸カリウム 50mg
無水カフェイン 30mg
リボフラビン(ビタミンB_2) 2.5mg
注　葛根湯はカッコン、マオウ、タイソウ、ケイヒ、シャクヤク、カンゾウ、ショウキョウによる漢方薬

第一三共ヘルスケア株式会社

かぜ薬　プレコール®持続性カプセル

用法　15歳以上1回2カプセル、1日2回朝・夕食後なるべく30分以内に水又はお湯で服用。

成分　2カプセル中 [15歳以上の1回量に相当]
イソプロピルアンチピリン(ピリン系) 150mg
アセトアミノフェン 225mg
クロルフェニラミンマレイン酸塩 3.75mg
ジヒドロコデインリン酸塩 6mg
dl-メチルエフェドリン塩酸塩 30mg
カンゾウエキス末 59mg(原生薬として 491.5mg)
無水カフェイン 37.5mg

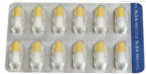

第一三共ヘルスケア株式会社

かぜ薬　プレコール®CR持続性錠

用法　15歳以上1回3錠、1日2回朝・夕食後なるべく30分以内に水又はお湯で服用。

成分　3錠中 [15歳以上の1回量に相当]
イソプロピルアンチピリン(ピリン系) 150mg
アセトアミノフェン 225mg
クロルフェニラミンマレイン酸塩 3mg
ジヒドロコデインリン酸塩 9mg
dl-メチルエフェドリン塩酸塩 30mg
カンゾウエキス末 45mg(原生薬として375mg)
無水カフェイン 37.5mg

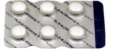

第一三共ヘルスケア株式会社

かぜ薬 ペラック®コールドTD錠

用法 15歳以上1回3錠、1日3回食後なるべく30分以内に水又はお湯で服用。

成分 3錠中 [15歳以上の1回量に相当]
- トラネキサム酸 250mg
- アセトアミノフェン 150mg
- エテンザミド 250mg
- ジフェニルピラリン塩酸塩 1.333mg
- ジヒドロコデインリン酸塩 8mg
- dl-メチルエフェドリン塩酸塩 20mg
- グアヤコールスルホン酸カリウム 50mg
- 無水カフェイン 25mg

第一三共ヘルスケア株式会社

かぜ薬 ベンザ®エースA

用法 15歳以上1回2錠、7歳以上15歳未満1回1錠を、1日3回食後なるべく30分以内に、水又はお湯で、かまずに服用。

成分 2錠中 [15歳以上の1回量に相当]
- アセトアミノフェン 300mg
- d-クロルフェニラミンマレイン酸塩 1.17mg
- デキストロメトルファン臭化水素酸塩水和物 16mg
- dl-メチルエフェドリン塩酸塩 20mg
- 無水カフェイン 25mg
- ヘスペリジン(ビタミンPの一種) 20mg
- トラネキサム酸 140mg

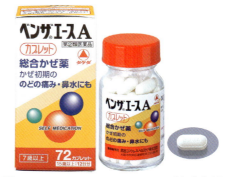

武田コンシューマーヘルスケア株式会社

かぜ薬 ベンザ®エースA錠

用法 15歳以上1回3錠、11歳以上15歳未満1回2錠、6歳以上11歳未満1錠を、1日3回食後なるべく30分以内に、水又はお湯で、かまずに服用。

成分 3錠中 [15歳以上の1回量に相当]
- アセトアミノフェン 300mg
- d-クロルフェニラミンマレイン酸塩 1.17mg
- デキストロメトルファン臭化水素酸塩水和物 16mg
- dl-メチルエフェドリン塩酸塩 20mg
- 無水カフェイン 25mg
- ヘスペリジン(ビタミンPの一種) 20mg
- トラネキサム酸 140mg

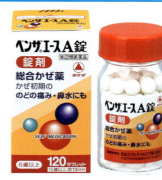

武田コンシューマーヘルスケア株式会社

かぜ薬 ベンザ®ブロック®S

用法 15歳以上1回2錠、12歳以上15歳未満1回1錠を、1日3回食後なるべく30分以内に水又はお湯でかまずに服用。

成分 2錠中 [15歳以上の1回量に相当]
- アセトアミノフェン 300mg
- ヨウ化イソプロパミド 2mg
- d-クロルフェニラミンマレイン酸塩 1.17mg
- トラネキサム酸 140mg
- ジヒドロコデインリン酸塩 8mg
- dl-メチルエフェドリン塩酸塩 20mg
- 無水カフェイン 25mg
- ヘスペリジン(ビタミンPの一種) 30mg

武田コンシューマーヘルスケア株式会社

かぜ薬 ベンザブロック®Sプレミアム

用法 15歳以上1回2錠、12歳以上15歳未満1回1錠を、1日3回食後なるべく30分以内に水又はお湯で、かまずに服用。

成分 2錠中 [15歳以上の1回量に相当]
- アセトアミノフェン 300mg
- ヨウ化イソプロパミド 2mg
- d-クロルフェニラミンマレイン酸塩 1.1667mg
- トラネキサム酸 140mg
- ジヒドロコデインリン酸塩 8mg
- dl-メチルエフェドリン塩酸塩 20mg
- グアイフェネシン 83.33mg
- 無水カフェイン 25mg
- リボフラビン(ビタミンB_2) 4mg
- ヘスペリジン 30mg

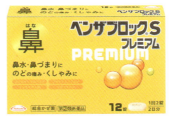

武田コンシューマーヘルスケア株式会社

QRコードからWEBサイトの医療従事者向け製品要約テキストや添付文書をご覧いただけます。

p.22 かぜ薬　　p.42 解熱鎮痛薬　　p.56 内服肩こり薬[肩こり薬]

かぜ薬　ベンザブロック®Sプレミアム錠

用法 15歳以上1回3錠、12歳以上15歳未満1回2錠を、1日3回食後なるべく30分以内に水又はお湯で、かまずに服用。

成分 3錠中 [15歳以上の1回量に相当]
- アセトアミノフェン 300mg
- リボフラビン(ビタミンB₂) 4mg
- ヨウ化イソプロパミド 2mg
- ヘスペリジン 30mg
- d-クロルフェニラミンマレイン酸塩 1.1667mg
- トラネキサム酸 140mg
- ジヒドロコデインリン酸塩 8mg
- dl-メチルエフェドリン塩酸塩 20mg
- グアイフェネシン 83.33mg
- 無水カフェイン 25mg

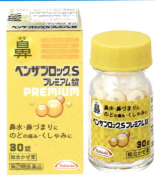

武田コンシューマーヘルスケア株式会社

かぜ薬　ベンザ®ブロック®L

用法 15歳以上1回2錠、1日3回食後なるべく30分以内に水又はお湯でかまずに服用。

成分 2錠中 [15歳以上の1回量に相当]
- イブプロフェン 150mg
- 塩酸プソイドエフェドリン 45mg
- クロルフェニラミンマレイン酸塩 2.5mg
- ジヒドロコデインリン酸塩 8mg
- 無水カフェイン 25mg

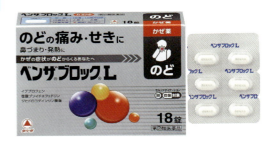

武田コンシューマーヘルスケア株式会社

かぜ薬　ベンザブロック®Lプレミアム

用法 15歳以上1回2錠、1日3回食後なるべく30分以内に水又はお湯で、かまずに服用。

成分 2錠中 [15歳以上の1回量に相当]
- イブプロフェン 200mg
- トラネキサム酸 250mg
- プソイドエフェドリン塩酸塩 45mg
- d-クロルフェニラミンマレイン酸塩 1.1667mg
- ジヒドロコデインリン酸塩 8mg
- L-カルボシステイン 250mg
- 無水カフェイン 25mg

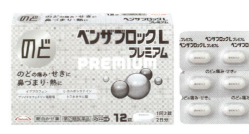

武田コンシューマーヘルスケア株式会社

かぜ薬　ベンザブロック®Lプレミアム錠

用法 15歳以上1回3錠、1日3回食後なるべく30分以内に水又はお湯で、かまずに服用。

成分 3錠中 [15歳以上の1回量に相当]
- イブプロフェン 200mg
- トラネキサム酸 250mg
- プソイドエフェドリン塩酸塩 45mg
- d-クロルフェニラミンマレイン酸塩 1.1667mg
- ジヒドロコデインリン酸塩 8mg
- L-カルボシステイン 250mg
- 無水カフェイン 25mg

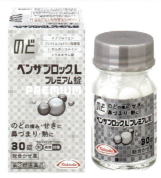

武田コンシューマーヘルスケア株式会社

かぜ薬　ベンザ®ブロック®IP

用法 15歳以上1回2錠、1日3回食後なるべく30分以内に水又はお湯でかまずに服用。

成分 2錠中 [15歳以上の1回量に相当]
- イブプロフェン 150mg
- クロルフェニラミンマレイン酸塩 2.5mg
- dl-メチルエフェドリン塩酸塩 20mg
- ジヒドロコデインリン酸塩 8mg
- 無水カフェイン 25mg
- ヘスペリジン(ビタミンPの一種) 30mg

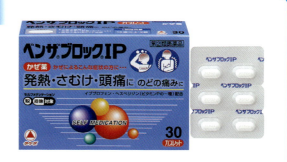

武田コンシューマーヘルスケア株式会社

かぜ薬　ベンザブロック®IP プレミアム

用法　15歳以上1回2錠、1日3回食後なるべく30分以内に水又はお湯で、かまずに服用。

成分　2錠中 [15歳以上の1回量に相当]
- イブプロフェン 120mg
- ヘスペリジン(ビタミンPの一種) 30mg
- アセトアミノフェン 60mg
- d-クロルフェニラミンマレイン酸塩 1.1667mg
- dl-メチルエフェドリン塩酸塩 20mg
- ジヒドロコデインリン酸塩 8mg
- グリチルリチン酸 13mg
- 無水カフェイン 25mg
- アスコルビン酸カルシウム 166.7mg

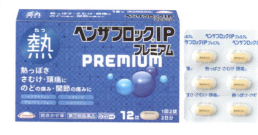

武田コンシューマーヘルスケア株式会社

かぜ薬　ベンザブロック®IP プレミアム錠

用法　15歳以上1回3錠、1日3回食後なるべく30分以内に水又はお湯で、かまずに服用。

成分　3錠中 [15歳以上の1回量に相当]
- イブプロフェン 120mg
- ヘスペリジン(ビタミンPの一種) 30mg
- アセトアミノフェン 60mg
- d-クロルフェニラミンマレイン酸塩 1.1667mg
- dl-メチルエフェドリン塩酸塩 20mg
- ジヒドロコデインリン酸塩 8mg
- グリチルリチン酸 13mg
- 無水カフェイン 25mg
- アスコルビン酸カルシウム 166.7mg

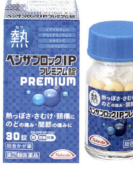

武田コンシューマーヘルスケア株式会社

かぜ薬　ムヒのこどもかぜ顆粒a

用法　7歳以上11歳未満1回1包、3歳以上7歳未満1回2/3包、1歳以上3歳未満1回1/2包を、1日3回、食後なるべく30分以内に服用。

成分　1包中 [7歳以上11歳未満の1回量に相当]
- アセトアミノフェン 150mg
- d-クロルフェニラミンマレイン酸塩 0.58333mg
- チペピジンヒベンズ酸塩 12.5mg
- dl-メチルエフェドリン塩酸塩 10mg

©やなせたかし／フレーベル館・TMS・NTV

株式会社池田模範堂

かぜ薬　小児用感冒薬リココデ®S液

用法　3歳以上7歳未満1回4mL、1歳以上3歳未満1回3mLを、1日3回食後及び必要な場合には就寝前に服用。また、場合によって1日6回まで服用できる。服用間隔は原則として約4時間。

成分　4mL中 [3歳以上7歳未満の1回量に相当]
- アセトアミノフェン 41.8667mg
- デキストロメトルファン臭化水素酸塩水和物 1.333mg
- dl-メチルエフェドリン塩酸塩 2.8mg
- クロルフェニラミンマレイン酸塩 0.4mg
- 無水カフェイン 5.333mg
- リボフラビンリン酸エステルナトリウム 0.2mg

ゼネル薬工粉河株式会社

かぜ薬　新ルル®-A錠s

用法　15歳以上1回3錠、12歳以上15歳未満1回2錠を、1日3回食後なるべく30分以内に水又はお湯で服用。

成分　3錠中 [15歳以上の1回量に相当]
- アセトアミノフェン 300mg
- クレマスチンフマル酸塩 0.45mg
- ジヒドロコデインリン酸塩 8mg
- ノスカピン 16mg
- dl-メチルエフェドリン塩酸塩 20mg
- グアヤコールスルホン酸カリウム 80mg
- 無水カフェイン 25mg
- ベンフォチアミン(ビタミンB₁誘導体) 8mg

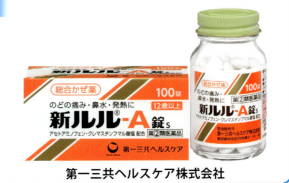

第一三共ヘルスケア株式会社

QRコードからWEBサイトの医療従事者向け製品要約テキストや添付文書をご覧いただけます。

p.22 かぜ薬　　　p.42 解熱鎮痛薬　　　p.56 内服肩こり薬[肩こり薬]

かぜ薬　新ルル®Aゴールドs

用法 15歳以上1回3錠、12歳以上15歳未満1回2錠を、1日3回食後なるべく30分以内に水又はお湯で服用。

成分 3錠中 [15歳以上の1回量に相当]
クレマスチンフマル酸塩 0.45mg
ベラドンナ総アルカロイド 0.1mg
ブロムヘキシン塩酸塩 4mg
アセトアミノフェン 300mg
ジヒドロコデインリン酸塩 8mg
ノスカピン 16mg
dl-メチルエフェドリン塩酸塩 20mg
無水カフェイン 25mg
ベンフォチアミン(ビタミンB_1誘導体) 8mg

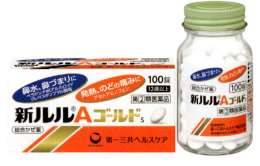

第一三共ヘルスケア株式会社

かぜ薬　新ルル®AゴールドDX

用法 15歳以上1回3錠、12歳以上15歳未満1回2錠を、1日3回食後なるべく30分以内に水又はお湯で服用。

成分 3錠中 [15歳以上の1回量に相当]
クレマスチンフマル酸塩 0.45mg(クレマスチンとして0.33mg)
ベラドンナ総アルカロイド 0.1mg
ブロムヘキシン塩酸塩 4mg
トラネキサム酸 140mg
アセトアミノフェン 300mg
dl-メチルエフェドリン塩酸塩 20mg
ジヒドロコデインリン酸塩 8mg
無水カフェイン 20mg
ベンフォチアミン(ビタミンB_1誘導体) 8mg

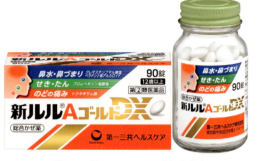

第一三共ヘルスケア株式会社

かぜ薬　新ルル®AゴールドDX（PTP）

用法 15歳以上1回3錠、12歳以上15歳未満1回2錠を、1日3回食後なるべく30分以内に水又はお湯で服用。

成分 3錠中 [15歳以上の1回量に相当]
クレマスチンフマル酸塩 0.45mg(クレマスチンとして0.33mg)
ベラドンナ総アルカロイド 0.1mg
ブロムヘキシン塩酸塩 4mg
トラネキサム酸 140mg
アセトアミノフェン 300mg
dl-メチルエフェドリン塩酸塩 20mg
ジヒドロコデインリン酸塩 8mg
無水カフェイン 20mg
ベンフォチアミン(ビタミンB_1誘導体) 8mg

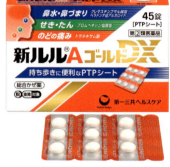

第一三共ヘルスケア株式会社

かぜ薬　新ルル®AゴールドDX細粒

用法 15歳以上1回1包、12歳以上15歳未満1回2/3包を、1日3回食後なるべく30分以内に水又はお湯で服用。

成分 1包中 [15歳以上の1回量に相当]
クレマスチンフマル酸塩 0.45mg(クレマスチンとして0.33mg)
ベラドンナ総アルカロイド 0.1mg
ブロムヘキシン塩酸塩 4mg
トラネキサム酸 140mg
アセトアミノフェン 300mg
dl-メチルエフェドリン塩酸塩 20mg
ジヒドロコデインリン酸塩 8mg
無水カフェイン 20mg
ベンフォチアミン(ビタミンB_1誘導体) 8mg

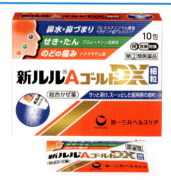

第一三共ヘルスケア株式会社

かぜ薬　ルルアタック®FXa

用法 15歳以上1回2錠、7歳以上15歳未満1回1錠を、1日3回食後なるべく30分以内に水又はお湯で服用。

成分 2錠中 [15歳以上の1回量に相当]
イソプロピルアンチピリン(ピリン系) 100mg
アセトアミノフェン 150mg　　無水カフェイン 25mg
ショウキョウ末 66.67mg　　　アスコルビン酸
クレマスチンフマル酸塩 0.45mg　　(ビタミンC) 100mg
グリチルリチン酸 13mg
チペピジンヒベンズ酸塩 25mg
ノスカピン 16mg
dl-メチルエフェドリン塩酸塩 20mg

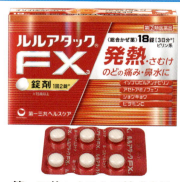

第一三共ヘルスケア株式会社

| かぜ薬 | **ルルアタック®ＥＸ** |

用法 15歳以上1回2錠、1日3回食後なるべく30分以内に水又はお湯で服用。
成分 2錠中 [15歳以上の1回量に相当]
　トラネキサム酸 250mg
　イブプロフェン 150mg
　クレマスチンフマル酸塩 0.45mg(クレマスチンとして0.33mg)
　ブロムヘキシン塩酸塩 4mg
　dl-メチルエフェドリン塩酸塩 20mg
　ジヒドロコデインリン酸塩 8mg
　チアミン硝化物(ビタミンB_1硝酸塩) 8.33mg
　リボフラビン(ビタミンB_2) 4mg

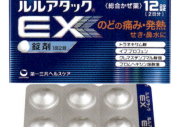
第一三共ヘルスケア株式会社

| かぜ薬 | **ルルアタック®ＥＸ顆粒** |

用法 15歳以上1回1包、1日3回食後なるべく30分以内に水又はお湯で服用。
成分 1包中 [15歳以上の1回量に相当]
　トラネキサム酸 250mg
　イブプロフェン 150mg
　クレマスチンフマル酸塩 0.45mg(クレマスチンとして0.33mg)
　ブロムヘキシン塩酸塩 4mg
　dl-メチルエフェドリン塩酸塩 20mg
　ジヒドロコデインリン酸塩 8mg
　チアミン硝化物(ビタミンB_1硝酸塩) 8.33mg
　リボフラビン(ビタミンB_2) 4mg

第一三共ヘルスケア株式会社

| かぜ薬 | **ルルアタック®ＮＸ** |

用法 15歳以上1回2錠、1日3回食後なるべく30分以内に水又はお湯で服用。
成分 2錠中 [15歳以上の1回量に相当]
　イブプロフェン 150mg
　ベラドンナ総アルカロイド 0.1mg
　クレマスチンフマル酸塩 0.45mg
　ブロムヘキシン塩酸塩 4mg
　ジヒドロコデインリン酸塩 8mg
　dl-メチルエフェドリン塩酸塩 20mg
　無水カフェイン 25mg
　ベンフォチアミン(ビタミンB_1誘導体) 8.33mg
　リボフラビン(ビタミンB_2) 4mg

第一三共ヘルスケア株式会社

| かぜ薬 | **ルルアタック®ＣＸ** |

用法 15歳以上1回2錠、1日3回食後なるべく30分以内に水又はお湯で服用。
成分 2錠中 [15歳以上の1回量に相当]
　イブプロフェン 150mg
　ジヒドロコデインリン酸塩 8mg
　ノスカピン 16mg
　dl-メチルエフェドリン塩酸塩 20mg
　L-カルボシステイン 250mg
　グリチルリチン酸 13mg
　d-クロルフェニラミンマレイン酸塩 1.1667mg
　無水カフェイン 25mg
　ベンフォチアミン(ビタミンB_1誘導体) 8.333mg

第一三共ヘルスケア株式会社

| かぜ薬 | **ルルアタック®ＴＲ** |

用法 15歳以上1回2カプセル、1日2回朝夕食後なるべく30分以内に水又はお湯で服用。
成分 2カプセル中 [15歳以上の1回量に相当]
　イブプロフェン 200mg
　グリチルリチン酸 13mg
　ヨウ化イソプロパミド 2.5mg
　d-クロルフェニラミンマレイン酸塩 1.75mg
　デキストロメトルファン臭化水素酸塩水和物 24mg
　dl-メチルエフェドリン塩酸塩 30mg
　無水カフェイン 37.5mg

第一三共ヘルスケア株式会社

QRコードからWEBサイトの医療従事者向け製品要約テキストや添付文書をご覧いただけます。

p.22 かぜ薬　　p.42 解熱鎮痛薬　　p.56 内服肩こり薬[肩こり薬]

解熱鎮痛薬　アダムA錠

用法　15歳以上1回2錠、1日3回を限度になるべく空腹時を避けて水又はお湯でかまずに服用。服用間隔は4時間以上。

成分　2錠中 [15歳以上の1回量に相当]
イブプロフェン 150mg
アリルイソプロピルアセチル尿素 60mg
無水カフェイン 80mg

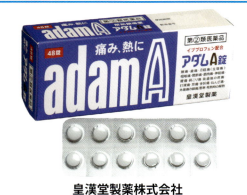

皇漢堂製薬株式会社

解熱鎮痛薬　イブ®

用法　15歳以上1回2錠、1日3回を限度になるべく空腹時をさけて水又はぬるま湯で服用。服用間隔は4時間以上。

成分　2錠中 [15歳以上の1回量に相当]
イブプロフェン 150mg

エスエス製薬株式会社

解熱鎮痛薬　イブ®＜糖衣錠＞

用法　15歳以上1回2錠、1日3回を限度になるべく空腹時を避けて水又はぬるま湯で服用。服用間隔は4時間以上。

成分　2錠中 [15歳以上の1回量に相当]
イブプロフェン 150mg

エスエス製薬株式会社

解熱鎮痛薬　イブメルト®

用法　15歳以上1回1錠、1日2回を限度になるべく空腹時をさけ、口中で溶かして服用するか、水又はぬるま湯で服用。服用間隔は6時間以上。

成分　1錠中 [15歳以上の1回量に相当]
イブプロフェン 200mg

エスエス製薬株式会社

解熱鎮痛薬　イブ®A錠

用法　15歳以上1回2錠、1日3回を限度になるべく空腹時をさけて水又はぬるま湯で服用。服用間隔は4時間以上。

成分　2錠中 [15歳以上の1回量に相当]
イブプロフェン 150mg
アリルイソプロピルアセチル尿素 60mg
無水カフェイン 80mg

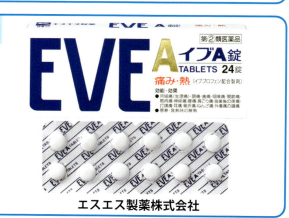

エスエス製薬株式会社

解熱鎮痛薬　イブ®A錠EX

用法 15歳以上1回2錠、1日2回を限度になるべく空腹時をさけて水又はぬるま湯で服用。服用間隔は6時間以上。

成分 2錠中 [15歳以上の1回量に相当]
イブプロフェン 200mg
アリルイソプロピルアセチル尿素 60mg
無水カフェイン 80mg

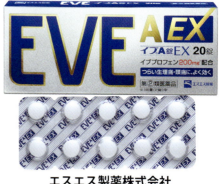
エスエス製薬株式会社

解熱鎮痛薬　イブクイック®頭痛薬

用法 15歳以上1回2錠、1日3回を限度になるべく空腹時をさけて水又はぬるま湯で服用。服用間隔は4時間以上。

成分 2錠中 [15歳以上の1回量に相当]
イブプロフェン 150mg
酸化マグネシウム 100mg
アリルイソプロピルアセチル尿素 60mg
無水カフェイン 80mg

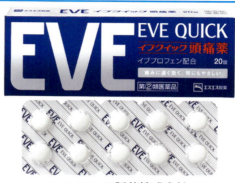
エスエス製薬株式会社

解熱鎮痛薬　イブクイック®頭痛薬DX

用法 15歳以上1回2錠、1日2回を限度になるべく空腹時をさけて水又はぬるま湯で服用。服用間隔は6時間以上。

成分 2錠中 [15歳以上の1回量に相当]
イブプロフェン 200mg
酸化マグネシウム 100mg
アリルイソプロピルアセチル尿素 60mg
無水カフェイン 80mg

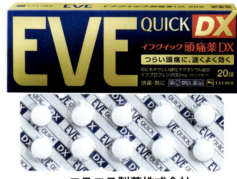
エスエス製薬株式会社

解熱鎮痛薬　エキセドリンA錠

用法 15歳以上1回2錠、1日2回を限度になるべく空腹時をさけて水又はぬるま湯で服用。服用間隔は6時間以上。

成分 2錠中 [15歳以上の1回量に相当]
アスピリン(アセチルサリチル酸) 500mg
アセトアミノフェン 300mg
無水カフェイン 120mg

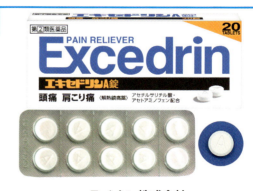
ライオン株式会社

解熱鎮痛薬　エキセドリンプラスS

用法 15歳以上1回2錠、1日2回を限度になるべく空腹時をさけて水又はぬるま湯で服用。服用間隔は6時間以上。

成分 2錠中 [15歳以上の1回量に相当]
アスピリン(アセチルサリチル酸) 500mg
アセトアミノフェン 300mg
無水カフェイン 120mg
アリルイソプロピルアセチル尿素 30mg
乾燥水酸化アルミニウムゲル 70mg

ライオン株式会社

QRコードからWEBサイトの医療従事者向け製品要約テキストや添付文書をご覧いただけます。

p.22 かぜ薬　　p.42 解熱鎮痛薬　　p.56 内服肩こり薬[肩こり薬]

解熱鎮痛薬　エルペインコーワ

用法　15歳以上1回1錠、1日3回を限度になるべく空腹時をさけて水又は温湯で服用。服用間隔は4時間以上。

成分　1錠中 [15歳以上の1回量に相当]
イブプロフェン 150.0mg
ブチルスコポラミン臭化物 10.0mg

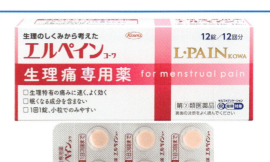

興和株式会社

解熱鎮痛薬　ロキソプロフェン錠「クニヒロ」

用法　15歳以上1回1錠、1日2回まで、なるべく空腹時をさけて水又はお湯でかまずに服用。ただし、再度症状があらわれた場合には3回目を服用できる。服用間隔は4時間以上。

成分　1錠中 [15歳以上の1回量に相当]
ロキソプロフェンナトリウム水和物 68.1mg(無水物として60mg)

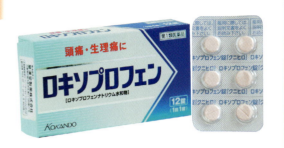

皇漢堂製薬株式会社

解熱鎮痛薬　グレラン・ビット®

用法　15歳以上1回2錠、1日3回を限度になるべく空腹時をさけて、水又はお湯で、かまずに服用。服用間隔は4時間以上。

成分　2錠中 [15歳以上の1回量に相当]
イブプロフェン 150mg
アセトアミノフェン 65mg

武田コンシューマーヘルスケア株式会社

解熱鎮痛薬　グレラン®エース錠

用法　15歳以上1回2錠、1日2回を限度になるべく空腹時をさけて、水又はお湯で、かまずに服用。服用間隔は6時間以上。

成分　2錠中 [15歳以上の1回量に相当]
エテンザミド 500mg
アセトアミノフェン 300mg
ブロモバレリル尿素 200mg
無水カフェイン 26mg
ジベンゾイルチアミン(ビタミンB_1誘導体) 10mg

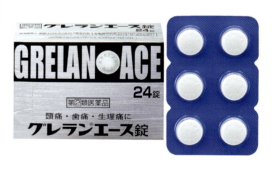

武田コンシューマーヘルスケア株式会社

解熱鎮痛薬　ケロリン®

用法　15歳以上1回1包、1日2回を限度になるべく空腹時をさけて服用。服用間隔は6時間以上。

成分　1包中 [15歳以上の1回量に相当]
アセチルサリチル酸 600mg
無水カフェイン 60mg
ケイヒ末 60mg

アセチルサリチル酸 = アスピリン[Aspirin]

富山めぐみ製薬株式会社

解熱鎮痛薬　ケロリン®A錠

用法　15歳以上1回2錠、1日2回を限度になるべく空腹時をさけて服用。服用間隔は6時間以上。

成分　2錠中 [15歳以上の1回量に相当]
アセチルサリチル酸 600mg
無水カフェイン 50mg
ケイヒ末 50mg
乾燥水酸化アルミニウムゲル 100mg

注　アセチルサリチル酸＝アスピリン[Aspirin]

富山めぐみ製薬株式会社

解熱鎮痛薬　ケロリンIBカプレット

用法　15歳以上1回1錠、1日3回を限度に、なるべく空腹時をさけて服用。服用間隔は4時間以上。

成分　1錠中 [15歳以上の1回量に相当]
イブプロフェン 150mg
アリルイソプロピルアセチル尿素 60mg
無水カフェイン 80mg

富山めぐみ製薬株式会社

解熱鎮痛薬　後藤散

用法　15歳以上1回1包、1日3回を限度になるべく空腹時を避けて服用。服用間隔は4時間以上。

成分　1包中 [15歳以上の1回量に相当]
アスピリン 450mg
無水カフェイン 50mg
カンゾウ末 100mg
ケイヒ末 100mg

うすき製薬株式会社

解熱鎮痛薬　後藤散いたみどめ顆粒G

用法　15歳以上1回1包、1日3回を限度になるべく空腹時を避けて服用。服用間隔は4時間以上。

成分　1包中 [15歳以上の1回量に相当]
アスピリン 450mg
無水カフェイン 50mg
ケイヒ末 100mg
カンゾウ末 100mg

うすき製薬株式会社

解熱鎮痛薬　コルゲンコーワ鎮痛解熱LXα

用法　15歳以上1回1錠、1日2回まで。ただし、再度症状があらわれた場合には3回目を服用できる。なるべく空腹時をさけて水又は温湯で服用。服用間隔は4時間以上。

成分　1錠中 [15歳以上の1回量に相当]
ロキソプロフェンナトリウム水和物 68.1mg(無水物として60mg)
トラネキサム酸 140.0mg

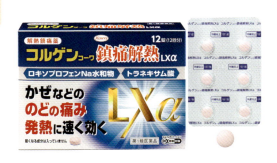

興和株式会社

QRコードからWEBサイトの医療従事者向け製品要約テキストや添付文書をご覧いただけます。

p.22 かぜ薬　　p.42 解熱鎮痛薬　　p.56 内服肩こり薬[肩こり薬]

解熱鎮痛薬　サリドン®A

用法　15歳以上1回1錠、8歳以上15歳未満1回1/2錠を、1日3回を限度になるべく空腹時をさけて水又はお湯で服用。服用間隔は4時間以上。

成分　1錠中 [15歳以上の1回量に相当]
イソプロピルアンチピリン(ピリン系) 150mg
エテンザミド 250mg
カフェイン水和物 50mg

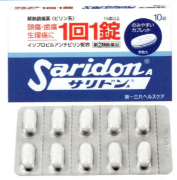

第一三共ヘルスケア株式会社

解熱鎮痛薬　サリドン®Ｗｉ

用法　15歳以上1回1錠、1日2回を限度になるべく空腹時をさけて水又はお湯で服用。服用間隔は6時間以上。

成分　1錠中 [15歳以上の1回量に相当]
イソプロピルアンチピリン(ピリン系) 150mg
イブプロフェン 50mg
無水カフェイン 50mg

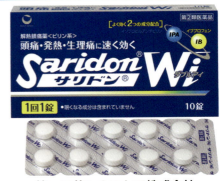

第一三共ヘルスケア株式会社

解熱鎮痛薬　サリドン®エース

用法　15歳以上1回2錠、7歳以上15歳未満1回1錠を、1日2回を限度になるべく空腹時をさけて服用。服用間隔は6時間以上。

成分　2錠中 [15歳以上の1回量に相当]
エテンザミド 500mg
アセトアミノフェン 220mg
ブロモバレリル尿素 200mg
無水カフェイン 50mg

第一三共ヘルスケア株式会社

解熱鎮痛薬　新セデス®錠

用法　15歳以上1回2錠、7歳以上15歳未満1回1錠を、1日3回を限度になるべく空腹時をさけて水又はぬるま湯で服用。服用間隔は4時間以上。

成分　2錠中 [15歳以上の1回量に相当]
エテンザミド 400mg
アセトアミノフェン 160mg
アリルイソプロピルアセチル尿素 60mg
無水カフェイン 80mg

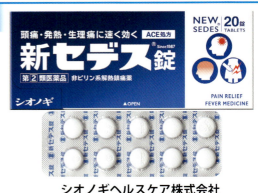

シオノギヘルスケア株式会社

解熱鎮痛薬　セデス®・ハイ

用法　15歳以上1回2錠、1日3回を限度になるべく空腹時をさけて水又はぬるま湯で服用。服用間隔は4時間以上。

成分　2錠中 [15歳以上の1回量に相当]
イソプロピルアンチピリン(IPA) 150mg
アセトアミノフェン 250mg
アリルイソプロピルアセチル尿素 60mg
無水カフェイン 50mg

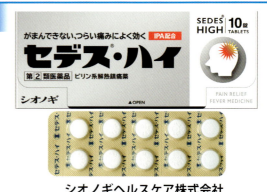

シオノギヘルスケア株式会社

解熱鎮痛薬 セデス®・ハイG

用法 15歳以上1回1包、1日3回を限度になるべく空腹時をさけて水又はぬるま湯で服用。服用間隔は4時間以上。

成分 1包中 [15歳以上の1回量に相当]
イソプロピルアンチピリン(IPA) 150mg
アセトアミノフェン 250mg
アリルイソプロピルアセチル尿素 60mg
無水カフェイン 50mg

シオノギヘルスケア株式会社

解熱鎮痛薬 セデス®・ファースト

用法 15歳以上1回2錠、7歳以上15歳未満1回1錠を、1日3回を限度になるべく空腹時をさけて水又はぬるま湯で服用。服用間隔は4時間以上。

成分 2錠中 [15歳以上の1回量に相当]
エテンザミド 400mg
アセトアミノフェン 160mg
無水カフェイン 80mg
酸化マグネシウム 100mg

シオノギヘルスケア株式会社

解熱鎮痛薬 セデス®V

用法 15歳以上1回2錠、7歳以上15歳未満1回1錠を、1日3回を限度になるべく空腹時をさけて水又はぬるま湯で服用。服用間隔は4時間以上。

成分 2錠中 [15歳以上の1回量に相当]
エテンザミド 400mg
アセトアミノフェン 160mg
アリルイソプロピルアセチル尿素 60mg
無水カフェイン 80mg
ジセチアミン塩酸塩水和物(ビタミンB_1誘導体) 8mg

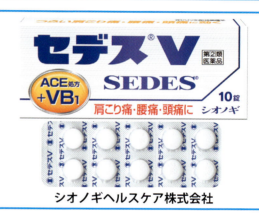

シオノギヘルスケア株式会社

解熱鎮痛薬 セデス®キュア

用法 15歳以上1回2錠、1日3回を限度になるべく空腹時をさけて水又はぬるま湯で服用。服用間隔は4時間以上。

成分 2錠中 [15歳以上の1回量に相当]
イブプロフェン 150mg
アリルイソプロピルアセチル尿素 60mg
無水カフェイン 80mg

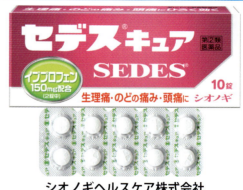

シオノギヘルスケア株式会社

解熱鎮痛薬 大正トンプク

用法 15歳以上1回1包、11歳以上15歳未満1回2/3包、8歳以上11歳未満1回1/2包、5歳以上8歳未満1回1/3包、3歳以上5歳未満1回1/4包を、1日2回を限度になるべく空腹時をさけて水又はぬるま湯で服用。服用間隔は6時間以上。

成分 1包中 [15歳以上の1回量に相当]
アセトアミノフェン 300mg
エテンザミド 350mg
ブロモバレリル尿素 200mg
無水カフェイン 50mg

大正製薬株式会社

QRコードからWEBサイトの医療従事者向け製品要約テキストや添付文書をご覧いただけます。

p.22 かぜ薬　　p.42 解熱鎮痛薬　　p.56 内服肩こり薬[肩こり薬]

解熱鎮痛薬　タイレノール® A

用法 15歳以上1回1錠、1日3回を限度に服用。ただし、かぜによる悪寒・発熱時には、なるべく空腹時をさけて服用。服用間隔は4時間以上。

成分 1錠中［15歳以上の1回量に相当］
アセトアミノフェン 300mg

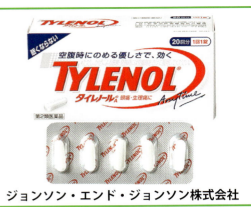

ジョンソン・エンド・ジョンソン株式会社

解熱鎮痛薬　ナロン顆粒

用法 15歳以上1回1包、11歳以上15歳未満1回2/3包、7歳以上11歳未満1回1/2包、3歳以上7歳未満1回1/3包、1歳以上3歳未満1回1/4包を、1日3回までなるべく空腹時を避けて水又はぬるま湯で服用。服用間隔は4時間以上。

成分 1包中［15歳以上の1回量に相当］
アセトアミノフェン 265mg
エテンザミド 300mg
ブロモバレリル尿素 200mg
無水カフェイン 50mg

大正製薬株式会社

解熱鎮痛薬　ナロン錠

用法 15歳以上1回2錠、8歳以上15歳未満1回1錠を、1日3回を限度になるべく空腹時をさけて水又はぬるま湯で服用。服用間隔は4時間以上。

成分 2錠中［15歳以上の1回量に相当］
アセトアミノフェン 265mg
エテンザミド 300mg
ブロモバレリル尿素 200mg
無水カフェイン 50mg

大正製薬株式会社

解熱鎮痛薬　ナロンエースR

用法 15歳以上1回2錠、1日3回までなるべく空腹時をさけて水又はぬるま湯で服用。服用間隔は4時間以上。

成分 2錠中［15歳以上の1回量に相当］
イブプロフェン 144mg
エテンザミド 84mg
ブロモバレリル尿素 200mg
無水カフェイン 50mg
乾燥水酸化アルミニウムゲル 66.7mg

大正製薬株式会社

解熱鎮痛薬　ナロンエースT

用法 15歳以上1回2錠、1日3回までなるべく空腹時を避けて水又はぬるま湯で服用。服用間隔は4時間以上。

成分 2錠中［15歳以上の1回量に相当］
イブプロフェン 144mg
エテンザミド 84mg
ブロモバレリル尿素 200mg
無水カフェイン 50mg

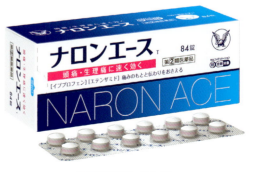

大正製薬株式会社

解熱鎮痛薬 ナロンLoxy

用法 15歳以上1回1錠、1日2回まで、症状があらわれた時、1回量をなるべく空腹時をさけて水又はぬるま湯で服用。ただし、再度症状があらわれた場合には、3回目を服用できる。服用間隔は4時間以上。

成分 1錠中 [15歳以上の1回量に相当]
ロキソプロフェンナトリウム水和物 68.1mg（水和物として60mg）

大正製薬株式会社

解熱鎮痛薬 ロキソプロフェンT液

用法 15歳以上1回1本(10mL)、1日2回まで、症状があらわれた時、なるべく空腹時をさけて服用。ただし、再度症状があらわれた場合には、3回目を服用できる。服用間隔は4時間以上。

成分 1本(10mL)中 [15歳以上の1回量に相当]
ロキソプロフェンナトリウム水和物 68.1mg（水和物として60mg）

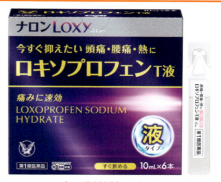

大正製薬株式会社

解熱鎮痛薬 鎮痛カプセルa

用法 15歳以上1回3カプセル、1日3回を限度とし、なるべく空腹時をさけて水又はお湯で服用。服用間隔は4時間以上。

成分 3カプセル中 [15歳以上の1回量に相当]
イブプロフェン 150mg
トラネキサム酸 140mg
乾燥水酸化アルミニウムゲル 69.5mg

小林製薬株式会社

解熱鎮痛薬 ノーシン

用法 15歳以上1回1包、1日3回を限度になるべく空腹時をさけて服用。服用間隔は4時間以上。

成分 1包中 [15歳以上の1回量に相当]
アセトアミノフェン 300mg
エテンザミド 120mg
カフェイン水和物 70mg

株式会社アラクス

解熱鎮痛薬 ノーシン「細粒」

用法 15歳以上1回1包、1日3回を限度になるべく空腹時をさけて服用。服用間隔は4時間以上。

成分 1包中 [15歳以上の1回量に相当]
アセトアミノフェン 300mg
エテンザミド 120mg
カフェイン水和物 70mg

株式会社アラクス

QRコードからWEBサイトの医療従事者向け製品要約テキストや添付文書をご覧いただけます。

p.22 かぜ薬　　p.42 解熱鎮痛薬　　p.56 内服肩こり薬[肩こり薬]

解熱鎮痛薬　ノーシン錠

- **用法** 15歳以上1回2錠、1日3回を限度になるべく空腹時をさけて服用。服用間隔は4時間以上。
- **成分** 2錠中 [15歳以上の1回量に相当]
  アセトアミノフェン 300mg
  エテンザミド 160mg
  カフェイン水和物 70mg

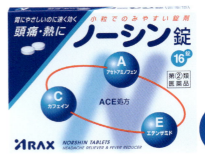

株式会社アラクス

解熱鎮痛薬　ノーシンホワイト〈細粒〉

- **用法** 15歳以上1回1包、1日2回を限度になるべく空腹時をさけて服用。服用間隔は6時間以上。
- **成分** 1包中 [15歳以上の1回量に相当]
  アセトアミノフェン 300mg
  エテンザミド 380mg
  カフェイン水和物 60mg

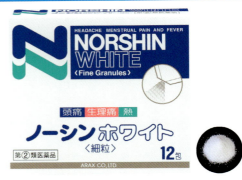

株式会社アラクス

解熱鎮痛薬　ノーシンホワイト錠

- **用法** 15歳以上1回2錠、1日2回を限度になるべく空腹時をさけて服用。服用間隔は6時間以上。
- **成分** 2錠中 [15歳以上の1回量に相当]
  アセトアミノフェン 300mg
  エテンザミド 380mg
  カフェイン水和物 60mg

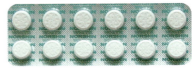

株式会社アラクス

解熱鎮痛薬　ノーシンアイ頭痛薬

- **用法** 15歳以上1回2錠、1日3回を限度になるべく空腹時をさけて服用。服用間隔は4時間以上。
- **成分** 2錠中 [15歳以上の1回量に相当]
  イブプロフェン 150mg
  アセトアミノフェン 65mg

株式会社アラクス

解熱鎮痛薬　ノーシンエフ２００

- **用法** 15歳以上1回1カプセル、1日2回を限度になるべく空腹時をさけて服用。服用間隔は6時間以上。
- **成分** 1カプセル中 [15歳以上の1回量に相当]
  イブプロフェン 200mg

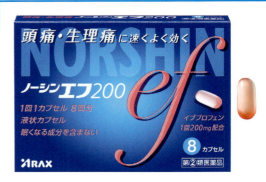

株式会社アラクス

解熱鎮痛薬　小中学生用ノーシンピュア

用法 11歳以上15歳未満1回2錠、7歳以上11歳未満1回1錠を、1日3回を限度になるべく空腹時をさけて服用。服用間隔は4時間以上。

成分 2錠中 [11歳以上15歳未満の1回量に相当]
アセトアミノフェン 200mg
アリルイソプロピルアセチル尿素 30mg
無水カフェイン 40mg

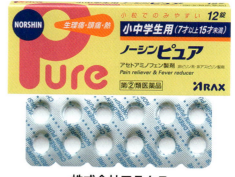

株式会社アラクス

解熱鎮痛薬　ノーシンピュア

用法 15歳以上1回2錠、1日3回を限度になるべく空腹時をさけて服用。服用間隔は4時間以上。

成分 2錠中 [15歳以上の1回量に相当]
イブプロフェン 150mg
アリルイソプロピルアセチル尿素 60mg
無水カフェイン 80mg

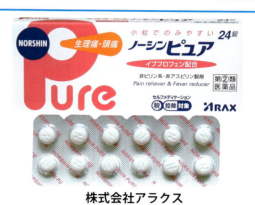

株式会社アラクス

解熱鎮痛薬　ノーシンピュア（ピルケース入り）

用法 15歳以上1回2錠、1日3回を限度になるべく空腹時をさけて服用。服用間隔は4時間以上。

成分 2錠中 [15歳以上の1回量に相当]
イブプロフェン 150mg
アリルイソプロピルアセチル尿素 60mg
無水カフェイン 80mg

株式会社アラクス

解熱鎮痛薬　バイエルアスピリン®

用法 15歳以上1回1錠、1日3回を限度になるべく空腹時をさけコップ一杯の水で服用。服用間隔は4時間以上。

成分 1錠中 [15歳以上の1回量に相当]
アスピリン(アセチルサリチル酸) 500mg

佐藤製薬株式会社

解熱鎮痛薬　ハイタミン錠

用法 15歳以上 1回2錠、1日2回を限度になるべく空腹時をさけて服用。服用間隔は6時間以上。

成分 2錠中 [15歳以上の1回量に相当]
アセトアミノフェン 300mg
エテンザミド 500mg
カフェイン水和物 60mg

株式会社アラクス

QRコードからWEBサイトの医療従事者向け製品要約テキストや添付文書をご覧いただけます。

p.22 かぜ薬　　p.42 解熱鎮痛薬　　p.56 内服肩こり薬[肩こり薬]

解熱鎮痛薬　ハッキリ®エースa

用法 15歳以上1回1包、11歳以上15歳未満1回2/3包を、1日3回を限度になるべく空腹時をさけて水又はお湯で服用。服用間隔は4時間以上。

成分 1包中 [15歳以上の1回量に相当]
アセトアミノフェン 230mg
エテンザミド 230mg
カフェイン水和物 75mg
シャクヤクエキス50mg(原生薬換算量200mg)
メタケイ酸アルミン酸マグネシウム 150mg

注 添加物としてカンゾウエキス末を含む。

小林製薬株式会社

解熱鎮痛薬　小児用バファリンCⅡ

用法 11歳以上15歳未満1回6錠、7歳以上11歳未満1回4錠、3歳以上7歳未満1回3錠を、1日3回を限度になるべく空腹時をさけて服用。服用間隔は4時間以上。

成分 6錠中 [11歳以上15歳未満の1回量に相当]
アセトアミノフェン 198mg

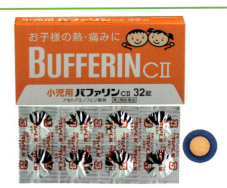
ライオン株式会社

解熱鎮痛薬　小児用バファリンチュアブル

用法 11歳以上15歳未満1回4錠、7歳以上11歳未満1回3錠、3歳以上7歳未満1回2錠を、1日3回を限度になるべく空腹時をさけ、かみくだくか、口の中で溶かして服用。服用間隔は4時間以上。

成分 4錠中 [11歳以上15歳未満の1回量に相当]
アセトアミノフェン 200mg

ライオン株式会社

解熱鎮痛薬　バファリンA

用法 15歳以上1回2錠、1日2回を限度になるべく空腹時をさけて水又はぬるま湯で服用。服用間隔は6時間以上。

成分 2錠中 [15歳以上の1回量に相当]
アスピリン(アセチルサリチル酸) 660mg
合成ヒドロタルサイト(ダイバッファーHT) 200mg

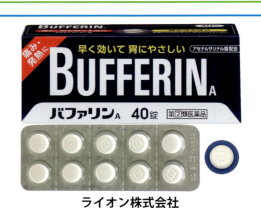
ライオン株式会社

解熱鎮痛薬　バファリンライト

用法 15歳以上1回2錠、1日3回を限度になるべく空腹時をさけて水又はぬるま湯で服用。服用間隔は4時間以上。

成分 2錠中 [15歳以上の1回量に相当]
アスピリン(アセチルサリチル酸) 440mg
乾燥水酸化アルミニウムゲル 200mg

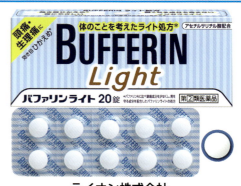
ライオン株式会社

解熱鎮痛薬 バファリンEX

用法 15歳以上1回1錠、1日2回まで。ただし、再度症状があらわれた場合には3回目を服用できる。なるべく空腹時をさけて水又はぬるま湯で服用。服用間隔は4時間以上。

成分 1錠中 [15歳以上の1回量に相当]
ロキソプロフェンナトリウム水和物 68.1mg(無水物として60mg)
乾燥水酸化アルミニウムゲル 120mg

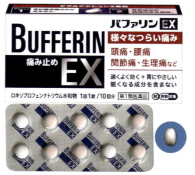

ライオン株式会社

解熱鎮痛薬 バファリンルナi

用法 15歳以上1回2錠、1日3回を限度になるべく空腹時をさけて水又はぬるま湯で服用。服用間隔は4時間以上。

成分 2錠中 [15歳以上の1回量に相当]
イブプロフェン 130mg
アセトアミノフェン 130mg
無水カフェイン 80mg
乾燥水酸化アルミニウムゲル 70mg

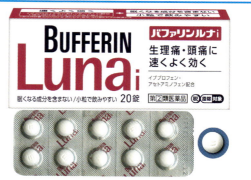

ライオン株式会社

解熱鎮痛薬 バファリンルナJ

用法 15歳以上1回3錠、11歳以上15歳未満1回2錠、7歳以上11歳未満1回1錠を、1日3回を限度になるべく空腹時をさけ、かみくだくか、口の中で溶かして服用。服用間隔は4時間以上。

成分 3錠中 [15歳以上の1回量に相当]
アセトアミノフェン 300mg

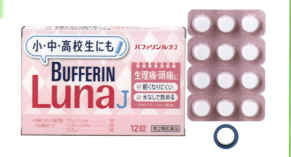

ライオン株式会社

解熱鎮痛薬 バファリンプレミアム

用法 15歳以上1回2錠、1日3回を限度になるべく空腹時をさけて水又はぬるま湯で服用。服用間隔は4時間以上。

成分 2錠中 [15歳以上の1回量に相当]
イブプロフェン 130mg
アセトアミノフェン 130mg
無水カフェイン 80mg
アリルイソプロピルアセチル尿素 60mg
乾燥水酸化アルミニウムゲル 70mg

ライオン株式会社

解熱鎮痛薬 プレミナスIP

用法 15歳以上1回2錠、1日3回を限度になるべく空腹時をさけて服用。服用間隔は4時間以上。

成分 2錠中 [15歳以上の1回量に相当]
イブプロフェン 150mg
アリルイソプロピルアセチル尿素 60mg
無水カフェイン 80mg

奥田製薬株式会社

QRコードからWEBサイトの医療従事者向け製品要約テキストや添付文書をご覧いただけます。

p.22 かぜ薬　　p.42 解熱鎮痛薬　　p.56 内服肩こり薬[肩こり薬]

解熱鎮痛薬　ポパドンA

用法　15歳以上1回2錠、7歳以上15歳未満1回1錠を、1日3回を限度になるべく空腹時をさけて水又はぬるま湯でかまずに服用。服用間隔は4時間以上。

成分　2錠中 [15歳以上の1回量に相当]
アセトアミノフェン 300mg

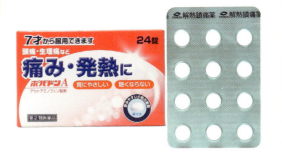

米田薬品株式会社

解熱鎮痛薬　ムヒのこども解熱鎮痛顆粒

用法　7歳以上11歳未満1回1包、3歳以上7歳未満1回2/3包、1歳以上3歳未満1回1/2包を、1日3回を限度になるべく空腹時をさけて服用。服用間隔は4時間以上。

成分　1包中 [7歳以上11歳未満の1回量に相当]
アセトアミノフェン 150mg
アスコルビン酸(ビタミンC) 50mg
グリシン 150mg

©やなせたかし／フレーベル館・TMS・NTV

株式会社池田模範堂

解熱鎮痛薬　ラックル®

用法　15歳以上1回1錠、1日3回を限度になるべく空腹時をさけて、かみくだくか、軽く口中で溶かした後、水と一緒に服用。服用間隔は4時間以上。

成分　1錠中 [15歳以上の1回量に相当]
アセトアミノフェン 300mg

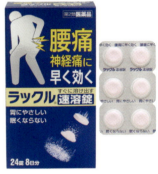

日本臓器製薬株式会社

解熱鎮痛薬　リングル®アイビー

用法　15歳以上1回1カプセル、1日3回を限度になるべく空腹時をさけて服用。服用間隔は4時間以上。

成分　1カプセル中 [15歳以上の1回量に相当]
イブプロフェン 150mg

佐藤製薬株式会社

解熱鎮痛薬　リングル®アイビーα200

用法　15歳以上1回1カプセル、1日2回までとし、なるべく空腹時を避けて服用。服用間隔は4時間以上。ただし、再度症状があらわれた場合には3回目を服用できる。

成分　1カプセル中 [15歳以上の1回量に相当]
イブプロフェン 200mg

佐藤製薬株式会社

解熱鎮痛薬　リングル®アイビー錠α２００

用法 15歳以上1回1錠、1日2回までとし、なるべく空腹時を避けて服用。服用間隔は4時間以上。ただし、再度症状があらわれた場合には3回目を服用できる。

成分 1錠中 [15歳以上の1回量に相当]
イブプロフェン 200mg

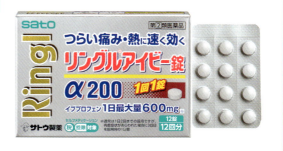

佐藤製薬株式会社

解熱鎮痛薬　ルナール®ｉ

用法 15歳以上1回2錠、1日3回を限度になるべく空腹時をさけて服用。服用間隔は4時間以上。

成分 2錠中 [15歳以上の1回量に相当]
イブプロフェン 150mg
アセトアミノフェン 65mg
無水カフェイン 60mg

日本臓器製薬株式会社

解熱鎮痛薬　ルミフェン®

用法 15歳以上1回1錠、1日2回までとし、なるべく空腹時を避けて服用。服用間隔は4時間以上。ただし、再度症状があらわれた場合には3回目を服用できる。

成分 1錠中 [15歳以上の1回量に相当]
アルミノプロフェン 200mg

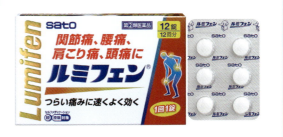

佐藤製薬株式会社

解熱鎮痛薬　ロキソニン®Ｓ

用法 15歳以上1回1錠、1日2回まで。ただし、再度症状があらわれた場合には3回目を服用できる。服用間隔は4時間以上。なるべく空腹時をさけて水又はお湯で服用。

成分 1錠中 [15歳以上の1回量に相当]
ロキソプロフェンナトリウム水和物 68.1mg(無水物として60mg)

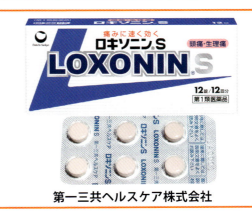

第一三共ヘルスケア株式会社

解熱鎮痛薬　ロキソニン®Ｓプラス

用法 15歳以上1回1錠、1日2回まで。ただし、再度症状があらわれた場合には3回目を服用できる。服用間隔は4時間以上。なるべく空腹時をさけて水又はぬるま湯で服用。

成分 1錠中 [15歳以上の1回量に相当]
ロキソプロフェンナトリウム水和物 68.1mg(無水物として60mg)
酸化マグネシウム 33.3mg

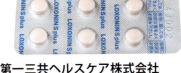

第一三共ヘルスケア株式会社

QRコードからWEBサイトの医療従事者向け製品要約テキストや添付文書をご覧いただけます。

p.22 かぜ薬　　p.42 解熱鎮痛薬　　p.56 内服肩こり薬[肩こり薬]　　p.56 -64 鎮咳去痰薬

解熱鎮痛薬　ロキソニン® S プレミアム

用法　15歳以上1回2錠、1日2回まで。ただし、再度症状があらわれた場合には3回目を服用できる。服用間隔は4時間以上。なるべく空腹時をさけて水又はぬるま湯で服用。

成分　2錠中 [15歳以上の1回量に相当]
ロキソプロフェンナトリウム水和物 68.1mg(無水物として60mg)
アリルイソプロピルアセチル尿素 60mg
無水カフェイン 50mg
メタケイ酸アルミン酸マグネシウム 100mg

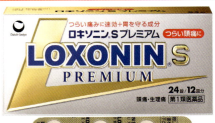

第一三共ヘルスケア株式会社

肩こり薬　コリホグス

用法　15歳以上1回1～2錠、1日2回まで、疼痛時または発作時に水又は白湯で服用。

成分　2錠中 [15歳以上の1回量に相当]
クロルゾキサゾン 300mg
エテンザミド 300mg
カフェイン水和物 50mg

小林製薬株式会社

肩こり薬　ドキシン®錠

用法　15歳以上1回2錠、12歳以上15歳未満1回1錠を、1日3回なるべく空腹時をさけて水又はお湯で、かまずに服用。

成分　2錠中 [15歳以上の1回量に相当]
メトカルバモール 500mg
エテンザミド 300mg
無水カフェイン 30mg
トコフェロール酢酸エステル
　(ビタミンE酢酸エステル) 30mg
ジベンゾイルチアミン(ビタミンB₁誘導体) 8mg

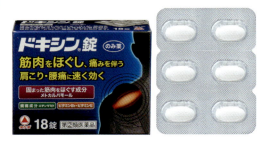

武田コンシューマーヘルスケア株式会社

鎮咳去痰薬　浅田飴せきどめ

用法　11歳以上1回2錠、5歳以上11歳未満1回1錠を、1日6回口中に含み、かまずにゆっくり溶かして服用。服用間隔は2時間以上。

成分　2錠中 [11歳以上の1回量に相当]
dl-メチルエフェドリン塩酸塩 6.25mg
クレゾールスルホン酸カリウム 22.5mg
セチルピリジニウム塩化物水和物 0.5mg

株式会社浅田飴

鎮咳去痰薬　固形浅田飴 クールS

用法　15歳以上1回2～3錠、8歳以上15歳未満1回2錠、5歳以上8歳未満1回1錠を、1日3回口中に含み、かまずにゆっくり溶かして服用。

成分　3錠中 [15歳以上の1回量に相当]
キキョウ根エキス 31.5mg
トコンエキス 13.5mg
マオウエキス 13.5mg
ニンジンエキス 22.5mg

株式会社浅田飴

鎮咳去痰薬 アスクロン

用法 15歳以上1回1包、8歳以上15歳未満1回1/2包を、1日3回食後水又はぬるま湯で服用。

成分 1包中 [15歳以上の1回量に相当]
メトキシフェナミン塩酸塩 50mg
ノスカピン 20mg
カンゾウ粗エキス 66mg(カンゾウ 330mgに相当)
グアヤコールスルホン酸カリウム 90mg
無水カフェイン 50mg
マレイン酸カルビノキサミン 4mg

大正製薬株式会社

鎮咳去痰薬 アネトン®せき止め液

用法 15歳以上1回10mL、12歳以上15歳未満1回6.5mLを、1日3回服用。なお、症状により約4時間間隔で1日6回まで服用できる。

成分 10mL中 [15歳以上の1回量に相当]
コデインリン酸塩水和物(リン酸コデイン) 8.33mg
dl-メチルエフェドリン塩酸塩 12.5mg
クロルフェニラミンマレイン酸塩 2mg
無水カフェイン 10mg
セネガ流エキス 250mg

ジョンソン・エンド・ジョンソン株式会社

鎮咳去痰薬 アネトン®せき止め顆粒

用法 15歳以上1回1包、12歳以上15歳未満1回2/3包を、1日3回食後水又はお湯で服用。さらに就寝前に1回服用することができる。

成分 1包中 [15歳以上の1回量に相当]
コデインリン酸塩水和物(リン酸コデイン) 15mg
dl-メチルエフェドリン塩酸塩 10mg
テオフィリン 40mg
グアヤコールスルホン酸カリウム 67.5mg
クロルフェニラミンマレイン酸塩 2mg

ジョンソン・エンド・ジョンソン株式会社

鎮咳去痰薬 アネトン®せき止め錠

用法 15歳以上1回3錠、12歳以上15歳未満1回2錠を、1日3回食後水又はお湯で服用。さらに就寝前に1回服用することができる。

成分 3錠中 [15歳以上の1回量に相当]
コデインリン酸塩水和物(リン酸コデイン) 12.5mg
dl-メチルエフェドリン塩酸塩 18.75mg
クロルフェニラミンマレイン酸塩 3mg
無水カフェイン 15mg
セネガ乾燥エキス 22.455mg(原生薬換算量375mg)

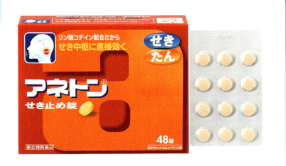

ジョンソン・エンド・ジョンソン株式会社

鎮咳去痰薬 宇津こどもせきどめ

用法 5歳以上8歳未満1回1包、3歳以上5歳未満1回2/3包、1歳以上3歳未満1回1/2包を、1日3回食後なるべく30分以内に服用。

成分 1包中 [5歳以上8歳未満の1回量に相当]
デキストロメトルファン臭化水素酸塩水和物 6.67mg
dl-メチルエフェドリン塩酸塩 8.333mg
クロルフェニラミンマレイン酸塩 1.333mg
カンゾウ粗エキス 14mg(原生薬換算量70mg)
キキョウエキス 6mg(原生薬換算量60mg)

宇津救命丸株式会社

鎮咳去痰薬 宇津こどもせきどめシロップA

用法 8歳以上11歳未満1回10mL、5歳以上8歳未満1回6.5mL、3歳以上5歳未満1回5mL、1歳以上3歳未満1回4mL、3ヵ月以上1歳未満1回2mLを、1日3回食後、および、必要な場合には就寝前に服用。場合により1日6回まで服用できる。服用間隔は約4時間以上。

成分 10mL中 [8歳以上11歳未満の1回量に相当]
デキストロメトルファン臭化水素酸塩水和物 5mg
dl-メチルエフェドリン塩酸塩 6.25mg
グアイフェネシン 16.67mg
d-クロルフェニラミンマレイン酸塩 0.5mg
ナンテンジツエキス 18.1667mg(原生薬換算量100mg)
キキョウエキス 6.67mg(原生薬換算量66.7mg)

宇津救命丸株式会社

鎮咳去痰薬 カイゲンせき止め液W

用法 15歳以上1回5mL、12歳以上15歳未満1回3.3mLを、1日4回毎食後及び就寝前に服用。なお、場合により約4時間間隔で1日6回まで服用できる。

成分 5mL中 [15歳以上の1回量に相当]
ジヒドロコデインリン酸塩 5mg
dl-メチルエフェドリン塩酸塩 12.5mg
グアヤコールスルホン酸カリウム 30mg
クロルフェニラミンマレイン酸塩 2mg
無水カフェイン 10mg
キキョウ流エキス 0.33mL(キキョウとして333mg)
セネガ流エキス 0.17mL(セネガとして167mg)

カイゲンファーマ株式会社

鎮咳去痰薬 カイゲンせき止めカプセル

用法 15歳以上1回2カプセル、12歳以上15歳未満1回1カプセルを、1日3回毎食後に服用。

成分 2カプセル中 [15歳以上の1回量に相当]
キキョウ乾燥エキス末 66.7mg(キキョウとして333mg)
カンゾウエキス末 46.7mg(カンゾウとして327mg)
ジヒドロコデインリン酸塩 6.67mg
dl-メチルエフェドリン塩酸塩 25mg
グアヤコールスルホン酸カリウム 60mg
クロルフェニラミンマレイン酸塩 4mg
無水カフェイン 50mg

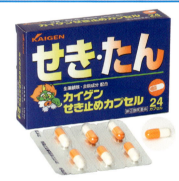
カイゲンファーマ株式会社

鎮咳去痰薬 カイゲン咳止錠

用法 15歳以上1回3錠、12歳以上15歳未満1回2錠を、1日4回食後及び就寝前に服用。

成分 3錠中 [15歳以上の1回量に相当]
ジヒドロコデインリン酸塩 7.5mg
dl-メチルエフェドリン塩酸塩 18.75mg
ノスカピン 11.25mg
グアイフェネシン 75mg
クロルフェニラミンマレイン酸塩 3mg
無水カフェイン 37.5mg
バクモンドウ乾燥エキス 75mg(バクモンドウとして0.38g)

カイゲンファーマ株式会社

鎮咳去痰薬 新カイゲンせき止め液W

用法 15歳以上1回10mL、12歳以上15歳未満1回6.6mLを、1日4回毎食後及び就寝前に服用。なお、場合により約4時間間隔で1日6回まで服用できる。

成分 10mL中 [15歳以上の1回量に相当]
ジヒドロコデインリン酸塩 5mg
dl-メチルエフェドリン塩酸塩 12.5mg
グアヤコールスルホン酸カリウム 45mg
クロルフェニラミンマレイン酸塩 2mg
無水カフェイン 10mg
キキョウエキス 40mg(キキョウとして160mg)
バクモンドウ流エキス 0.21mL
　(バクモンドウとして208mg)

カイゲンファーマ株式会社

鎮咳去痰薬　クールワン®去たんソフトカプセル

用法　15歳以上1回2カプセル、8歳以上15歳未満1回1カプセルを、1日3回水又はお湯と一緒に食後服用。

成分　2カプセル中 [15歳以上の1回量に相当]
　L-カルボシステイン 250mg
　ブロムヘキシン塩酸塩 4mg

杏林製薬株式会社

鎮咳去痰薬　クールワン®せき止めGX

用法　15歳以上1回2錠、12歳以上15歳未満1回1錠を、1日3回食後に服用。

成分　2錠中 [15歳以上の1回量に相当]
　L-カルボシステイン 250mg
　ジヒドロコデインリン酸塩 10mg
　dl-メチルエフェドリン塩酸塩 25mg
　クロルフェニラミンマレイン酸塩 4mg

杏林製薬株式会社

鎮咳去痰薬　クールワン®せき止めGX液

用法　15歳以上1回10mL、12歳以上15歳未満1回6.6mLを、1日3回服用。なお、服用の際は、添付の計量カップで量って服用。服用間隔は4時間以上。

成分　10mL中 [15歳以上の1回量に相当]
　L-カルボシステイン 250mg
　ジヒドロコデインリン酸塩 5mg
　dl-メチルエフェドリン塩酸塩 12.5mg
　クロルフェニラミンマレイン酸塩 2mg

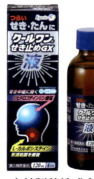

杏林製薬株式会社

鎮咳去痰薬　後藤散せきどめ

用法　15歳以上1回1包、11歳以上15歳未満1回2/3包、8歳以上11歳未満1回1/2包、5歳以上8歳未満1回1/3包、3歳以上5歳未満1回1/4包を、1日3回食後に服用。服用間隔は4時間以上。

成分　1包中 [15歳以上の1回量に相当]
　カンゾウ(甘草)末 300mg
　dl-メチルエフェドリン塩酸塩 25mg
　ノスカピン 20mg
　クロルフェニラミンマレイン酸塩 4mg
　無水カフェイン 50mg

うすき製薬株式会社

鎮咳去痰薬　新コフジスシロップ

用法　15歳以上1回10mL、12歳以上15歳未満1回6.5mLを、1日3回毎食後及び必要に応じて、就寝前に服用。また、場合によって1日5～6回まで服用できる。服用間隔は原則として約4時間。

成分　10mL中 [15歳以上の1回量に相当]
　ジヒドロコデインリン酸塩 5mg
　dl-メチルエフェドリン塩酸塩 12.5mg
　クロルフェニラミンマレイン酸塩 2mg
　カフェイン水和物 15mg
　カンゾウエキス 23.33mg(原生薬換算量93.33mg)

福地製薬株式会社

QRコードからWEBサイトの医療従事者向け製品要約テキストや添付文書をご覧いただけます。

鎮咳去痰薬 新コルゲンコーワ咳止め透明カプセル

用法 15歳以上1回3カプセル、1日3回水又は温湯で服用。服用間隔は4時間以上。

成分 3カプセル中 [15歳以上の1回量に相当]
ジヒドロコデインリン酸塩 10.0mg
dl-メチルエフェドリン塩酸塩 25.0mg
グアイフェネシン 100.0mg
d-クロルフェニラミンマレイン酸塩 2.0mg
安息香酸ナトリウムカフェイン 25.0mg

興和株式会社

鎮咳去痰薬 新コンタックせき止めダブル持続性

用法 15歳以上1回1カプセル、1日2回朝夕に水又はお湯と一緒にかまずに服用。

成分 1カプセル中 [15歳以上の1回量に相当]
デキストロメトルファン臭化水素酸塩水和物 30mg
ジプロフィリン 100mg

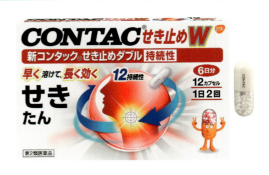

グラクソ・スミスクライン・コンシューマー・ヘルスケア・ジャパン株式会社

鎮咳去痰薬 ストナ®去たんカプセル

用法 15歳以上1回2カプセル、8歳以上15歳未満1回1カプセルを、1日3回食後に服用。

成分 2カプセル中 [15歳以上の1回量に相当]
L-カルボシステイン 250mg
ブロムヘキシン塩酸塩 4mg

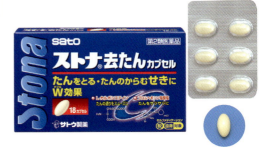

佐藤製薬株式会社

鎮咳去痰薬 新トニン®咳止め液

用法 15歳以上1回5mL、12歳以上15歳未満1回3.3mLを、1日4回食後及び就寝前に服用。1日6回まで服用できる。ただし、1日5〜6回服用する場合には、原則として服用間隔を4時間以上とする。

成分 5mL中 [15歳以上の1回量に相当]
ジヒドロコデインリン酸塩 5mg　ソヨウ流エキス 0.035mL
トリメトキノール塩酸塩水和物 1mg　無水カフェイン 10.42mg
クロルフェニラミンマレイン酸塩 2mg
グアヤコールスルホン酸カリウム 45mg
キキョウエキス 17.5mg
バクモンドウエキス 83.3mg
セネガエキス 7mg

佐藤製薬株式会社

鎮咳去痰薬 キッズバファリンせきどめシロップS

用法 5歳以上8歳未満1回10mL、3歳以上5歳未満1回7.5mL、1歳以上3歳未満1回6mL、3ヵ月以上1歳未満1回3mLを、1日3回毎食後及び必要な場合には就寝前に服用。なお、場合により4時間間隔で1日6回まで服用できる。

成分 10mL中 [5歳以上8歳未満の1回量に相当]
デキストロメトルファン臭化水素酸塩水和物 3.33mg
dl-メチルエフェドリン塩酸塩 4.17mg
グアイフェネシン 16.67mg
キキョウ流エキス 0.11mL(原生薬換算量110mg)
セネガ流エキス 0.11mL(原生薬換算量110mg)
ジフェンヒドラミン塩酸塩 5mg

ライオン株式会社

鎮咳去痰薬 パブロンせき止め液

用法 15歳以上1回10mL、12歳以上15歳未満1回6mLを、1日3回食後又は食前に服用。更に就寝前に1回服用できる。必要な場合は約4時間間隔で1日6回まで服用できる。

成分 10mL中 [15歳以上の1回量に相当]
ジヒドロコデインリン酸塩 5.00mg
dl-メチルエフェドリン塩酸塩 8.33mg
クロルフェニラミンマレイン酸塩 1.33mg
グアイフェネシン 33.33mg
キキョウ流エキス 0.13g
オウヒ流エキス 0.20g

大正製薬株式会社

鎮咳去痰薬 パブロンSせき止め

用法 15歳以上1回2カプセル、12歳以上15歳未満1回1カプセルを、1日3回食後なるべく30分以内に水又はぬるま湯で服用。

成分 2カプセル中 [15歳以上の1回量に相当]
ブロムヘキシン塩酸塩 4mg
ジヒドロコデインリン酸塩 10mg
ノスカピン 20mg
dl-メチルエフェドリン塩酸塩 25mg
マレイン酸カルビノキサミン 4mg
無水カフェイン 50mg

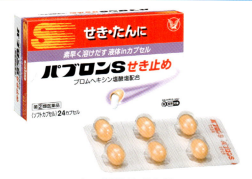

大正製薬株式会社

鎮咳去痰薬 ヒヤこどもせきシロップN

用法 11歳以上15歳未満1回6mL、8歳以上11歳未満1回5mL、5歳以上8歳未満1回3mL、3歳以上5歳未満1回2.5mL、1歳以上3歳未満1回2mL、3ヵ月以上1歳未満1回1mLを、1日3回毎食後及び就寝前に服用。また、1日6回まで服用できるが、服用間隔は約4時間以上。

成分 6mL中 [11歳以上15歳未満の1回量に相当]
クエン酸チペピジン 6mg
グアヤコールスルホン酸カリウム 27mg
dl-メチルエフェドリン塩酸塩 7.5mg
クロルフェニラミンマレイン酸塩 1.2mg

樋屋奇応丸株式会社

鎮咳去痰薬 ヒヤこどもせきどめチュアブル

用法 11歳以上15歳未満1回4錠、8歳以上11歳未満1回3錠、5歳以上8歳未満1回2錠を、1日3回食後、および必要に応じて就寝前にかむか口中で溶かして服用。

成分 4錠中 [11歳以上15歳未満の1回量に相当]
チペピジンヒベンズ酸塩 12.5mg
ノスカピン 10mg
dl-メチルエフェドリン塩酸塩 12.5mg
d-クロルフェニラミンマレイン酸塩 1mg

樋屋奇応丸株式会社

鎮咳去痰薬 新フステノン®

用法 15歳以上1回4錠、12歳以上15歳未満1回2錠を、1日3回食後に水又はぬるま湯で服用。

成分 4錠中 [15歳以上の1回量に相当]
L-カルボシステイン 250mg
ジヒドロコデインリン酸塩 10mg
dl-メチルエフェドリン塩酸塩 25mg
クロルフェニラミンマレイン酸塩 4mg

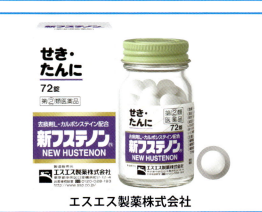

エスエス製薬株式会社

QRコードからWEBサイトの医療従事者向け製品要約テキストや添付文書をご覧いただけます。

p.56-64 鎮咳去痰薬

鎮咳去痰薬 プレコール®持続性せき止めカプセル

用法 15歳以上1回1カプセル、1日2回朝夕に水又はお湯で服用。

成分 1カプセル中 [15歳以上の1回量に相当]
デキストロメトルファン臭化水素酸塩水和物 30mg
dl-メチルエフェドリン塩酸塩 30mg
クロルフェニラミンマレイン酸塩 4mg
グアヤコールスルホン酸カリウム 67.5mg

第一三共ヘルスケア株式会社

鎮咳去痰薬 エスエスブロン®液L

用法 15歳以上1回5mL、11歳以上15歳未満1回3.3mL、8歳以上11歳未満1回2.5mLを、1日3回食後に服用。なお、場合により4時間毎に1日6回まで服用できる。

成分 5mL中 [15歳以上の1回量に相当]
デキストロメトルファン臭化水素酸塩水和物 10mg
グアイフェネシン 28.3mg
クロルフェニラミンマレイン酸塩 2mg
無水カフェイン 10.3mg

エスエス製薬株式会社

鎮咳去痰薬 エスエスブロン®錠

用法 15歳以上1回4錠、12歳以上15歳未満1回2錠を、1日3回水又はぬるま湯で服用。服用間隔は4時間以上。

成分 4錠中 [15歳以上の1回量に相当]
ジヒドロコデインリン酸塩 10mg
dl-メチルエフェドリン塩酸塩 16.7mg
クロルフェニラミンマレイン酸塩 2.67mg
無水カフェイン 30mg

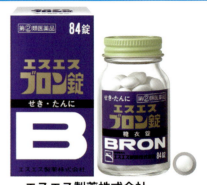

エスエス製薬株式会社

鎮咳去痰薬 新エスエスブロン®錠エース

用法 15歳以上1回4錠、12歳以上15歳未満1回2錠を、1日3回食後に水又はぬるま湯で服用。

成分 4錠中 [15歳以上の1回量に相当]
L-カルボシステイン 250mg
ジヒドロコデインリン酸塩 10mg
dl-メチルエフェドリン塩酸塩 25mg
クロルフェニラミンマレイン酸塩 4mg

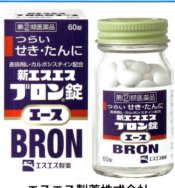

エスエス製薬株式会社

鎮咳去痰薬 新ブロン®液エース

用法 15歳以上1回10mL、12歳以上15歳未満1回6.6mLを、1日3回食後に服用。なお、場合により1日6回まで服用できるが、服用間隔は4時間以上。

成分 10mL中 [15歳以上の1回量に相当]
ジヒドロコデインリン酸塩 5mg
グアイフェネシン 28.3mg
クロルフェニラミンマレイン酸塩 2mg
無水カフェイン 10.3mg

エスエス製薬株式会社

| 鎮咳去痰薬 | **ベンザ®ブロック®せき止め錠** |

用法 15歳以上1回3錠、12歳以上15歳未満1回2錠を、1日3回食後なるべく30分以内に水又はお湯でかまずに服用。

成分 3錠中 [15歳以上の1回量に相当]
ジヒドロコデインリン酸塩 10mg
dl-メチルエフェドリン塩酸塩 25mg
ノスカピン 20mg
ブロムヘキシン塩酸塩 4mg
トラネキサム酸 140mg

武田コンシューマーヘルスケア株式会社

| 鎮咳去痰薬 | **ミルコデ®錠A** |

用法 15歳以上1回2錠、1日3回食後なるべく30分以内に服用。

成分 2錠中 [15歳以上の1回量に相当]
テオフィリン 100mg
dl-メチルエフェドリン塩酸塩 12.5mg
グアイフェネシン 100mg
キキョウエキス 40mg(原生薬量180mg)
セネガエキス 10mg(原生薬量166.7mg)
カンゾウエキス末 36mg(原生薬量252mg)

佐藤製薬株式会社

| 鎮咳去痰薬 | **新リココデ®錠** |

用法 15歳以上1回3錠、12歳以上15歳未満1回2錠を、1日3回なるべく空腹時を避けて服用。服用間隔は4時間以上。

成分 3錠中 [15歳以上の1回量に相当]
ジヒドロコデインリン酸塩 10mg
dl-メチルエフェドリン塩酸塩 16.67mg
ジプロフィリン 33.3mg
グアヤコールスルホン酸カリウム 90mg
クロルフェニラミンマレイン酸塩 4mg
キキョウ末 100mg
ケイヒ末 50mg

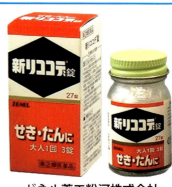

ゼネル薬工粉河株式会社

| 鎮咳去痰薬 | **龍角散®** |

用法 15歳以上1回1杯、11歳以上15歳未満1回2/3杯、8歳以上11歳未満1回1/2杯、5歳以上8歳未満1回1/3杯、3歳以上5歳未満1回1/4杯、1歳以上3歳未満1回1/5杯、3ヵ月以上1歳未満1回1/10杯を、1日3〜6回水なしで服用。添付のさじは1杯0.3g。

成分 1杯中 [15歳以上の1回量に相当]
キキョウ末 11.67mg
キョウニン末 0.83mg
セネガ末 0.5mg
カンゾウ末 8.33mg

株式会社龍角散

| 鎮咳去痰薬 | **龍角散®せき止め錠** |

用法 15歳以上1回3錠、12歳以上15歳未満1回2錠を、1日3回食後に服用。

成分 3錠中 [15歳以上の1回量に相当]
ブロムヘキシン塩酸塩 4mg
クレマスチンフマル酸塩 0.45mg
ジヒドロコデインリン酸塩 10mg
dl-メチルエフェドリン塩酸塩 25mg
ノスカピン 20mg
無水カフェイン 30mg
カンゾウ乾燥エキス 35mg(原生薬換算量273mg)
キキョウ乾燥エキス末 40mg(原生薬換算量200mg)
セネガ乾燥エキス 12mg(原生薬換算量200mg)

株式会社龍角散

QRコードからWEBサイトの医療従事者向け製品要約テキストや添付文書をご覧いただけます。

p.56 鎮咳去痰薬　　p.64 鼻炎用内服薬[鼻炎内服薬]　　p.71 内服アレルギー用薬[アレルギー]

鎮咳去痰薬　龍角散®のせきどめ液

用法 15歳以上1回1本(10mL)を1日4回毎食後および就寝前に服用。場合により約4時間間隔で1日6回まで服用できる。

成分 10mL中 [15歳以上の1回量に相当]
ジヒドロコデインリン酸塩 5mg
dl-メチルエフェドリン塩酸塩 7.5mg
ノスカピン塩酸塩水和物 7.5mg
ジプロフィリン 20mg
クロルフェニラミンマレイン酸塩 2mg
無水カフェイン 12.5mg
グアイフェネシン 37.5mg
セネガ流エキス 0.15mL(原生薬換算量150mg)

株式会社龍角散

鎮咳去痰薬　龍角散ダイレクト®スティックピーチ

用法 15歳以上1回1包、11歳以上15歳未満1回2/3包、7歳以上11歳未満1回1/2包、3歳以上7歳未満1回1/3包を、1日6回水なしで服用。服用間隔は2時間以上。

成分 1包中 [15歳以上の1回量に相当]
キキョウ末 14.0mg
セネガ末 0.7mg
カンゾウ末 17.0mg
キョウニン 2.5mg
ニンジン末 14.0mg
アセンヤク末 1.4mg

株式会社龍角散

鎮咳去痰薬　龍角散ダイレクト®スティックミント

用法 15歳以上1回1包、11歳以上15歳未満1回2/3包、7歳以上11歳未満1回1/2包、3歳以上7歳未満1回1/3包を、1日6回水なしで服用。服用間隔は2時間以上。

成分 1包中 [15歳以上の1回量に相当]
キキョウ末 14.0mg
セネガ末 0.7mg
カンゾウ末 17.0mg
キョウニン 2.5mg
ニンジン末 14.0mg
アセンヤク末 1.4mg

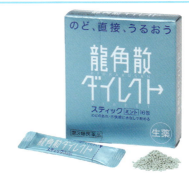

株式会社龍角散

鎮咳去痰薬　龍角散ダイレクト®トローチマンゴーR

用法 15歳以上1回1錠、5歳以上15歳未満1回1/2錠を、1日3～6回口中に含み、かまずにゆっくり溶かすように服用。服用間隔は2時間以上。

成分 1錠中 [15歳以上の1回量に相当]
キキョウ末 11.67mg
キョウニン 0.83mg
セネガ末 0.5mg
カンゾウ末 8.33mg

株式会社龍角散

鼻炎内服薬　アネトン®アルメディ鼻炎錠

用法 15歳以上1回3錠、11歳以上15歳未満1回2錠を、1日3回食後に水又はお湯で服用。

成分 3錠中 [15歳以上の1回量に相当]
プソイドエフェドリン塩酸塩 60mg
クロルフェニラミンマレイン酸塩 4mg
サイシン(細辛)エキス 10mg
カンゾウ(甘草)末 100mg
シンイ(辛夷)エキス 7mg
ショウキョウ(生姜)末 33.3mg
無水カフェイン 30mg

ジョンソン・エンド・ジョンソン株式会社

鼻炎内服薬 アレグラ®FX

- **用法** 15歳以上1回1錠、1日2回朝夕に服用。
- **成分** 1錠中 [15歳以上の1回量に相当]
  フェキソフェナジン塩酸塩 60mg

久光製薬株式会社

鼻炎内服薬 アレグラ®FXジュニア

- **用法** 12歳以上15歳未満1回2錠、7歳以上12歳未満1回1錠を、1日2回朝夕に服用。
- **成分** 2錠中 [12歳以上15歳未満の1回量に相当]
  フェキソフェナジン塩酸塩 60mg

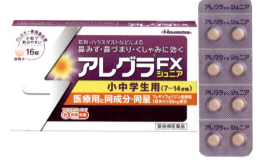

久光製薬株式会社

鼻炎内服薬 アレジオン®20

- **用法** 15歳以上1回1錠、1日1回就寝前に水又はぬるま湯で服用。
- **成分** 1錠中 [15歳以上の1回量に相当]
  エピナスチン塩酸塩 20mg

エスエス製薬株式会社

鼻炎内服薬 アレルビ

- **用法** 15歳以上1回1錠、1日2回朝夕に水又はお湯でかまずに服用。
- **成分** 1錠中 [15歳以上の1回量に相当]
  フェキソフェナジン塩酸塩 60mg

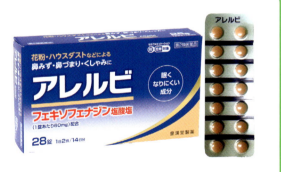

皇漢堂製薬株式会社

鼻炎内服薬 宇津こども鼻炎顆粒

- **用法** 7歳以上11歳未満1回1包、3歳以上7歳未満1回2/3包、1歳以上3歳未満1回1/2包を、1日3回毎食後に服用。
- **成分** 1包中 [7歳以上11歳未満の1回量に相当]
  クロルフェニラミンマレイン酸塩 2mg
  フェニレフリン塩酸塩 4mg
  グリチルリチン酸二カリウム 11mg

宇津救命丸株式会社

p.64 鼻炎用内服薬[鼻炎内服薬]　　p.71 内服アレルギー用薬[アレルギー]　　p.72-73 口腔咽喉内服薬[口腔内服薬]

鼻炎内服薬　宇津こども鼻炎シロップA

用法　7歳以上11歳未満1回10mL、3歳以上7歳未満1回6.5mL、1歳以上3歳未満1回5mL、6ヵ月以上1歳未満1回4mL、3ヵ月以上6ヵ月未満1回3.3mLを、1日3回食後、および、必要な場合には就寝前に服用。場合により1日6回まで服用できる。服用間隔は約4時間以上。

成分　10mL中 [7歳以上11歳未満の1回量に相当]
d-クロルフェニラミンマレイン酸塩 0.5mg
dl-メチルエフェドリン塩酸塩 8.333mg
ベラドンナ総アルカロイド 0.025mg
グリチルリチン酸二カリウム 5.5mg

宇津救命丸株式会社

鼻炎内服薬　エスタック®鼻炎カプセル12

用法　15歳以上1回2カプセル、7歳以上15歳未満1回1カプセルを、1日2回、朝夕に水又はぬるま湯で服用。

成分　2カプセル中 [15歳以上の1回量に相当]
プソイドエフェドリン塩酸塩 60mg
ベラドンナ総アルカロイド 0.2mg
クロルフェニラミンマレイン酸塩 4mg
サイシン乾燥エキス 20mg(サイシン 200mgに相当)
無水カフェイン 50mg

エスエス製薬株式会社

鼻炎内服薬　エバステルAL

用法　15歳以上1回1錠、就寝前に水又は温湯で服用。

成分　1錠中 [15歳以上の1回量に相当]
エバスチン 5mg

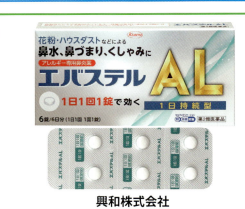

興和株式会社

鼻炎内服薬　鼻炎薬A「クニヒロ」

用法　15歳以上1回2錠、7歳以上15歳未満1回1錠を、1日3回水又はお湯でかまずに服用。服用間隔は4時間以上。

成分　2錠中 [15歳以上の1回量に相当]
d-クロルフェニラミンマレイン酸塩 2mg
ベラドンナ総アルカロイド 0.13mg
塩酸プソイドエフェドリン 50mg
無水カフェイン 40mg
グリチルリチン酸二カリウム 13.3mg

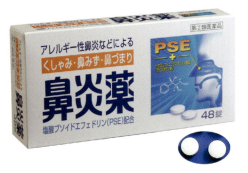

皇漢堂製薬株式会社

鼻炎内服薬　クラリチン®EX

用法　15歳以上1回1錠、1日1回食後に服用。なお、毎回同じ時間帯に服用。

成分　1錠中 [15歳以上の1回量に相当]
ロラタジン 10mg

大正製薬株式会社

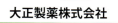

鼻炎内服薬 クラリチン®EX OD錠

用法 15歳以上1回1錠、1日1回食後に口中で溶かして服用。なお、毎回同じ時間帯に服用。

成分 1錠中 [15歳以上の1回量に相当]
ロラタジン 10mg

大正製薬株式会社

鼻炎内服薬 コルゲンコーワ鼻炎ジェルカプセルα

用法 15歳以上1回1カプセル、1日3回水又は温湯で服用。服用間隔は4時間以上。

成分 1カプセル中 [15歳以上の1回量に相当]
d-クロルフェニラミンマレイン酸塩 2.0mg
ベラドンナ総アルカロイド 0.2mg
dl-メチルエフェドリン塩酸塩 15.0mg
フェニレフリン塩酸塩 5.0mg
無水カフェイン 40.0mg

興和株式会社

鼻炎内服薬 コルゲンコーワ鼻炎フィルムα

用法 15歳以上1回1枚、1日3回口中で溶かして服用。服用間隔は4時間以上。

成分 1枚中 [15歳以上の1回量に相当]
d-クロルフェニラミンマレイン酸塩 2.0mg
ベラドンナ総アルカロイド 0.2mg
フェニレフリン塩酸塩 6.0mg

興和株式会社

鼻炎内服薬 新コンタック600プラス

用法 15歳以上1回2カプセル、7歳以上15歳未満1回1カプセルを、1日2回朝夕に水又はお湯と一緒に服用。

成分 2カプセル中 [15歳以上の1回量に相当]
プソイドエフェドリン塩酸塩 60mg
クロルフェニラミンマレイン酸塩 4mg
ベラドンナ総アルカロイド 0.2mg
無水カフェイン 50mg

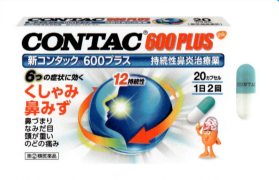
グラクソ・スミスクライン・コンシューマー・ヘルスケア・ジャパン株式会社

鼻炎内服薬 新コンタック600プラス小児用

用法 7歳以上15歳未満1回1カプセル、1日2回朝夕に水又はお湯と一緒に服用。

成分 1カプセル中 [7歳以上15歳未満の1回量に相当]
プソイドエフェドリン塩酸塩 30mg
クロルフェニラミンマレイン酸塩 2mg
ベラドンナ総アルカロイド 0.1mg
無水カフェイン 25mg

グラクソ・スミスクライン・コンシューマー・ヘルスケア・ジャパン株式会社

QRコードからWEBサイトの医療従事者向け製品要約テキストや添付文書をご覧いただけます。

p.64 鼻炎用内服薬[鼻炎内服薬]　　p.71 内服アレルギー用薬[アレルギー]　　p.72-73 口腔咽喉内服薬[口腔内服薬]

鼻炎内服薬　新コンタック鼻炎Z

用法　15歳以上1回1錠、1日1回(就寝前)に水又はお湯と一緒に服用。
成分　1錠中 [15歳以上の1回量に相当]
　　　セチリジン塩酸塩 10mg

グラクソ・スミスクライン・コンシューマー・ヘルスケア・ジャパン株式会社

鼻炎内服薬　ストナリニ®・サット小児用

用法　11歳以上15歳未満1回3錠、7歳以上11歳未満1回2錠、5歳以上7歳未満1回1錠を、1日3回かむか、口中で溶かして服用。服用間隔は4時間以上。
成分　3錠中 [11歳以上15歳未満の1回量に相当]
　　　d-クロルフェニラミンマレイン酸塩 1.333mg
　　　フェニレフリン塩酸塩 5mg
　　　ベラドンナ総アルカロイド 0.1333mg

佐藤製薬株式会社

鼻炎内服薬　ストナリニ®S

用法　15歳以上1回1錠、1日2回を限度に服用。
成分　1錠中 [15歳以上の1回量に相当]
　　　クロルフェニラミンマレイン酸塩(内核：3mg、外層：3mg)
　　　フェニレフリン塩酸塩(内核：3mg、外層：3mg)
　　　ダツラエキス(内核：6mg、外層：6mg)

佐藤製薬株式会社

鼻炎内服薬　ストナリニ®Z

用法　15歳以上1回1錠、1日1回就寝前に服用。
成分　1錠中 [15歳以上の1回量に相当]
　　　セチリジン塩酸塩 10mg

佐藤製薬株式会社

鼻炎内服薬　ストナリニ®Zジェル

用法　15歳以上1回1カプセル、1日1回就寝前に服用。
成分　1カプセル中 [15歳以上の1回量に相当]
　　　セチリジン塩酸塩 10mg

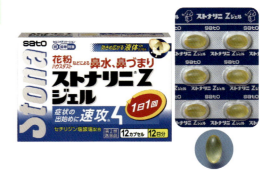

佐藤製薬株式会社

鼻炎内服薬　タリオン® AR

用法 15歳以上1回1錠、1日2回、朝夕に服用。
成分 1錠中[15歳以上の1回量に相当]
ベポタスチンベシル酸塩 10mg

田辺三菱製薬株式会社

鼻炎内服薬　キッズバファリン鼻炎シロップS

用法 7歳以上11歳未満1回10mL、3歳以上7歳未満1回6mL、1歳以上3歳未満1回5mL、6ヵ月以上1歳未満1回4mL、3ヵ月以上6ヵ月未満1回3mLを、1日3回毎食後及び必要な場合には就寝前に服用。なお、場合により約4時間間隔で1日6回まで服用できる。
成分 10mL中[7歳以上11歳未満の1回量に相当]
クロルフェニラミンマレイン酸塩 1mg
dl-メチルエフェドリン塩酸塩 9.17mg
サイシン流エキス 0.03mL(原生薬換算量0.03g)

ライオン株式会社

鼻炎内服薬　パブロン鼻炎カプセルSα小児用

用法 7歳以上15歳未満1回1カプセル、1日2回12時間ごとに水又はぬるま湯で服用。
成分 1カプセル中[7歳以上15歳未満の1回量に相当]
塩酸プソイドエフェドリン 30mg
マレイン酸カルビノキサミン 3mg
ベラドンナ総アルカロイド 0.1mg
無水カフェイン 25mg

大正製薬株式会社

鼻炎内服薬　パブロン鼻炎カプセルSα

用法 15歳以上1回2カプセル、1日2回12時間ごとに水又はぬるま湯で服用。
成分 2カプセル中[15歳以上の1回量に相当]
塩酸プソイドエフェドリン 60mg
マレイン酸カルビノキサミン 6mg
ベラドンナ総アルカロイド 0.2mg
無水カフェイン 50mg

大正製薬株式会社

鼻炎内服薬　パブロン鼻炎速溶錠EX

用法 15歳以上1回2錠、7歳以上15歳未満1回1錠を、1日3回、かむか、口中で溶かして服用。服用間隔は4時間以上。
成分 2錠中[15歳以上の1回量に相当]
塩酸プソイドエフェドリン 40mg
dl-メチルエフェドリン塩酸塩 10mg
d-クロルフェニラミンマレイン酸塩 2mg
グリチルリチン酸ニカリウム 15mg
ベラドンナ総アルカロイド 0.2mg
無水カフェイン 25mg

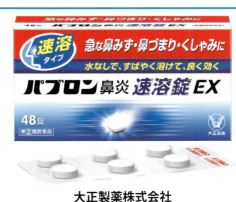

大正製薬株式会社

QRコードからWEBサイトの医療従事者向け製品要約テキストや添付文書をご覧いただけます。

p.64 鼻炎用内服薬[鼻炎内服薬]　　p.71 内服アレルギー用薬[アレルギー]　　p.72-73 口腔咽喉内服薬[口腔内服薬]

鼻炎内服薬　プレコール®持続性鼻炎カプセルL

用法　15歳以上1回2カプセル、7歳以上15歳未満1回1カプセルを、朝夕2回水又はお湯で服用。

成分　2カプセル中 [15歳以上の1回量に相当]
　塩酸プソイドエフェドリン 60mg
　クロルフェニラミンマレイン酸塩 4mg
　ベラドンナ総アルカロイド 0.2mg
　グリチルリチン酸 22.5mg
　無水カフェイン 50mg

第一三共ヘルスケア株式会社

鼻炎内服薬　プレコール®持続性鼻炎カプセルLX

用法　15歳以上1回2カプセル、7歳以上15歳未満1回1カプセルを、朝夕2回水又はお湯で服用。

成分　2カプセル中 [15歳以上の1回量に相当]
　プソイドエフェドリン塩酸塩 60mg
　フェニレフリン塩酸塩 5mg
　クロルフェニラミンマレイン酸塩 4mg
　ベラドンナ総アルカロイド 0.2mg
　グリチルリチン酸 22.5mg
　無水カフェイン 50mg

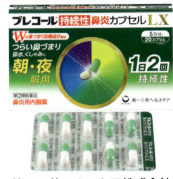
第一三共ヘルスケア株式会社

鼻炎内服薬　ベンザ®鼻炎薬α＜1日2回タイプ＞

用法　15歳以上1回1錠、1日2回朝食後および夕食後(または就寝前)に、水又はお湯で、かまずに服用。

成分　1錠中 [15歳以上の1回量に相当]
　塩酸プソイドエフェドリン 60mg
　d-クロルフェニラミンマレイン酸塩 2mg
　トラネキサム酸 210mg
　ベラドンナ総アルカロイド 0.2mg
　無水カフェイン 50mg

武田コンシューマーヘルスケア株式会社

鼻炎内服薬　龍角散®鼻炎朝夕カプセル

用法　15歳以上1回1カプセル、1日2回朝・夕に水又は温湯で服用。

成分　1カプセル中 [15歳以上の1回量に相当]
　クレマスチンフマル酸塩 0.67mg
　グリチルリチン酸二カリウム 25mg
　サイシンエキス 30mg(原生薬換算量300mg)

株式会社龍角散

鼻炎内服薬　ロートアルガード®鼻炎内服薬ゴールドZ

用法　15歳以上1回1カプセル、1日3回食後に、水又はお湯で服用。

成分　1カプセル中 [15歳以上の1回量に相当]
　メキタジン 1.33mg
　塩酸プソイドエフェドリン 25mg
　dl-メチルエフェドリン塩酸塩 25mg
　シンイエキス 8mg
　ベラドンナ総アルカロイド 0.13mg
　無水カフェイン 36.67mg

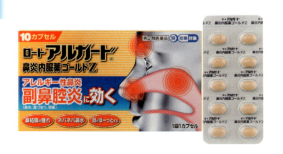
ロート製薬株式会社

鼻炎内服薬 ロートアルガード®ゼロダイレクト

用法 15歳以上1回1錠、1日2回朝夕に、かむか、口中で溶かして服用。

成分 1錠中 [15歳以上の1回量に相当]
　　フェキソフェナジン塩酸塩 60mg

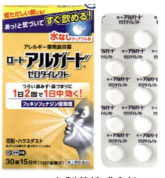

ロート製薬株式会社

アレルギー アレルギール®錠

用法 15歳以上1回3錠、1日2〜3回、7歳以上15歳未満1回2錠、1日2回、4歳以上7歳未満1回1錠を1日2回水又はお湯で服用。

成分 3錠中 [15歳以上の1回量に相当]
　　クロルフェニラミンマレイン酸塩 4.5mg
　　ピリドキシン塩酸塩(ビタミンB_6) 7.5mg
　　グリチルリチン酸カリウム 60mg
　　グルコン酸カルシウム水和物 450mg

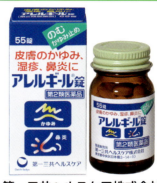

第一三共ヘルスケア株式会社

アレルギー 抗アレルギー錠「クニヒロ」

用法 15歳以上1回3錠、1日2〜3回、7歳以上15歳未満1回2錠、1日2回、4歳以上7歳未満1回1錠を1日2回、水又はお湯でかまずに服用。

成分 3錠中 [15歳以上の1回量に相当]
　　クロルフェニラミンマレイン酸塩 4.5mg
　　ピリドキシン塩酸塩(ビタミンB_6) 7.5mg
　　グリチルリチン酸カリウム 60mg
　　グルコン酸カルシウム水和物 450mg

皇漢堂製薬株式会社

アレルギー スラジン®A

用法 15歳以上1回1錠、1日3回食後に服用。

成分 1錠中 [15歳以上の1回量に相当]
　　クロルフェニラミンマレイン酸塩 4mg
　　dl-メチルエフェドリン塩酸塩 12mg
　　茵蔯蒿湯(いんちんこうとう)乾燥エキス 53.33mg(原生薬533mgに相当)

注 茵蔯蒿湯乾燥エキスの原生薬(茵蔯蒿、山梔子、大黄)

佐藤製薬株式会社

アレルギー 小粒タウロミン

用法 15歳以上1回12錠、8歳以上15歳未満1回6錠、5歳以上8歳未満1回4錠、3歳以上5歳未満1回2錠、2歳以下1回1錠を、1日3回水又は温湯で服用。症状により通常量の2〜3倍服用することもできる。

成分 12錠中 [15歳以上の1回量に相当]

サイコ末 30mg	乳酸カルシウム 120mg	クロルフェニラミンマレイン酸塩 1.2mg
ハマボウフウ末 30mg	ヨクイニン末 120mg	
センキュウ末 30mg	アミノエチルスルホン酸(タウリン) 12mg	
ブクリョウ末 30mg	グルクロノラクトン 12mg	
オウヒ末 30mg	チアミン硝化物(ビタミンB_1) 2.4mg	
キキョウ末 30mg	リボフラビン(ビタミンB_2) 2.4mg	
ショウキョウ末 30mg	ピリドキシン塩酸塩(ビタミンB_6) 1.2mg	
ドクカツ末 18mg	ニコチン酸アミド 4.8mg	
ケイガイ末 18mg	パントテン酸カルシウム 4.8mg	
カンゾウ末 18mg	イノシトール 6mg	
リン酸水素カルシウム 360mg	エルゴカルシフェロール(ビタミンD_2) 3μg (120国際単位)	

興和株式会社

QRコードからWEBサイトの医療従事者向け製品要約テキストや添付文書をご覧いただけます。

p.64 鼻炎用内服薬[鼻炎内服薬]　　p.71 内服アレルギー用薬[アレルギー]　　p.72 口腔咽喉内服薬[口腔内服薬]　　p.73 睡眠改善薬

アレルギー　タウロミン

用法　15歳以上1回4錠、8歳以上15歳未満1回2錠を、1日3回服用。症状により、通常の2～3倍を服用することもできる。

成分　4錠中 [15歳以上の1回量に相当]

- サイコ末 30mg
- ハマボウフウ末 30mg
- センキュウ末 30mg
- ブクリョウ末 30mg
- オウヒ末 30mg
- キキョウ末 30mg
- ショウキョウ末 30mg
- ドクカツ末 18mg
- ケイガイ末 18mg
- カンゾウ末 18mg
- リン酸水素カルシウム水和物 360mg
- 乳酸カルシウム水和物 120mg
- ヨクイニン末 120mg
- タウリン 12mg
- グルクロノラクトン 12mg
- チアミン硝化物（V.B_1）2.4mg
- リボフラビン(V.B_2) 2.4mg
- ピリドキシン塩酸塩(V.B_6) 1.2mg
- ニコチン酸アミド 4.8mg
- パントテン酸カルシウム 4.8mg
- イノシトール 6mg
- エルゴカルシフェロール(V.D_2) 3μg (120I.U)
- クロルフェニラミンマレイン酸塩 1.2mg
- ラクトサン末 80mg

日邦薬品工業株式会社

アレルギー　ムヒAZ錠

用法　15歳以上1回1錠、1日2回朝食後及び就寝前に服用。

成分　1錠中 [15歳以上の1回量に相当]
アゼラスチン塩酸塩 1mg

株式会社池田模範堂

アレルギー　ムヒDC速溶錠

用法　15歳以上1回1錠、1日2回(朝・夕)かむか、口中で溶かして服用。

成分　1錠中 [15歳以上の1回量に相当]
メキタジン 2mg

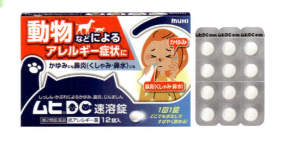

株式会社池田模範堂

アレルギー　レスタミンコーワ糖衣錠

用法　15歳以上1回3錠、11歳以上15歳未満1回2錠、5歳以上11歳未満1回1錠を、1日3回水又は温湯で服用。

成分　3錠中 [15歳以上の1回量に相当]
ジフェンヒドラミン塩酸塩 30mg

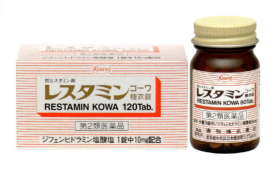

興和株式会社

口腔内服薬　大正口内炎チュアブル錠

用法　15歳以上1回2錠、7歳以上15歳未満1回1錠を、1日3回朝昼晩にかむか、口中で溶かして服用。

成分　2錠中 [15歳以上の1回量に相当]
- トラネキサム酸 250mg
- グリチルリチン酸二カリウム 21mg
- ニコチン酸アミド 20mg
- ピリドキシン塩酸塩(ビタミンB_6) 16.67mg
- リボフラビン(ビタミンB_2) 4mg

大正製薬株式会社

p.75 鎮静薬　p.76 眠気防止薬　p.78-81 乗物酔い薬

口腔内服薬　トラフル®錠

用法 15歳以上1回2錠、7歳以上15歳未満1回1錠を、1日3回朝昼晩に水又はお湯で服用。

成分 2錠中 [15歳以上の1回量に相当]
トラネキサム酸 250mg
カンゾウ乾燥エキス 66mg(原生薬として330mg)
ピリドキシン塩酸塩(ビタミンB_6) 16.67mg
リボフラビン(ビタミンB_2) 4mg
L-アスコルビン酸ナトリウム
　(ビタミンCナトリウム) 166.7mg

第一三共ヘルスケア株式会社

口腔内服薬　パブロンのど錠

用法 15歳以上1回2錠、7歳以上15歳未満1回1錠を、1日3回朝昼晩に、かむか、口中で溶かして服用。

成分 2錠中 [15歳以上の1回量に相当]
トラネキサム酸 250mg
グリチルリチン酸二カリウム 21mg
ニコチン酸アミド 20mg
ピリドキシン塩酸塩(ビタミンB_6) 16.67mg
リボフラビン(ビタミンB_2) 4mg

大正製薬株式会社

口腔内服薬　ハレナース®

用法 15歳以上1回1包、7歳以上15歳未満1回1/2包を、1日3回朝昼晩に服用。

成分 1包中 [15歳以上の1回量に相当]
トラネキサム酸 250mg
カンゾウエキス 66mg(原生薬換算量330mg)
ピリドキシン塩酸塩(ビタミンB_6) 16.67mg
リボフラビン(ビタミンB_2) 4mg
L-アスコルビン酸ナトリウム
　(ビタミンCナトリウム) 166.7mg

小林製薬株式会社

口腔内服薬　ペラック®T錠

用法 15歳以上1回2錠、7歳以上15歳未満1回1錠を、1日3回朝昼晩に水又はお湯で服用。

成分 2錠中 [15歳以上の1回量に相当]
トラネキサム酸 250mg
カンゾウ乾燥エキス 66mg(原生薬として330mg)
ピリドキシン塩酸塩(ビタミンB_6) 16.67mg
リボフラビン(ビタミンB_2) 4mg
L-アスコルビン酸ナトリウム
　(ビタミンCナトリウム) 166.7mg

第一三共ヘルスケア株式会社

睡眠改善薬　グ・スリー®P

用法 15歳以上1回1錠、1日1回就寝前に水又はお湯で服用。

成分 1錠中 [15歳以上の1回量に相当]
ジフェンヒドラミン塩酸塩 50mg

第一三共ヘルスケア株式会社

QRコードからWEBサイトの医療従事者向け製品要約テキストや添付文書をご覧いただけます。

p.73 睡眠改善薬　　p.75 鎮静薬　　p.76 眠気防止薬　　p.78-81 乗物酔い薬

睡眠改善薬　スリーピン

用法 15歳以上1回1カプセル、1日1回就寝前に服用。
成分 1カプセル中 [15歳以上の1回量に相当]
　　　ジフェンヒドラミン塩酸塩 50mg

薬王製薬株式会社

睡眠改善薬　ドリエル®

用法 15歳以上1回2錠、1日1回就寝前に水又はぬるま湯で服用。
成分 2錠中 [15歳以上の1回量に相当]
　　　ジフェンヒドラミン塩酸塩 50mg

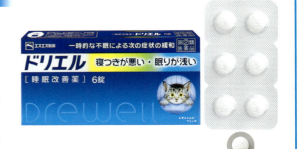

エスエス製薬株式会社

睡眠改善薬　ドリエル® EX

用法 15歳以上1回1カプセル、1日1回就寝前に水又はぬるま湯で服用。
成分 1カプセル中 [15歳以上の1回量に相当]
　　　ジフェンヒドラミン塩酸塩 50mg

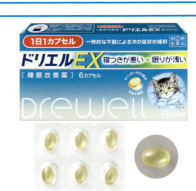

エスエス製薬株式会社

睡眠改善薬　ドリーミオ

用法 15歳以上1回2錠、1日1回就寝前に服用。
成分 2錠中 [15歳以上の1回量に相当]
　　　ジフェンヒドラミン塩酸塩 50mg

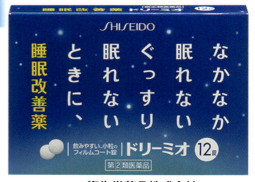

資生堂薬品株式会社

睡眠改善薬　ネオデイ

用法 15歳以上1回2錠、1日1回就寝前に水又はぬるま湯で服用。
成分 2錠中 [15歳以上の1回量に相当]
　　　ジフェンヒドラミン塩酸塩 50mg

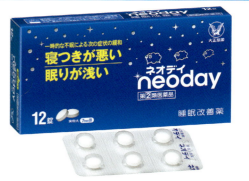

大正製薬株式会社

| 睡眠改善薬 | リポスミン |

用法 15歳以上1回2錠、1日1回就寝前に水又はお湯でかまずに服用。
成分 2錠中 [15歳以上の1回量に相当]
ジフェンヒドラミン塩酸塩 50mg

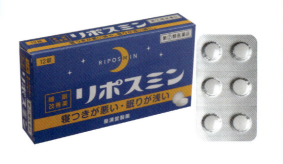

皇漢堂製薬株式会社

| 鎮静薬 | 宇津救命丸 |

用法 11歳以上15歳未満1回20粒、8歳以上11歳未満1回15粒、5歳以上8歳未満1回10粒、3歳以上5歳未満1回8粒、1歳以上3歳未満1回6粒、3ヶ月以上1歳未満1回3粒を、1日3回食前に服用。
成分 20粒中 [11歳以上15歳未満の1回量に相当]
ジャコウ(麝香) 0.333mg
ゴオウ(牛黄) 3.0mg
レイヨウカク(羚羊角) 10.0mg
ギュウタン(牛胆) 4.0mg
ニンジン(人参) 36.67mg
オウレン(黄連) 20.0mg
カンゾウ(甘草) 20.0mg
チョウジ(丁子) 3.0mg

宇津救命丸株式会社

| 鎮静薬 | 宇津救命丸「糖衣」 |

用法 5歳以上8歳未満1回10粒、3歳以上5歳未満1回8粒、1歳以上3歳未満1回6粒、3ヵ月以上1歳未満1回3粒を、1日3回食前に服用。
成分 10粒中 [5歳以上8歳未満の1回量に相当]
ゴオウ(牛黄) 1.667mg
レイヨウカク(羚羊角) 5.0mg
ギュウタン(牛胆) 2.0mg
ニンジン(人参) 18.333mg
オウレン(黄連) 10.0mg
カンゾウ(甘草) 10.0mg
チョウジ(丁子) 1.5mg

宇津救命丸株式会社

| 鎮静薬 | ウット® |

用法 15歳以上1回1錠、1日1～3回食後に服用。
成分 1錠中 [15歳以上の1回量に相当]
ブロモバレリル尿素 83.3mg
アリルイソプロピルアセチル尿素 50mg
ジフェンヒドラミン塩酸塩 8.33mg

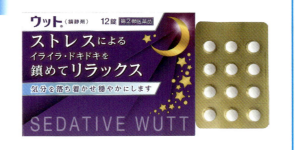

伊丹製薬株式会社

| 鎮静薬 | 奥田脳神経薬 |

用法 15歳以上1回5錠、1日2回朝夕なるべく食後にさゆ又は水で服用。
成分 5錠中 [15歳以上の1回量に相当]
チョウトウ末(釣藤末) 15mg　　カフェイン水和物 150mg
ニンジン末(人参末) 237.5mg　　ブロモバレリル尿素 300mg
サンソウニン(酸棗仁) 15mg　　グリセロリン酸カルシウム 150mg
テンナンショウ末(天南星末) 15mg
シンイ末(辛夷末) 15mg
インヨウカク末(淫羊藿末) 15mg
サイシン末(細辛末) 15mg
ルチン 25mg

奥田製薬株式会社

QRコードからWEBサイトの医療従事者向け製品要約テキストや添付文書をご覧いただけます。

p.73 睡眠改善薬　　p.75 鎮静薬　　p.76 眠気防止薬　　p.78-81 乗物酔い薬

鎮静薬　パンセダン®

用法 15歳以上1回2錠、1日2回服用。
成分 2錠中 [15歳以上の1回量に相当]
　パッシフローラエキス 80mg
　セイヨウヤドリギエキス 20mg
　カギカズラエキス 45mg
　ホップ乾燥エキス 18mg

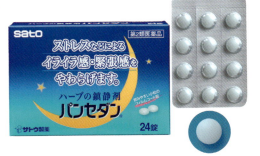

佐藤製薬株式会社

眠気防止薬　アオーク（AWOUK）

用法 15歳以上1日1回1本(50mL)を服用。
成分 50mL中 [15歳以上の1回量に相当]
　カフェイン水和物 200mg
　チアミン硝化物 10mg
　リボフラビンリン酸エステルナトリウム 2mg
　パントテン酸カルシウム 10mg
　タウリン 1000mg

日野薬品工業株式会社

眠気防止薬　エスタロンモカ®12

用法 15歳以上1回2錠、1日2回を限度にかまずに、水又はぬるま湯で服用。服用間隔は6時間以上。
成分 2錠中 [15歳以上の1回量に相当]
　無水カフェイン 200mg
　チアミン硝化物(ビタミンB_1硝酸塩) 5mg
　ピリドキシン塩酸塩(ビタミンB_6) 5mg
　シアノコバラミン(ビタミンB_{12}) 7.5μg

エスエス製薬株式会社

眠気防止薬　エスタロンモカ®錠

用法 15歳以上1回1錠、1日3回を限度にかまずに、水又はぬるま湯で服用。服用間隔は4時間以上。
成分 1錠中 [15歳以上の1回量に相当]
　無水カフェイン 100mg
　チアミン硝化物(ビタミンB_1硝酸塩) 5mg

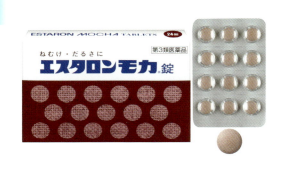

エスエス製薬株式会社

眠気防止薬　エスタロンモカ®内服液

用法 15歳以上1回1瓶(30mL)、1日1回服用。
成分 30mL中 [15歳以上の1回量に相当]
　カフェイン水和物 150mg
　チアミン塩化物塩酸塩 10mg
　ピリドキシン塩酸塩 5mg
　グリセロリン酸カルシウム 20mg
　ニコチン酸アミド 15mg
　タウリン 1,000mg

エスエス製薬株式会社

眠気防止薬　カフェクール５００

用法　15歳以上1回1包、1日3回を限度に服用。服用間隔は4時間以上。
成分　1包中 [15歳以上の1回量に相当]
　　　無水カフェイン 166.7mg

株式会社アラクス

眠気防止薬　カフェロップ

用法　15歳以上1回4粒、1日3回1粒ずつを口中で噛み砕くか、又は口中で溶かして服用。服用間隔は4時間以上。
成分　4粒中 [15歳以上の1回量に相当]
　　　無水カフェイン 166.7mg

第一三共ヘルスケア株式会社

眠気防止薬　カーフェソフト®錠

用法　15歳以上1回1～2錠、1日5錠を限度に水又はお湯で服用。服用間隔は4時間以上。
成分　2錠中 [15歳以上の1回量に相当]
　　　無水カフェイン 186mg

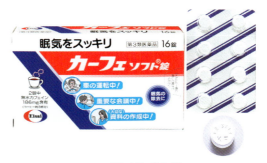
エーザイ株式会社

眠気防止薬　トメルミン

用法　15歳以上1回1錠、1日3回を限度に噛みくだくか、口の中で溶かして服用。服用間隔は4時間以上。
成分　1錠中 [15歳以上の1回量に相当]
　　　無水カフェイン 166.7mg

ライオン株式会社

眠気防止薬　ハイエナル"88"内服液

用法　15歳以上1日1回 1 びん(30mL)を服用。
成分　30mL中 [15歳以上の1回量に相当]
　　　クエン酸カフェイン 150mg
　　　カフェイン水和物 50mg
　　　安息香酸ナトリウムカフェイン 50mg
　　　チアミン硝化物 10mg
　　　L-グルタミン酸ナトリウム 10mg
　　　パントテン酸カルシウム 10mg
　　　カルニチン塩化物 50mg
　　　タウリン 500mg
　　　ガラナ流エキス 200mg

米田薬品株式会社

QRコードからWEBサイトの医療従事者向け製品要約テキストや添付文書をご覧いただけます。

p.73 睡眠改善薬　　p.75 鎮静薬　　p.76 眠気防止薬　　p.78-81 乗物酔い薬

眠気防止薬　モリピン内服液

用法 15歳以上1日1回1びん(30mL)を服用。

成分 30mL中 [15歳以上の1回量に相当]
カフェイン水和物 200mg
L-リシン塩酸塩 100mg
コンドロイチン硫酸エステルナトリウム 120mg
タウリン 500mg
ニコチン酸アミド 20mg
パントテン酸ナトリウム 30mg
チアミン塩化物塩酸塩 10mg
リボフラビンリン酸エステルナトリウム 2mg
ピリドキシン塩酸塩 1mg

森田薬品工業株式会社

乗物酔い薬　アネロン「キャップ」

用法 7歳以上15歳未満1回1カプセル、1日1回水又はぬるま湯で服用。だたし、乗物酔いの予防には乗車船の30分前に服用。

成分 1カプセル中 [7歳以上15歳未満の1回量に相当]
マレイン酸フェニラミン 15mg
スコポラミン臭化水素酸塩水和物 0.1mg
ピリドキシン塩酸塩(ビタミンB₆) 2.5mg
アミノ安息香酸エチル 25mg
無水カフェイン 10mg

エスエス製薬株式会社

乗物酔い薬　アネロン「ニスキャップ」

用法 15歳以上1回1カプセル、1日1回水又はぬるま湯で服用。だたし、乗物酔いの予防には乗車船の30分前に服用。

成分 1カプセル中 [15歳以上の1回量に相当]
マレイン酸フェニラミン 30mg
アミノ安息香酸エチル 50mg
スコポラミン臭化水素酸塩水和物 0.2mg
無水カフェイン 20mg
ピリドキシン塩酸塩(ビタミンB₆) 5mg

エスエス製薬株式会社

乗物酔い薬　エアミットサットF

用法 11歳以上1回2錠、5歳以上11歳未満1回1錠を、1日2回を限度にかむか、口中で溶かして服用。乗物酔いの予防には乗車船の30分から1時間前に1回量を服用。なお、症状発現時に追加服用する場合は同量を4時間以上の間隔をおいて服用。

成分 2錠中 [11歳以上の1回量に相当]
塩酸メクリジン 25mg
スコポラミン臭化水素酸塩水和物 160μg
アリルイソプロピルアセチル尿素 15mg
無水カフェイン 20mg

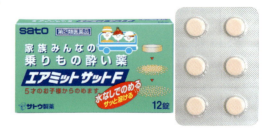

佐藤製薬株式会社

乗物酔い薬　乗りもの酔いの薬「クニヒロ」

用法 15歳以上1回1錠、1日2回まで。乗物酔いの予防には乗車船の30分前に服用。ただし、必要に応じて追加服用する場合には、1回量を4時間以上の間隔をおき服用。

成分 1錠中 [15歳以上の1回量に相当]
塩酸メクリジン 25mg

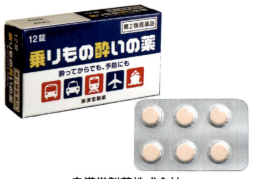

皇漢堂製薬株式会社

| 乗物酔い薬 | **センパア　Kidsドリンク** |

用法　3歳以上11歳未満1回1本(20mL)、1日2回を限度に服用。乗物酔いの予防には乗車船30分前に1回1本を服用。なお、必要に応じて追加服用する場合には、1回1本を4時間以上の間隔をおき服用。

成分　20mL中 [3歳以上11歳未満の1回量に相当]
クロルフェニラミンマレイン酸塩　1.3mg
スコポラミン臭化水素酸塩水和物　0.08mg

大正製薬株式会社

| 乗物酔い薬 | **センパア　トラベル1** |

用法　15歳以上1回1錠、7歳以上15歳未満1回1/2錠を、1日1回かむか、口中で溶かして服用。乗物酔いの予防には乗車船の30分前に服用。

成分　1錠中 [15歳以上の1回量に相当]
クロルフェニラミンマレイン酸塩　4mg
スコポラミン臭化水素酸塩水和物　0.25mg

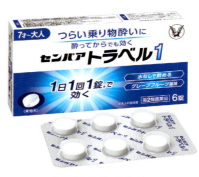

大正製薬株式会社

| 乗物酔い薬 | **センパア　ドリンク** |

用法　11歳以上1回1本(20mL)、1日2回を限度に服用。乗物酔いの予防には乗車船30分前に1回1本を服用。なお、必要に応じて追加服用する場合には、1回1本を4時間以上の間隔をおき服用。

成分　20mL中 [11歳以上の1回量に相当]
クロルフェニラミンマレイン酸塩　2.6mg
スコポラミン臭化水素酸塩水和物　0.16mg

大正製薬株式会社

| 乗物酔い薬 | **センパア　プチベリー** |

用法　11歳以上1回2錠、3歳以上11歳未満1回1錠を、1日2回を限度にかむか、口中で溶かして服用。乗物酔いの予防には乗車船の30分前に服用。なお、必要に応じて追加服用する場合には、1回量を4時間以上の間隔をおき服用。

成分　2錠中 [11歳以上の1回量に相当]
クロルフェニラミンマレイン酸塩　2.66mg
スコポラミン臭化水素酸塩水和物　0.16mg

大正製薬株式会社

| 乗物酔い薬 | **センパア　ラムキュア** |

用法　11歳以上1回2錠、5歳以上11歳未満1回1錠を、1日2回を限度にかむか、口中で溶かして服用。乗物酔いの予防には乗車船の30分前に服用。なお、必要に応じて追加服用する場合には、1回量を4時間以上の間隔をおき服用。

成分　2錠中 [11歳以上の1回量に相当]
d-クロルフェニラミンマレイン酸塩　1.32mg
スコポラミン臭化水素酸塩水和物　0.16mg

大正製薬株式会社

QRコードからWEBサイトの医療従事者向け製品要約テキストや添付文書をご覧いただけます。

p.73 睡眠改善薬　　p.75 鎮静薬　　p.76 眠気防止薬　　p.78-81 乗物酔い薬

乗物酔い薬　センパア・QT

用法　15歳以上1回1錠、1日2回を限度に口中で溶かして服用。乗物酔いの予防には乗車船30分前に1回量を服用。なお、必要に応じて追加服用する場合には、1回1錠を4時間以上の間隔をおき服用。

成分　1錠中 [15歳以上の1回量に相当]
d-クロルフェニラミンマレイン酸塩 2mg
スコポラミン臭化水素酸塩水和物 0.25mg

大正製薬株式会社

乗物酔い薬　センパアQT＜ジュニア＞

用法　11歳以上15歳未満1回2錠、5歳以上11歳未満1回1錠を、1日2回を限度に口中で溶かして服用。乗物酔いの予防には乗車船の30分前に1回量を服用。なお、必要に応じて追加服用する場合には、1回量を4時間以上の間隔をおき服用。

成分　2錠中 [11歳以上15歳未満の1回量に相当]
d-クロルフェニラミンマレイン酸塩 1.32mg
スコポラミン臭化水素酸塩水和物 0.16mg

大正製薬株式会社

乗物酔い薬　トラベルミン®

用法　15歳以上1回1錠、乗物酔いの予防には乗車船30分前に水又はお湯で1回量を服用。なお、追加服用する場合には、1回量を4時間以上の間隔をおき服用。1日の服用回数は3回までとする。

成分　1錠中 [15歳以上の1回量に相当]
ジフェンヒドラミンサリチル酸塩 40mg
ジプロフィリン 26mg

エーザイ株式会社

乗物酔い薬　トラベルミン®　チュロップぶどう味

用法　11歳以上1回2錠、5歳以上11歳未満1回1錠を、乗物酔いの予防には乗車船の30分前にかむか、口中で溶かして1回量を服用。なお、追加服用する場合には、1回量を4時間以上の間隔をおき服用。1日の服用回数は2回までとする。

成分　2錠中 [11歳以上の1回量に相当]
d-クロルフェニラミンマレイン酸塩 1.33mg
スコポラミン臭化水素酸塩水和物 0.166mg

エーザイ株式会社

乗物酔い薬　トラベルミン®　チュロップレモン味

用法　11歳以上1回2錠、5歳以上11歳未満1回1錠を、乗物酔いの予防には乗車船の30分前にかむか、口中で溶かして1回量を服用。なお、追加服用する場合には、1回量を4時間以上の間隔をおき服用。1日の服用回数は2回までとする。

成分　2錠中 [11歳以上の1回量に相当]
d-クロルフェニラミンマレイン酸塩 1.33mg
スコポラミン臭化水素酸塩水和物 0.166mg

エーザイ株式会社

| 乗物酔い薬 | **トラベルミン® ファミリー** |

用法 11歳以上1回2錠、5歳以上11歳未満1回1錠を、乗物酔いの予防には乗車船の30分前にかむか、口中で溶かして1回量を服用。なお、追加服用する場合には、1回量を4時間以上の間隔をおき服用。1日の服用回数は2回までとする。

成分 2錠中 [11歳以上の1回量に相当]
塩酸メクリジン 25mg
スコポラミン臭化水素酸塩水和物 0.16mg

エーザイ株式会社

| 乗物酔い薬 | **トラベルミン®・ジュニア** |

用法 11歳以上15歳未満1回2錠、5歳以上11歳未満1回1錠を、乗物酔いの予防には乗車船の30分前に水又はお湯で1回量を服用。なお、追加服用する場合には、1回量を4時間以上の間隔をおき服用。1日の服用回数は3回までとする。

成分 2錠中 [11歳以上15歳未満の1回量に相当]
ジフェンヒドラミンサリチル酸塩 40mg
ジプロフィリン 26mg

エーザイ株式会社

| 乗物酔い薬 | **トラベルミン® R** |

用法 11歳以上1回1錠を、乗物酔いの予防には乗車船の30分前に水又はお湯で1回量を服用。なお、追加服用する場合には、1回量を4時間以上の間隔をおき服用。1日の服用回数は2回までとする。

成分 1錠中 [11歳以上の1回量に相当]
ジフェニドール塩酸塩 16.6mg
スコポラミン臭化水素酸塩水和物 0.16mg
無水カフェイン 30mg
ピリドキシン塩酸塩(ビタミンB_6) 5mg

エーザイ株式会社

| 乗物酔い薬 | **パンシロン®トラベルＳＰ** |

用法 15歳以上1回2錠、7歳以上15歳未満1回1錠を、1日2回を限度にかむか、口中で溶かして服用。乗物酔いの予防には乗車船30分前、あるいは乗物に酔ったときに服用。なお、追加服用する場合には、1回量を4時間以上の間隔をおき服用。

成分 2錠中 [15歳以上の1回量に相当]
塩酸メクリジン 25mg
スコポラミン臭化水素酸塩水和物 0.25mg
ピリドキシン塩酸塩(ビタミンB_6) 6mg

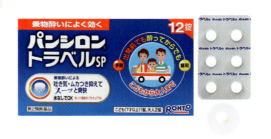

ロート製薬株式会社

| 乗物酔い薬 | **マイトラベル錠** |

用法 15歳以上1回3錠、11歳以上15歳未満1回2錠、5歳以上11歳未満1回1錠を、1日3回を限度に服用。乗物酔いの予防には乗車船の30分前に1回量を水又は温湯で服用。なお、必要に応じて追加服用する場合には4時間以上の間隔をおき服用。

成分 3錠中 [15歳以上の1回量に相当]
ジフェンヒドラミンサリチル酸塩 45mg
ジプロフィリン 45mg

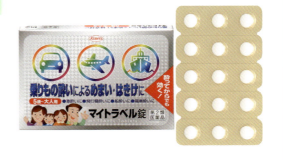

興和株式会社

QRコードからWEBサイトの医療従事者向け製品要約テキストや添付文書をご覧いただけます。

p.82 健胃薬　　p.82 消化薬　　p.82 制酸薬　　p.83 H₂遮断薬　　p.84 鎮痙薬　　p.84 胃腸薬　　p.90 整腸薬　　p.92 止瀉薬

健胃薬　新セルベール®整胃プレミアム〈細粒〉

用法　15歳以上1回1包、1日3回食後に水又はお湯で服用。
成分　1包中 [15歳以上の1回量に相当]
　テプレノン 50mg
　ソウジュツ乾燥エキス 50mg(原生薬としてソウジュツ0.5g)
　コウボク乾燥エキス 27.8mg(原生薬としてコウボク0.333g)
　リパーゼAP6 4.9mg

エーザイ株式会社

健胃薬　新セルベール®整胃プレミアム〈錠〉

用法　15歳以上1回1錠、1日3回食後に水又はお湯で服用。
成分　1錠中 [15歳以上の1回量に相当]
　テプレノン 50mg
　ソウジュツ乾燥エキス 50mg(原生薬としてソウジュツ0.5g)
　コウボク乾燥エキス 27.8mg(原生薬としてコウボク0.333g)
　リパーゼAP6 4.9mg

エーザイ株式会社

健胃薬　ソルマック®プラス

用法　15歳以上1回1本(25mL)、1日2回服用。服用間隔は4時間以上。
成分　1本(25mL)中 [15歳以上の1回量に相当]
　ウコン流エキス 0.15mL　　カルニチン塩化物 60mg
　カンゾウ抽出物 67.5mg
　ニンジン流エキス 0.25mL
　オウレンチンキ 0.413mL
　チョウジチンキ 0.063mL
　ゲンチアナチンキ 0.188mL
　ソウジュツ流エキス 0.6mL
　ケイヒチンキ 0.125mL

大鵬薬品工業株式会社

消化薬　タナベ胃腸薬ウルソ®

用法　15歳以上 1回1錠、1日1回夕食前又は夕食後に服用。
成分　1錠中 [15歳以上の1回量に相当]
　ウルソデオキシコール酸 50mg

田辺三菱製薬株式会社

制酸薬　太田胃散チュアブルNEO

用法　15歳以上1回2錠、1日3回かみくだくか、口の中でとかして服用。服用間隔は4時間以上。
成分　2錠中 [15歳以上の1回量に相当]
　水酸化マグネシウム 200mg
　炭酸マグネシウム 200mg
　沈降炭酸カルシウム 320mg
　ジメチルポリシロキサン 40mg

株式会社太田胃散

制酸薬	**サクロン®**

用法　15歳以上1回1包、8歳以上15歳未満1回1/2包を、1日3回食間及び就寝前の空腹時に水又はお湯で服用。

成分　1包中 [15歳以上の1回量に相当]
　　　銅クロロフィリンカリウム 40mg
　　　無水リン酸水素カルシウム 340mg
　　　沈降炭酸カルシウム 340mg
　　　水酸化マグネシウム 320mg
　　　ロートエキス 10mg

注 添加物としてケイヒを含む。

エーザイ株式会社

制酸薬	**パンシロン®ＡＺ**

用法　15歳以上1回1包、11歳以上15歳未満1回2/3包を、1日3回食前又は食間の空腹時に水又はお湯で服用。

成分　1包中 [15歳以上の1回量に相当]
　　　炭酸水素ナトリウム 600mg
　　　重質炭酸マグネシウム 60mg
　　　沈降炭酸カルシウム 180mg
　　　メタケイ酸アルミン酸マグネシウム 200mg
　　　ロートエキス 10mg
　　　アズレンスルホン酸ナトリウム 2mg
　　　L-グルタミン 300mg

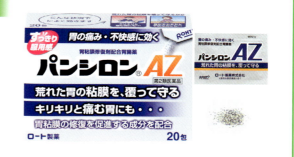

ロート製薬株式会社

H₂遮断薬	**アシノン®Ｚ胃腸内服液**

用法　15歳以上80歳未満 1回1瓶(30mL)を服用。1日2回まで。服用後8時間以上たっても症状が治まらない場合は、もう1瓶(30mL)服用する。

成分　1瓶30mL中 [15歳以上80歳未満の1回量に相当]
　　　ニザチジン 75mg

ゼリア新薬工業株式会社

H₂遮断薬	**アシノン®Ｚ錠**

用法　15歳以上80歳未満 1回1錠、水又はお湯で服用。1日2回まで。服用後8時間以上たっても症状が治まらない場合は、もう1錠服用する。

成分　1錠中 [15歳以上80歳未満の1回量に相当]
　　　ニザチジン 75mg

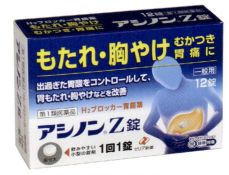

ゼリア新薬工業株式会社

H₂遮断薬	**ガスター１０**

用法　15歳以上80歳未満1回1錠、水又はお湯で服用。1日2回まで。服用後8時間以上たっても症状が治まらない場合は、もう1錠服用する。

成分　1錠中 [15歳以上80歳未満の1回量に相当]
　　　ファモチジン 10mg

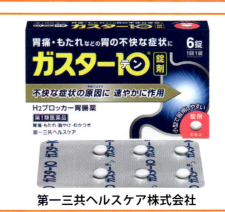

第一三共ヘルスケア株式会社

QRコードからWEBサイトの医療従事者向け製品要約テキストや添付文書をご覧いただけます。

p.82 健胃薬　　p.82 消化薬　　p.82 制酸薬　　p.83 H₂遮断薬　　p.84 鎮痙薬　　p.84 胃腸薬　　p.90 整腸薬　　p.92 止瀉薬

H₂遮断薬　ファモチジン錠「クニヒロ」

用法　15歳以上80歳未満1回1錠、1日2回まで水又はお湯でかまずに服用。服用後8時間以上たっても症状が治まらない場合は、もう1錠服用。

成分　1錠中 [15歳以上80歳未満の1回量に相当]
ファモチジン 10mg

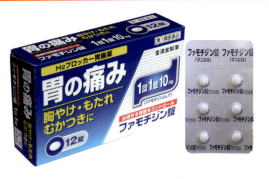

皇漢堂製薬株式会社

鎮痙薬　セレキノン®S

用法　15歳以上1回1錠、1日3回食前又は食後に水又はお湯でかまずに服用。

成分　1錠中 [15歳以上の1回量に相当]
トリメブチンマレイン酸塩 100mg

田辺三菱製薬株式会社

鎮痙薬　大正胃腸薬P

用法　15歳以上1回1カプセル、1日3回を限度に水又はぬるま湯で服用。服用間隔は5時間以上。

成分　1カプセル中 [15歳以上の1回量に相当]
チキジウム臭化物 5mg

大正製薬株式会社

鎮痙薬　ブスコパン®A錠

用法　15歳以上1回1錠、1日3回を限度に水又はぬるま湯で服用。服用間隔は4時間以上。

成分　1錠中 [15歳以上の1回量に相当]
ブチルスコポラミン臭化物 10mg

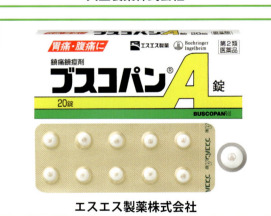

エスエス製薬株式会社

胃腸薬　イノセア®グリーン

用法　15歳以上1回1包、1日3回食前又は食間に服用。

成分　1包中 [15歳以上の1回量に相当]
スクラルファート水和物 500mg
メタケイ酸アルミン酸マグネシウム 500mg
ロートエキス 10mg
ソウジュツ乾燥エキス 20mg(蒼朮200mgに相当)

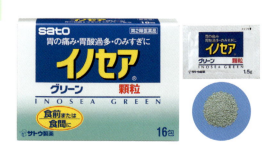

佐藤製薬株式会社

p.94-97 便秘薬

胃腸薬　イノセア®プラス錠

用法 15歳以上1回4錠、1日3回食後又は食間に服用。

成分 4錠中 [15歳以上の1回量に相当]
- スクラルファート水和物 500mg(外層)
- メタケイ酸アルミン酸マグネシウム 300mg(外層)
- シロキサリース 26.32mg(外層)(ジメチルポリシロキサンとして25mg)
- ロートエキス 10mg(内核)
- ソウジュツ乾燥エキス 20mg(内核)(蒼朮200mgに相当)
- ジアスメンSS 20mg(内核)
- リパーゼAP6 20mg(内核)
- ウルソデオキシコール酸 10mg(内核)

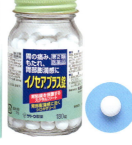
佐藤製薬株式会社

胃腸薬　太田胃散

用法 15歳以上1回1.3g、8歳以上15歳未満1回0.65gを、1日3回食後又は食間に水又はぬるま湯で服用。添付のさじはすり切り1杯で約1.3g。

成分 1.3g中 [15歳以上の1回量に相当]
- ケイヒ 92mg
- ウイキョウ 24mg
- ニクズク 20mg
- チョウジ 12mg
- チンピ 22mg
- ゲンチアナ 15mg
- ニガキ末 15mg
- 炭酸水素ナトリウム 625mg
- 沈降炭酸カルシウム 133mg
- 炭酸マグネシウム 26mg
- 合成ケイ酸アルミニウム 273.4mg
- ビオヂアスターゼ 40mg

株式会社太田胃散

胃腸薬　太田胃散＜分包＞

用法 15歳以上1回1包、8歳以上15歳未満1回1/2包を、1日3回食後又は食間に水又はぬるま湯で服用。

成分 1包中 [15歳以上の1回量に相当]
- ケイヒ 92mg
- ウイキョウ 24mg
- ニクズク 20mg
- チョウジ 12mg
- チンピ 22mg
- ゲンチアナ 15mg
- ニガキ末 15mg
- 炭酸水素ナトリウム 625mg
- 沈降炭酸カルシウム 133mg
- 炭酸マグネシウム 26mg
- 合成ケイ酸アルミニウム 273.4mg
- ビオヂアスターゼ 40mg

株式会社太田胃散

胃腸薬　太田胃散A＜錠剤＞

用法 15歳以上1回3錠、8歳以上15歳未満1回2錠、5歳以上8歳未満1回1錠を、1日3回食後又は食間(就寝前を含む)に水又はぬるま湯で服用。ただし、食欲不振の場合は食前に服用。かんで服用してもさしつかえありません。

成分 3錠中 [15歳以上の1回量に相当]
- リパーゼAP6 20mg
- プロザイム6 10mg
- ビオヂアスターゼ1000 20mg
- ウルソデオキシコール酸 4.2mg
- 炭酸水素ナトリウム 510mg
- 合成ヒドロタルサイト 300mg
- 沈降炭酸カルシウム 90mg
- ケイヒ油 3.47mg
- レモン油 1.49mg
- ウイキョウ油 0.55mg

株式会社太田胃散

胃腸薬　奥田胃腸薬（錠剤）

用法 15歳以上1回5錠、11歳以上15歳未満1回3錠、8歳以上11歳未満1回2錠、5歳以上8歳未満1回1錠を、1日3回食後にさゆ又は水で服用。

成分 5錠中 [15歳以上の1回量に相当]
- リュウタン末 33.33mg
- オウレン末 3.33mg
- センブリ末 3.33mg
- ダイオウ末 33.33mg
- オウバク末 33.33mg
- ニガキ末 133.33mg
- コロンボ 33.33mg
- ニンジン末 10mg
- トウヒ末 16.67mg
- チンピ末 16.67mg
- エンメイソウ末 83.33mg
- ボレイ末 0.833g
- 沈降炭酸カルシウム 0.767g

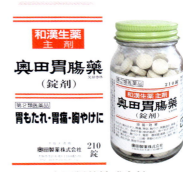
奥田製薬株式会社

QRコードからWEBサイトの医療従事者向け製品要約テキストや添付文書をご覧いただけます。

| p.82 健胃薬 | p.82 消化薬 | p.82 制酸薬 | p.83 H₂遮断薬 | p.84 鎮痙薬 | p.84 胃腸薬 | p.90 整腸薬 | p.92 止瀉薬 |

胃腸薬 ガストール®細粒

用法 15歳以上1回1包、1日3回毎食後に水又はぬるま湯で服用。

成分 1包中 [15歳以上の1回量に相当]
ピレンゼピン塩酸塩水和物＜M₁ブロッカー＞ 15.7mg
　（ピレンゼピン塩酸塩無水物として15mg）
メタケイ酸アルミン酸マグネシウム 300mg
炭酸水素ナトリウム 400mg
ビオヂアスターゼ2000 10mg

エスエス製薬株式会社

胃腸薬 キャベジンコーワα

用法 15歳以上1回2錠、8歳以上15歳未満1回1錠を、1日3回毎食後水又は温湯で服用。

成分 2錠中 [15歳以上の1回量に相当]
メチルメチオニンスルホニウムクロリド 50.0mg
炭酸水素ナトリウム 233.3mg
炭酸マグネシウム 83.3mg
沈降炭酸カルシウム 400.0mg
ロートエキス3倍散 30.0mg(ロートエキスとして10.0mg)
ソヨウ乾燥エキス10.0mg(ソヨウとして 90.0mg)
センブリ末 10.0mg
ビオヂアスターゼ2000 8.0mg
リパーゼAP12 5.0mg
注 添加物としてケイヒを含む。

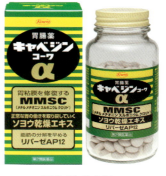

興和株式会社

胃腸薬 止逆清和錠

用法 15歳以上1回3錠、11歳以上15歳未満1回2錠を、1日3回食後又は食間に水又は白湯で服用。

成分 3錠中 [15歳以上の1回量に相当]
牛胆汁エキス末 100mg
オウバク末 50mg
カンゾウ末 50mg
ケイヒ末 16.67mg
ショウキョウ末 16.67mg
ボレイ末 333mg

クラシエ薬品株式会社

胃腸薬 ザ・ガードコーワ整腸錠α3＋

用法 15歳以上1回3錠、8歳以上15歳未満1回2錠、5歳以上8歳未満1回1錠を、1日3回毎食後水又は温湯で服用。

成分 3錠中 [15歳以上の1回量に相当]
納豆菌末 3.33mg　　沈降炭酸カルシウム 100mg
ラクトミン(乳酸菌) 10mg　水酸化マグネシウム 100mg
ビフィズス菌 10mg　　パントテン酸カルシウム 7.5mg
ジメチルポリシロキサン 28.2mg
センブリ末 10mg
ケイヒ末 10mg
ウイキョウ末 10mg
メチルメチオニンスルホニウムクロリド 10mg

興和株式会社

胃腸薬 スクラートG

用法 15歳以上1回1包、1日3回食前または食間・就寝前に服用。

成分 1包中 [15歳以上の1回量に相当]
スクラルファート水和物 500mg
メタケイ酸アルミン酸マグネシウム 500mg
合成ヒドロタルサイト 250mg
コウボク流エキス 0.2mL(原生薬換算量0.2g)
ソウジュツ流エキス 0.2mL(原生薬換算量0.2g)

ライオン株式会社

p.94-97 便秘薬

| 胃腸薬 | スクラート胃腸薬（顆粒） |

- 用法　15歳以上1回1包、1日3回食間及び就寝前に水又はぬるま湯で服用。
- 成分　1包中 [15歳以上の1回量に相当]
  - スクラルファート水和物 500mg
  - ケイ酸アルミン酸マグネシウム 375mg
  - ロートエキス 10mg
  - アズレンスルホン酸ナトリウム 2mg
  - L-グルタミン 133.3mg
  - 合成ヒドロタルサイト 90mg

ライオン株式会社

| 胃腸薬 | スクラート胃腸薬（錠剤） |

- 用法　15歳以上1回3錠、1日3回食間・就寝前又は食後に服用。
- 成分　3錠中 [15歳以上の1回量に相当]
  - アズレンスルホン酸ナトリウム 2mg
  - L-グルタミン 133.33mg
  - 炭酸水素ナトリウム 150mg
  - 合成ヒドロタルサイト 200mg(上層：125mg、下層：75mg)
  - ロートエキス3倍散 30mg(ロートエキスとして10mg)
  - ジアスメンSS 20mg
  - リパーゼAP6 20mg
  - スクラルファート水和物 500mg

ライオン株式会社

| 胃腸薬 | スクラート胃腸薬S（散剤） |

- 用法　15歳以上1回1包、1日3回食間・就寝前又は食後に水又はぬるま湯で服用。
- 成分　1包中 [15歳以上の1回量に相当]
  - スクラルファート水和物 500mg
  - 炭酸水素ナトリウム 200mg
  - 合成ヒドロタルサイト 160mg
  - ビオヂアスターゼ2000 10mg
  - リパーゼAP12 10mg

  | ウイキョウ 20mg |
  | ウコン 20mg |
  | ケイヒ 100mg |
  | ゲンチアナ 10mg |
  | サンショウ 4mg |
  | ショウキョウ 40mg |
  | チョウジ 40mg |

注 枠内の7生薬は健胃生薬末として234mg含有

ライオン株式会社

| 胃腸薬 | スクラート胃腸薬S（錠剤） |

- 用法　15歳以上1回3錠、1日3回食間・就寝前又は食後に水又はぬるま湯で服用。
- 成分　3錠中 [15歳以上の1回量に相当]
  - スクラルファート水和物 500mg(上・下層：191.35mg、中層；308.65mg)
  - 炭酸水素ナトリウム 200mg
  - 合成ヒドロタルサイト 160mg
  - ビオヂアスターゼ2000 10mg
  - リパーゼAP12 10mg

  | ウイキョウ 20mg |
  | ウコン 20mg |
  | ケイヒ 100mg |
  | ゲンチアナ 10mg |
  | サンショウ 4mg |
  | ショウキョウ 40mg |
  | チョウジ 40mg |

注 枠内の7生薬は健胃生薬末として234mg含有

ライオン株式会社

| 胃腸薬 | 第一三共胃腸薬〔細粒〕a |

- 用法　15歳以上1回1包、11歳以上15歳未満1回2/3包、8歳以上11歳未満1回1/2包、5歳以上8歳未満1回1/3包、3歳以上5歳未満1回1/4包を、1日3回食後に水又はお湯で服用。
- 成分　1包中 [15歳以上の1回量に相当]
  - タカヂアスターゼN1 50mg
  - リパーゼAP12 20mg
  - アカメガシワエキス 21mg
    （アカメガシワとして168mg）
  - カンゾウ末 50mg
  - ケイ酸アルミン酸マグネシウム 400mg
  - 合成ヒドロタルサイト 150mg
  - 水酸化マグネシウム 200mg
  - ロートエキス 10mg
  - オウバク末 35mg
  - ケイヒ末 75mg
  - ウイキョウ末 20mg
  - チョウジ末 10mg
  - ショウキョウ末 25mg
  - l-メントール 3mg

第一三共ヘルスケア株式会社

QRコードからWEBサイトの医療従事者向け製品要約テキストや添付文書をご覧いただけます。

p.82 健胃薬　　p.82 消化薬　　p.82 制酸薬　　p.83 H₂遮断薬　　p.84 鎮痙薬　　p.84 胃腸薬　　p.90 整腸薬　　p.92 止瀉薬

胃腸薬　第一三共胃腸薬プラス細粒

用法　15歳以上1回1包、11歳以上15歳未満1回2/3包、8歳以上11歳未満1回1/2包、5歳以上8歳未満1回1/3包、3歳以上5歳未満1回1/4包を、1日3回食後に水又はお湯で服用。

成分　1包中 [15歳以上の1回量に相当]
- タカヂアスターゼN1 50mg
- リパーゼAP12 20mg
- 有胞子性乳酸菌(ラクボン原末) 20mg
- ケイ酸アルミン酸マグネシウム 300mg
- 合成ヒドロタルサイト 200mg
- 沈降炭酸カルシウム 200mg
- オウバク末 35mg
- ケイヒ末 75mg
- ショウキョウ末 25mg
- チョウジ末 10mg
- ウイキョウ末 20mg
- l-メントール 3mg
- アルジオキサ 20mg
- カンゾウ末 50mg

第一三共ヘルスケア株式会社

胃腸薬　大正胃腸薬G

用法　15歳以上1回1包、1日3回食間又は就寝前に水又はぬるま湯で服用。

成分　1包中 [15歳以上の1回量に相当]
- 炭酸水素ナトリウム 200mg
- ケイ酸アルミン酸マグネシウム 300mg
- ロートエキス3倍散 30mg(ロートエキスとして10mg)
- ソファルコン 100mg

大正製薬株式会社

胃腸薬　大正胃腸薬K

用法　15歳以上1回1包、5歳以上15歳未満1回1/2包を、1日3回食前又は食間に水又はぬるま湯で服用。

成分　1包中 [15歳以上の1回量に相当]

ケイヒ(桂皮) 200mg	シャクヤク(芍薬) 340mg
エンゴサク(延胡索) 150mg	カンゾウ(甘草) 340mg
ボレイ(牡蠣) 150mg	
ウイキョウ(茴香) 75mg	
シュクシャ(縮砂) 50mg	
カンゾウ(甘草) 50mg	
リョウキョウ(良姜) 25mg	

注 左枠の7生薬は安中散として700mg、右枠の2生薬は芍薬甘草湯エキス末として170mg含有

大正製薬株式会社

胃腸薬　大正胃腸薬K〈錠剤〉

用法　15歳以上1回4錠、5歳以上15歳未満1回2錠を、1日3回食前又は食間に水又はぬるま湯で服用。

成分　4錠中 [15歳以上の1回量に相当]

ケイヒ(桂皮) 200mg	シャクヤク(芍薬) 340mg
エンゴサク(延胡索) 150mg	カンゾウ(甘草) 340mg
ボレイ(牡蠣) 150mg	
ウイキョウ(茴香) 75mg	
シュクシャ(縮砂) 50mg	
カンゾウ(甘草) 50mg	
リョウキョウ(良姜) 25mg	

注 左枠の7生薬は安中散として700mg、右枠の2生薬は芍薬甘草湯エキス末として170mg含有

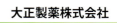

大正製薬株式会社

胃腸薬　大正胃腸薬バランサー

用法　15歳以上1回1包、11歳以上15歳未満1回2/3包、8歳以上11歳未満1回1/2包、5歳以上8歳未満1回1/3包、3歳以上5歳未満1回1/4包を、1日3回食間又は食後に水又はぬるま湯で服用。

成分　1包中 [15歳以上の1回量に相当]
- ビオヂアスターゼ2000 30mg
- プロザイム6 6.7mg
- リパーゼAP6 30mg
- ケイヒ末 133.3mg
- ショウキョウ末 15mg
- ソウジュツ末 15mg
- コウボク末 15mg
- チンピ末 15mg
- 合成ヒドロタルサイト 300mg
- 炭酸水素ナトリウム 150mg

大正製薬株式会社

p.94-97 便秘薬

胃腸薬 大正漢方胃腸薬

用法 15歳以上1回1包、5歳以上15歳未満1回1/2包を、1日3回食前又は食間に水又はぬるま湯で服用。

成分 1包中 [15歳以上の1回量に相当]
- ケイヒ(桂皮) 200mg
- エンゴサク(延胡索) 150mg
- ボレイ(牡蠣) 150mg
- ウイキョウ(茴香) 75mg
- シュクシャ(縮砂) 50mg
- カンゾウ(甘草) 50mg
- リョウキョウ(良姜) 25mg
- シャクヤク(芍薬) 280mg
- カンゾウ(甘草) 280mg

注 左枠の7生薬は安中散として700mg、右枠の2生薬は芍薬甘草湯エキス末として140mg含有

大正製薬株式会社

胃腸薬 大正漢方胃腸薬〈錠剤〉

用法 15歳以上1回4錠、5歳以上15歳未満1回2錠を、1日3回食前又は食間に水又はぬるま湯で服用。

成分 4錠中 [15歳以上の1回量に相当]
- ケイヒ(桂皮) 200mg
- エンゴサク(延胡索) 150mg
- ボレイ(牡蠣) 150mg
- ウイキョウ(茴香) 75mg
- シュクシャ(縮砂) 50mg
- カンゾウ(甘草) 50mg
- リョウキョウ(良姜) 25mg
- シャクヤク(芍薬) 280mg
- カンゾウ(甘草) 280mg

注 左枠の7生薬は安中散として700mg、右枠の2生薬は芍薬甘草湯エキス末として140mg含有

大正製薬株式会社

胃腸薬 タナベ胃腸薬〈調律〉

用法 15歳以上1回2錠、1日3回食後約30分以内に水又はお湯でかまずに服用。

成分 2錠中 [15歳以上の1回量に相当]
- トリメブチンマレイン酸塩 (TM) 100mg
- ビオヂアスターゼ2000 40mg
- リパーゼAP6 15mg
- カンゾウ末 50mg
- ロートエキス 10mg
- 炭酸水素ナトリウム 100mg
- 沈降炭酸カルシウム 200mg
- メタケイ酸アルミン酸マグネシウム(乾燥物換算) 80mg

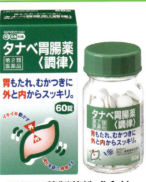

田辺三菱製薬株式会社

胃腸薬 パンシロン®01プラス

用法 15歳以上1回1包、11歳以上15歳未満1回2/3包、8歳以上11歳未満1回1/2包、5歳以上8歳未満1回1/3包を、1日3回食後又は食間・就寝前に水又はお湯で服用。

成分 1包中 [15歳以上の1回量に相当]
- L-グルタミン 135mg
- アルジオキサ 50mg
- カンゾウ末 75mg
- ケイヒ末 145mg
- ニンジン末 75mg
- 炭酸水素ナトリウム 400mg
- 炭酸マグネシウム 230mg
- 沈降炭酸カルシウム 120mg
- メタケイ酸アルミン酸マグネシウム 80mg
- ロートエキス 10mg
- ビオヂアスターゼ2000 30mg
- プロザイム6 5mg
- リパーゼAP6 20mg

ロート製薬株式会社

胃腸薬 パンシロン®G

用法 15歳以上1回1包、11歳以上15歳未満1回2/3包、8歳以上11歳未満1回1/2包、5歳以上8歳未満1回1/3包を、1日3回食後に水又はお湯で服用。

成分 1包中 [15歳以上の1回量に相当]
- L-グルタミン 135mg
- 桂皮(ケイヒ) 50mg
- 桂皮油(ケイヒ油) 2mg
- 縮砂(シュクシャ) 30mg
- 当薬(センブリ) 1mg
- 炭酸水素ナトリウム 650mg
- 重質炭酸マグネシウム 200mg
- 沈降炭酸カルシウム 100mg
- サナルミン 133mg
- ロートエキス 10mg
- ジアスメンSS 80mg
- プロザイム 17mg

ロート製薬株式会社

QRコードからWEBサイトの医療従事者向け製品要約テキストや添付文書をご覧いただけます。

p.82 健胃薬　　p.82 消化薬　　p.82 制酸薬　　p.83 H₂遮断薬　　p.84 鎮痙薬　　p.84 胃腸薬　　p.90 整腸薬　　p.92 止瀉薬

| 胃腸薬 | パンシロン®キュアＳＰ |

用法　15歳以上1回1包、1日3回食前又は食後に水又はお湯で服用。
成分　1包中［15歳以上の1回量に相当］
　　　水酸化マグネシウム 150mg
　　　沈降炭酸カルシウム 300mg
　　　合成ヒドロタルサイト 260mg
　　　炭酸水素ナトリウム 80mg
　　　ピレンゼピン塩酸塩水和物 15.63mg
　　　チンピ末 100mg
　　　アルジオキサ 50mg

ロート製薬株式会社

| 整腸薬 | 宇津こども整腸薬 TP |

用法　3ヵ月以上8歳未満1回0.5g(添付のスプーン2杯)、1日3回毎食後服用。
成分　0.5g中［3ヵ月以上8歳未満の1回量に相当］
　　　ラクトミン(乳酸菌) 5mg
　　　糖化菌 25mg
　　　酪酸菌 25mg

宇津救命丸株式会社

| 整腸薬 | 太田胃散整腸薬 |

用法　15歳以上1回3錠、8歳以上15歳未満1回2錠、5歳以上8歳未満1回1錠を、1日3回食後に水又はぬるま湯で服用。
成分　3錠中［15歳以上の1回量に相当］
　　　ビフィズス菌 10mg
　　　ラクトミン(ガッセリ菌) 10mg
　　　酪酸菌 30mg
　　　ゲンノショウコエキス 34mg
　　　　(ゲンノショウコとして340mg)
　　　アカメガシワエキス 21mg(アカメガシワとして168mg)
　　　ゲンチアナ末 17mg
　　　ビオヂアスターゼ1000 20mg

株式会社太田胃散

| 整腸薬 | 太田胃散整腸薬　デ・ルモア錠 |

用法　15歳以上1回3錠、8歳以上15歳未満1回2錠、5歳以上8歳未満1回1錠を、1日3回食後に水又はぬるま湯で服用。
成分　3錠中［15歳以上の1回量に相当］
　　　ビフィズス菌 20mg
　　　ラクトミン(ガッセリ菌) 20mg
　　　酪酸菌 10mg
　　　水酸化マグネシウム 400mg
　　　ケツメイシエキス 50mg(ケツメイシとして500mg)
　　　チンピ末 100mg

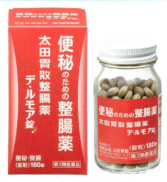

株式会社太田胃散

| 整腸薬 | ビオスリー®Ｈｉ錠 |

用法　15歳以上1回2錠、5歳以上15歳未満1回1錠を、1日3回食後に服用。
成分　2錠中［15歳以上の1回量に相当］
　　　糖化菌 50mg
　　　ラクトミン(乳酸菌) 10mg
　　　酪酸菌 50mg

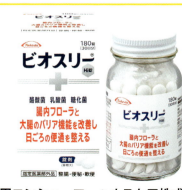

武田コンシューマーヘルスケア株式会社

整腸薬	**新ビオフェルミン®S細粒**
用法	15歳以上1回1g(添付のサジ3杯分)、5歳以上15歳未満1回2/3g(添付のサジ2杯分)、3ヵ月以上5歳未満1回1/3g(添付のサジ1杯分)を、1日3回食後に服用。
成分	1g中 [15歳以上の1回量に相当] コンク・ビフィズス菌末 6mg コンク・フェーカリス菌末 6mg コンク・アシドフィルス菌末 6mg

ビオフェルミン製薬株式会社

整腸薬	**新ビオフェルミン®S錠**
用法	15歳以上1回3錠、5歳以上15歳未満1回2錠を、1日3回食後に服用。
成分	3錠中 [15歳以上の1回量に相当] コンク・ビフィズス菌末 6mg コンク・フェーカリス菌末 6mg コンク・アシドフィルス菌末 6mg

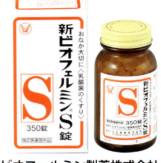

ビオフェルミン製薬株式会社

整腸薬	**ビオフェルミン® ぽっこり整腸チュアブル®**
用法	15歳以上1回1錠、1日3回かむか、口中で溶かして服用。服用間隔は4時間以上。
成分	1錠中 [15歳以上の1回量に相当] ビフィズス菌 10mg ラクトミン(乳酸菌) 10mg ケツメイシエキス 66.7mg 　(ケツメイシ約393.3mgより抽出) ジメチルポリシロキサン 60mg

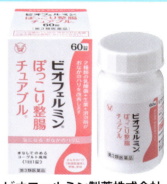

ビオフェルミン製薬株式会社

整腸薬	**ビオフェルミン®VC**
用法	15歳以上1回2錠、1日3回食後に水又はお湯で服用。
成分	2錠中 [15歳以上の1回量に相当] ビフィズス菌 6mg ラクトミン 6mg ビタミンC(アスコルビン酸) 166.7mg ビタミンB₂(リボフラビン) 2mg ビタミンB₆(ピリドキシン塩酸塩) 4mg

ビオフェルミン製薬株式会社

整腸薬	**ラッパ整腸薬BF®**
用法	15歳以上1回1包、11歳以上15歳未満1回2/3包、8歳以上11歳未満1回1/2包、5歳以上8歳未満1回1/3包、3歳以上5歳未満1回1/4包を、1日3回食後(なるべく30分以内)に必ず水またはお湯で服用。
成分	1包中 [15歳以上の1回量に相当] ラクトミン(フェカリス菌・アシドフィルス菌) 6mg ビフィズス菌 8mg ジメチルポリシロキサン 60mg

大幸薬品株式会社

p.82 健胃薬　　p.82 消化薬　　p.82 制酸薬　　p.83 H₂遮断薬　　p.84 鎮痙薬　　p.84 胃腸薬　　p.90 整腸薬　　p.92 止瀉薬

止瀉薬　下痢止め錠「クニヒロ」

用法　15歳以上1回1錠、1日3回を限度にかみくだくか、口中で溶かして服用。服用間隔は4時間以上。

成分　1錠中 [15歳以上の1回量に相当]
ロートエキス3倍散 60mg(ロートエキスとして20mg)
タンニン酸ベルベリン 100mg

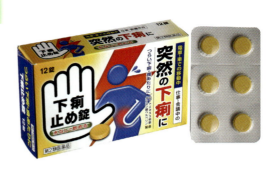

皇漢堂製薬株式会社

止瀉薬　小中学生用ストッパ下痢止めEX

用法　11歳以上15歳未満1回2錠、5歳以上11歳未満1回1錠を、1日3回を限度にかみくだくか、口の中で溶かして服用。服用間隔は4時間以上。

成分　2錠中 [11歳以上15歳未満の1回量に相当]
ロートエキス3倍散 40mg(ロートエキスとして13.4mg)
タンニン酸ベルベリン 66.6mg

ライオン株式会社

止瀉薬　ストッパエル下痢止めEX

用法　15歳以上1回1錠、1日3回を限度に噛みくだくか、口の中で溶かして服用。服用間隔は4時間以上。

成分　1錠中 [15歳以上の1回量に相当]
ロートエキス3倍散 60mg(ロートエキスとして20mg)
タンニン酸ベルベリン 100mg
シャクヤク乾燥エキス 24mg(原生薬換算量168mg)

ライオン株式会社

止瀉薬　ストッパ下痢止めEX

用法　15歳以上1回1錠、1日3回を限度に噛みくだくか、口の中で溶かして服用。服用間隔は4時間以上。

成分　1錠中 [15歳以上の1回量に相当]
ロートエキス3倍散 60mg(ロートエキスとして20mg)
タンニン酸ベルベリン 100mg

ライオン株式会社

止瀉薬　スメクタテスミン®

用法　15歳以上1回1包、11歳以上15歳未満1回2/3包を、1日3回を限度にそのまま服用するか、コップ半分の水に入れ、よくかき混ぜて服用。服用間隔は4時間以上。

成分　1包中 [15歳以上の1回量に相当]
天然ケイ酸アルミニウム 3,000mg

佐藤製薬株式会社

p.94-97 便秘薬

止瀉薬	正露丸®

| 用法 | 15歳以上1回3粒、11歳以上15歳未満1回2粒、8歳以上11歳未満1回1.5粒、5歳以上8歳未満1回1粒を、1日3回食後なるべく30分以内に必ず水又はお湯で服用。むし歯痛には、1〜1/2粒を歯窩（むし歯の穴）につめてください。 |
| 成分 | 3粒中 [15歳以上の1回量に相当]
日局 木クレオソート 133.3mg
日局 アセンヤク末 66.7mg
日局 オウバク末 100mg
日局 カンゾウ末 50mg
チンピ末 100mg |

注 添加物としてケイヒを含む。

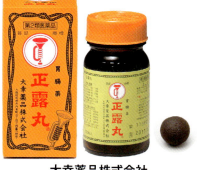

大幸薬品株式会社

止瀉薬	正露丸クイックC

| 用法 | 11歳以上1回2カプセル、5歳以上11歳未満1回1カプセルを、1日3回を限度に必ず水又はお湯で服用。服用間隔は4時間以上。 |
| 成分 | 2カプセル中 [11歳以上の1回量に相当]
日局 木クレオソート 90mg |

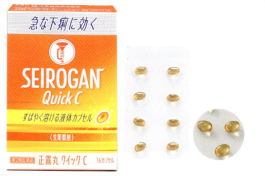

大幸薬品株式会社

止瀉薬	セイロガン糖衣A®

| 用法 | 15歳以上1回4錠、11歳以上15歳未満1回3錠、5歳以上11歳未満1回2錠を、1日3回食後なるべく30分以内に必ず水又はお湯で服用。 |
| 成分 | 4錠中 [15歳以上の1回量に相当]
日局 木クレオソート 90mg
日局 ゲンノショウコ末 100mg
オウバク乾燥エキス 100mg |

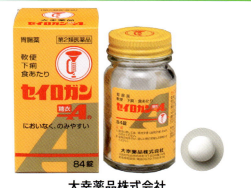

大幸薬品株式会社

止瀉薬	トメダインコーワフィルム

| 用法 | 15歳以上1回1枚、1日2回口中で溶かして服用。服用間隔は4時間以上。 |
| 成分 | 1枚中 [15歳以上の1回量に相当]
ロペラミド塩酸塩 0.5mg |

興和株式会社

止瀉薬	ビオフェルミン®下痢止め

| 用法 | 15歳以上1回3錠、11歳以上15歳未満1回2錠を、1日3回食後に水又はお湯で服用。 |
| 成分 | 3錠中 [15歳以上の1回量に相当]
タンニン酸ベルベリン 100mg
ゲンノショウコ乾燥エキス 140mg
（ゲンノショウコ約1,400mgより抽出）
ロートエキス 11mg
シャクヤクエキス 41.7mg
（シャクヤク約166.7mgより抽出）
ビフィズス菌 10mg |

ビオフェルミン製薬株式会社

QRコードからWEBサイトの医療従事者向け製品要約テキストや添付文書をご覧いただけます。

p.82 健胃薬　　p.82 消化薬　　p.82 制酸薬　　p.83 H₂遮断薬　　p.84 鎮痙薬　　p.84 胃腸薬　　p.90 整腸薬　　p.92 止瀉薬

止瀉薬　ビオフェルミン®止瀉薬

用法 15歳以上1回1包、11歳以上15歳未満1回2/3包、8歳以上11歳未満1回1/2包、5歳以上8歳未満1回1/3包を、1日3回食後に水又はお湯で服用。

成分 1包中 [15歳以上の1回量に相当]
タンニン酸アルブミン(タンナルビン) 900mg
ゲンノショウコエキス(生薬エキス) 200mg
ロートエキス(生薬エキス) 11mg
フェーカリス菌末(乳酸菌) 60mg

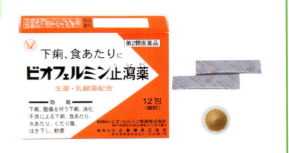

ビオフェルミン製薬株式会社

止瀉薬　ピシャット®下痢止めOD錠

用法 15歳以上 1回1錠、1日2回口中で溶かして服用するか、水またはお湯で服用。服用間隔は4時間以上

成分 1錠中 [15歳以上の1回量に相当]
ロペラミド塩酸塩 0.5mg

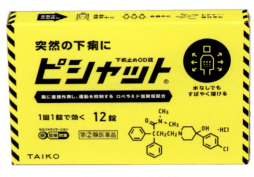

大幸薬品株式会社

便秘薬　ウィズワン®エル

用法 15歳以上1回3/4～1包、11歳以上15歳未満1回1/2～2/3包、3歳以上11歳未満1回1/4～1/3包を、1日1～3回食後にコップ1杯(約180mL)の水又はぬるま湯でかまずに服用。ただし、初回は最少量を用い、便通の具合や状態をみながら少しずつ増量又は減量する。

成分 1包中 [15歳以上の1回量に相当]
プランタゴ・オバタ種皮末 1,000mg
センノシド 41.0267mg(センノシドA・Bとして16mg)
有胞子性乳酸菌 43.3mg
ニコチン酸アミド 1.67mg

ゼリア新薬工業株式会社

便秘薬　新ウィズワン®

用法 15歳以上1回3/4～1包、11歳以上15歳未満1回1/2～2/3包、3歳以上11歳未満1回1/4～1/3包を、1日1～3回食後にコップ1杯(約180mL)の水又はぬるま湯でかまずに服用。ただし、初回は最小量を用い、便通の具合や状態をみながら少しずつ増量又は減量する。

成分 1包中 [15歳以上の1回量に相当]
プランタゴ・オバタ種皮末 1,000mg
センノシド 27.843mg(センノシドA・Bとして10.86mg)
カスカラサグラダ乾燥エキス 17.867mg
　(カスカラサグラダ100mgに相当)

ゼリア新薬工業株式会社

便秘薬　新ウィズワン®α

用法 15歳以上1回3/4～1包、11歳以上15歳未満1回1/2～2/3包、3歳以上11歳未満1回1/4～1/3包を、1日1～3回食後にコップ1杯(約180mL)の水又はぬるま湯で服用。ただし、初回は最少量を用い、便通の具合や状態をみながら少しずつ増量又は減量する。

成分 1包中 [15歳以上の1回量に相当]
プランタゴ・オバタ種皮末 1,000mg
センノシド 41.0267mg(センノシドA・Bとして16mg)
サンキライエキス 14.4mg(サンキライ180mgに相当)

ゼリア新薬工業株式会社

p.94-97 便秘薬

便秘薬　酸化マグネシウムE便秘薬

用法　15歳以上1回3～6錠、11歳以上15歳未満1回2～4錠、7歳以上11歳未満1回2～3錠、5歳以上7歳未満1回1～2錠を、1日1回就寝前(又は空腹時)に水又はぬるま湯で服用。ただし、初回は最小量を用い、便通の具合や状態をみながら少しずつ増量又は減量する。

成分　6錠中 [15歳以上の1回量に相当]
酸化マグネシウム 2000mg

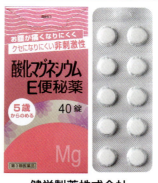

健栄製薬株式会社

便秘薬　コーラック

用法　通常大人は1回2錠、1日1回就寝前又は排便期待数時間前にかまずに水又はぬるま湯で服用。

成分　2錠中 [15歳以上の1回量に相当]
ビサコジル 10mg

大正製薬株式会社

便秘薬　コーラックⅡ

用法　15歳以上1回1～3錠、11歳以上15歳未満1回1～2錠を、1日1回就寝前(又は空腹時)に水又はぬるま湯で服用。ただし、初回は最小量を用い、便通の具合や状態をみながら少しずつ増量又は減量する。

成分　3錠中 [15歳以上の1回量に相当]
ビサコジル 15mg
ジオクチルソジウムスルホサクシネート(DSS) 24mg

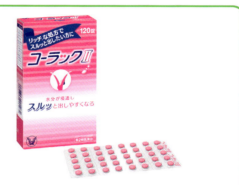

大正製薬株式会社

便秘薬　コーラックMg

用法　15歳以上1回3～6錠、11歳以上15歳未満1回2～4錠、7歳以上11歳未満1回2～3錠、5歳以上7歳未満1回1～2錠を、1日1回就寝前(又は空腹時)に水又はぬるま湯で服用。ただし、初回は最小量を用い、便通の具合や状態をみながら少しずつ増量又は減量する。

成分　6錠中 [15歳以上の1回量に相当]
酸化マグネシウム 1980mg

大正製薬株式会社

便秘薬　コーラックハーブ

用法　15歳以上1回1～2錠、1日1回就寝前(又は空腹時)に水又はぬるま湯で服用。ただし、初回は最小量を用い、便通の具合や状態をみながら少しずつ増量又は減量する。

成分　2錠中 [15歳以上の1回量に相当]
センノシド 57.12mg(センノシドA・Bとして 24mg)
甘草エキス末 80.00mg(甘草として 560mg)

大正製薬株式会社

p.82 健胃薬　　p.82 消化薬　　p.82 制酸薬　　p.83 H₂遮断薬　　p.84 鎮痙薬　　p.84 胃腸薬　　p.90 整腸薬　　p.92 止瀉薬

便秘薬　コーラックファイバーplus

用法　15歳以上1回1～2包、11歳以上15歳未満1回2/3～4/3包、7歳以上11歳未満1回1/2～1包、3歳以上7歳未満1回1/3～2/3包を、1日3回食前(又は食間あるいは食後)にコップ1杯の水又はお湯に加え、よくかきまぜ直ちに服用。ただし、初回は最小量を用い、便通の具合や状態をみながら少しずつ増量又は減量する。

成分　2包中 [15歳以上の1回量に相当]
プランタゴ・オバタ種皮末 1400mg
水酸化マグネシウム 420mg

大正製薬株式会社

便秘薬　コーラックファースト

用法　15歳以上1回1～4錠、11歳以上15歳未満1回1～3錠を、1日1回就寝前(又は空腹時)に水又はぬるま湯で服用。ただし、初回は最小量を用い、便通の具合や状態をみながら少しずつ増量又は減量する。

成分　4錠中 [15歳以上の1回量に相当]
ビサコジル 10mg
ジオクチルソジウムスルホサクシネート(DSS) 32mg

大正製薬株式会社

便秘薬　サトラックス®

用法　15歳以上1回4～8g、1日2回を限度になるべく空腹時にコップ一杯の水又は白湯でかまずに服用。服用間隔は4時間以上。ただし、初回は最小量を用い、便通の具合や状態をみながら少しずつ増加又は減量する。

成分　8g中 [15歳以上の1回量に相当]
プランタゴ・オバタ種子 4.336g
センナ実 0.992g

佐藤製薬株式会社

便秘薬　サトラックス®「分包」

用法　15歳以上1回1～2包、1日2回を限度になるべく空腹時にコップ一杯の水又は白湯でかまずに服用。服用間隔は4時間以上。ただし初回は最小量を用い、便通の具合や状態をみながら少しずつ増加または減量する。

成分　2包中 [15歳以上の1回量に相当]
プランタゴ・オバタ種子 4.336g
センナ実 0.992g

佐藤製薬株式会社

便秘薬　新サラリン

用法　15歳以上1回1～3錠、11歳以上15歳未満1回1～2錠を、1日1回就寝前(又は空腹時)に水又はお湯で、かまずに服用。ただし、初回は最小量を用い、便通の具合や状態をみながら少しずつ増量又は減量する。

成分　3錠中 [15歳以上の1回量に相当]
アロエエキス 190mg(アロエ380mgに相当)
センノシド 49.8mg(センノシドA・Bとして21mg)

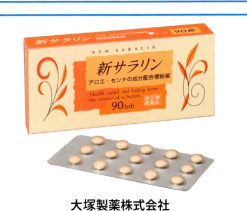

大塚製薬株式会社

便秘薬

スルーラック® S

用法 15歳以上1回1～3錠、1日1回就寝前（または空腹時）に水又はぬるま湯で服用。ただし、初回は最小量を用い、便通の具合や状態をみながら少しずつ増量又は減量する。

成分 3錠中[15歳以上の1回量に相当]
ビサコジル 15mg
センノサイドカルシウム 40mg
　（センノシドA・Bとして15.8mg）

エスエス製薬株式会社

スルーラック®デトファイバー

用法 15歳以上1回1～2包、1日1～2回をなるべく空腹時に水又はぬるま湯で服用。服用間隔は4時間以上。ただし、初回は最小量を用い、便通の具合や状態をみながら少しずつ増量または減量する。

成分 2包中[15歳以上の1回量に相当]
プランタゴ・オバタ種皮末 2200mg
アロエエキス 187.5mg(アロエ375mgに相当)
センノサイドカルシウム 20mg
　（センノシドA・Bとして7.2mg）
ジュウヤク末 250mg

エスエス製薬株式会社

スルーラック®ファイバー

用法 15歳以上1回1～2包、1日1回就寝前又は空腹時に水又はぬるま湯で服用。ただし、初回は最小量を用い、便通の具合や状態をみながら少しずつ増量又は減量する。

成分 2包中[15歳以上の1回量に相当]
プランタゴ・オバタ種皮末 2400mg
センノサイドカルシウム 66.7mg
　（センノシドA・Bとして24mg）
ケイヒ末 100mg

エスエス製薬株式会社

ビオフェルミン®便秘薬

用法 15歳以上1回3～5錠、11歳以上15歳未満1回2～3錠を、1日1回就寝前に服用。ただし、初回は最小量を用い、便通の具合や状態をみながら少しずつ増量又は減量する。

成分 5錠中[15歳以上の1回量に相当]
ピコスルファートナトリウム水和物 7.5mg
ビフィズス菌 20mg
ラクトミン 20mg

ビオフェルミン製薬株式会社

ビューラックA

用法 15歳以上1回2～3錠、11歳以上15歳未満1回1～2錠を、1日1回就寝前に水又はお湯でかまずに服用。ただし、初回は最小量を用い、便通の具合や状態をみながら少しずつ増量又は減量する。

成分 3錠中[15歳以上の1回量に相当]
ビサコジル[2-(4,4'-ジアセトキシジフェニルメチル)ピリジン] 15mg

皇漢堂製薬株式会社

p.98 貧血用薬　　p.98 保健薬　　p.99 女性保健薬　　p.99 循環器用薬　　p.100 しみ改善薬　　p.101 西洋ハーブ

貧血用薬　ファイチ®

用法　15歳以上1回2錠、8歳以上15歳未満1回1錠を、1日1回食後に水又はお湯で服用。
成分　2錠中 [15歳以上の1回量に相当]
　　　　溶性ピロリン酸第二鉄 79.5mg
　　　　シアノコバラミン(ビタミンB12) 50μg
　　　　葉酸 2mg

小林製薬株式会社

貧血用薬　マスチゲン®錠

用法　15歳以上1回1錠、1日1回食後に服用。朝昼晩いつ飲んでも構わない。
成分　1錠中 [15歳以上の1回量に相当]
　　　　溶性ピロリン酸第二鉄 79.5mg(鉄として10mg)
　　　　ビタミンC 50mg
　　　　ビタミンE酢酸エステル 10mg
　　　　ビタミンB12 50μg
　　　　葉酸 1mg

日本臓器製薬株式会社

貧血用薬　マスチゲン®錠8〜14歳用

用法　8歳以上15歳未満1回1錠、1日1回食後に服用。朝昼晩いつ飲んでも構わない。
成分　1錠中 [8歳以上15歳未満の1回量に相当]
　　　　溶性ピロリン酸第二鉄 39.75mg(鉄として5mg)
　　　　ビタミンC 33.3mg
　　　　ビタミンE酢酸エステル 6.7mg
　　　　ビタミンB12 25μg
　　　　葉酸 500μg

日本臓器製薬株式会社

保健薬　キューピーコーワゴールドα

用法　15歳以上1回1錠、1日1〜2回水又は温湯で服用。服用間隔は6時間以上。
成分　1錠中 [15歳以上の1回量に相当]
　　　　エゾウコギ乾燥エキス 6.0mg(エゾウコギとして150mg)
　　　　オウギ乾燥エキス 15.0mg(オウギとして120mg)
　　　　オキソアミヂン末 25.0mg
　　　　L-アルギニン塩酸塩 25.0mg
　　　　チアミン硝化物(V.B1) 5.0mg
　　　　リボフラビン(V.B2) 2.0mg
　　　　ピリドキシン塩酸塩(V.B6) 5.0mg
　　　　トコフェロールコハク酸エステルカルシウム 10.35mg
　　　　　(dl-α-トコフェロールコハク酸エステル(V.E)として10.0mg)
　　　　L-アスコルビン酸ナトリウム 56.3mg
　　　　　(アスコルビン酸(V.C)として50.0mg)
　　　　ニコチン酸アミド 12.5mg
　　　　無水カフェイン 25.0mg

興和株式会社

保健薬　キューピーコーワゴールドα-プラス

用法　15歳以上1回1錠、1日1〜2回水又は温湯で服用。服用間隔は6時間以上。
成分　1錠中 [15歳以上の1回量に相当]
　　　　トウキ乾燥エキス 12.5mg(トウキとして50mg)
　　　　エゾウコギ乾燥エキス 7.0mg(エゾウコギとして175mg)
　　　　オウギ乾燥エキス 15.0mg(オウギとして120mg)
　　　　オキソアミヂン末 25.0mg
　　　　L-アルギニン塩酸塩 25.0mg
　　　　チアミン硝化物(V.B1) 5.0mg
　　　　リボフラビン(V.B2) 2.0mg
　　　　ピリドキシン塩酸塩(V.B6) 5.0mg
　　　　トコフェロールコハク酸エステルカルシウム 10.35mg
　　　　　(dl-α-トコフェロールコハク酸エステル(V.E)として10mg)
　　　　L-アスコルビン酸ナトリウム 56.3mg
　　　　　(L-アスコルビン酸(V.C)として50mg)
　　　　無水カフェイン 25.0mg

興和株式会社

p.101-102 生薬製剤

女性保健薬　女性保健薬　命の母® A

用法　15歳以上1回4錠、1日3回毎食後に水又はお湯で服用。

成分　4錠中 [15歳以上の1回量に相当]

- ダイオウ末 58.3mg
- カノコソウ末 69mg
- ケイヒ末 56.7mg
- センキュウ末 33.3mg
- ソウジュツ末 33.3mg
- シャクヤク末 100mg
- ブクリョウ末 58.3mg
- トウキ末 100mg
- コウブシ末 16.7mg
- ゴシュユ 13.3mg
- ハンゲ 25mg
- ニンジン末 13.3mg
- コウカ 16.7mg
- チアミン塩化物塩酸塩(ビタミンB_1) 1.67mg
- リボフラビン(ビタミンB_2) 0.3mg
- ピリドキシン塩酸塩(ビタミンB_6) 0.167mg
- シアノコバラミン(ビタミンB_{12}) 0.33μg
- パントテン酸カルシウム 1.67mg
- 葉酸 0.167mg
- タウリン 30mg
- dl-α-トコフェロールコハク酸エステル(ビタミンE) 1.67mg
- リン酸水素カルシウム水和物 3.3mg
- ビオチン 0.33μg
- 精製大豆レシチン 3.3mg

小林製薬株式会社

女性保健薬　女性薬　命の母®ホワイト

用法　15歳以上1回4錠、1日3回毎食後に水又はお湯で服用。

成分　4錠中 [15歳以上の1回量に相当]

- トウキ末 100mg
- センキュウ末 66.7mg
- シャクヤク末 100mg
- ブクリョウ末 66.7mg
- ソウジュツ末 66.7mg
- タクシャ末 50mg
- ケイヒ末 66.7mg
- ボタンピ末 66.7mg
- ダイオウ末 66.7mg
- トウニン末 33.3mg
- ニンジン末 16.7mg

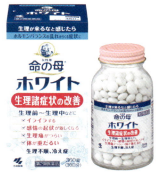

小林製薬株式会社

女性保健薬　ツムラの婦人薬　中将湯

用法　15歳以上1日1袋を使用し、朝夕就寝前の3回服用。1および2回目は、1袋をカップに入れ、約180mLの熱湯を加えてよく振り出し、朝夕食前に服用。3回目は、朝夕に使用した残りの袋に、水約270mLを加えて約180mLに煮詰め、就寝前に服用。

成分　1袋中 [15歳以上の1日量に相当]

- 日局シャクヤク 2.0g
- 日局トウキ 2.0g
- 日局ケイヒ 1.5g
- 日局センキュウ 1.0g
- 日局ソウジュツ 1.0g
- 日局ブクリョウ 1.0g
- 日局ボタンピ 1.0g
- 日局トウヒ 0.7g
- 日局コウブシ 0.5g
- 日局ジオウ 0.5g
- 日局カンゾウ 0.4g
- 日局トウニン 0.4g
- 日局オウレン 0.2g
- 日局ショウキョウ 0.1g
- 日局チョウジ 0.1g
- 日局ニンジン 0.1g

注 成分は1回量ではなく1日量です。本書では、本品以外は1回量での記載に統一しています。

株式会社ツムラ

循環器用薬　エパデールT

用法　20歳以上1回1包、1日3回食後すぐに服用。

成分　1包中 [20歳以上の1回量に相当]

イコサペント酸エチル 600mg

大正製薬株式会社

循環器用薬　亀田六神丸

用法　15歳以上1回1～3粒、1日1～2回食後にかまずに(なるべくヌルマ湯にとかして)服用。

成分　3粒中 [15歳以上の1回量に相当]

- (ジャコウ)麝香 2.0mg
- (ゴオウ)牛黄 1.75mg
- (ユウタン)熊胆 1.75mg
- (センソ)蟾酥 0.65mg
- (ニンジン)人参 2.0mg
- (リュウノウ)龍脳 0.4mg
- (シンジュ)真珠 2.0mg

株式会社亀田利三郎薬舗

p.98 貧血用薬　　p.98 保健薬　　p.99 女性保健薬　　p.99 循環器用薬　　p.100 しみ改善薬　　p.101 西洋ハーブ

循環器用薬　救心®

用法　15歳以上1回2粒、1日3回朝夕および就寝前に水又はお湯で服用。
成分　2粒中 [15歳以上の1回量に相当]
　　センソ(蟾酥)1.7mg
　　ゴオウ(牛黄)1.3mg
　　ロクジョウマツ(鹿茸末)1.7mg
　　ニンジン(人参)8.3mg
　　レイヨウカクマツ(羚羊角末)2mg
　　シンジュ (真珠)2.5mg
　　ジンコウ(沈香)1mg
　　リュウノウ(龍脳)0.9mg
　　ドウブツタン(動物胆)2.7mg

救心製薬株式会社

循環器用薬　救心®カプセルF

用法　15歳以上1回1カプセル、1日3回朝夕および就寝前に水又はお湯で服用。
成分　1カプセル中 [15歳以上の1回量に相当]
　　センソ 1.7mg
　　ゴオウ 1.3mg
　　ロクジョウ末 1.7mg
　　ニンジン 8.3mg
　　サフラン末 1.5mg
　　真珠 2.5mg
　　リュウノウ 0.9mg
　　動物胆 2.7mg

救心製薬株式会社

循環器用薬　救心®錠剤

用法　15歳以上1回1錠、1日3回朝夕および就寝前に水又はお湯で服用。
成分　1錠中 [15歳以上の1回量に相当]
　　センソ(蟾酥) 1.7mg
　　ゴオウ(牛黄) 1.3mg
　　ロクジョウマツ(鹿茸末) 1.7mg
　　ニンジン(人参) 8.3mg
　　レイヨウカクマツ(羚羊角末) 2mg
　　シンジュ (真珠) 2.5mg
　　ジンコウ(沈香) 1mg
　　リュウノウ(龍脳) 0.9mg
　　ドウブツタン(動物胆) 2.7mg

救心製薬株式会社

循環器用薬　ラングロン®

用法　15歳以上1回1カプセル、1日2回服用。
成分　1カプセル中 [15歳以上の1回量に相当]
　　リボフラビン酪酸エステル 30mg

佐藤製薬株式会社

しみ改善薬　トランシーノ®Ⅱ

用法　15歳以上1回2錠、1日2回食後に水またはお湯で服用。
成分　2錠中 [15歳以上の1回量に相当]
　　トラネキサム酸 375mg
　　L-システイン 120mg
　　アスコルビン酸(ビタミンC) 150mg
　　ピリドキシン塩酸塩(ビタミンB$_6$) 3mg
　　パントテン酸カルシウム 12mg

第一三共ヘルスケア株式会社

p.101-102 生薬製剤

西洋ハーブ　プレフェミン®

用法　18歳以上1回1錠、1日1回服用。
成分　1錠中[18歳以上の1回量に相当]
　　　　チェストベリー乾燥エキス 40mg(チェストベリー 180mgに相当)

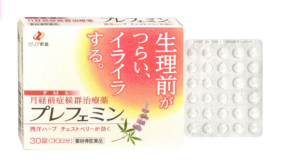

ゼリア新薬工業株式会社

生薬製剤　肝生

用法　15歳以上1回1包、1日3回食間に水又はお湯で服用。
成分　1包中[15歳以上の1回量に相当]
　　　　肝生乾燥エキスとして0.67g含有 / 以下に相当
　　　　サンソウニン(酸棗仁) 0.4867g　　ダイオウ(大黄) 0.123g
　　　　ニンジン(人参) 0.4867g　　　　　ウバイ(烏梅) 0.4867g
　　　　サンシシ(山梔子) 0.4867g　　　　キッピ(橘皮) 0.4867g
　　　　シャゼンシ(車前子) 0.4867g　　　ガイヨウ(艾葉) 0.4867g
　　　　ソウハクヒ(桑白皮) 0.4867g
　　　　キジツ(枳実) 0.4867g
　　　　シュクシャ(縮砂) 0.4867g
　　　　ケイヒ(桂皮) 0.123g

大鵬薬品工業株式会社

生薬製剤　クラシエヨクイニンタブレット

用法　15歳以上1回6錠、7歳以上15歳未満1回4錠、4歳以上7歳未満1回3錠、3歳以上4歳未満1回2錠を、1日3回食前又は食間に水又は白湯で服用。
成分　6錠中[15歳以上の1回量に相当]
　　　　ヨクイニンエキス 500mg(ヨクイニン6.5gに相当)

クラシエ薬品株式会社

生薬製剤　コイクラセリド

用法　15歳以上1回1包、12歳以上15歳未満1回2/3包、7歳以上12歳未満1回1/2包、4歳以上7歳未満1回1/3包を、1日3回食後に水又は白湯で服用。
成分　1包中[15歳以上の1回量に相当]
　　　　カゴソウ 0.80 g
　　　　ヨクイニン 4.0g
　　　　カンゾウ末 1.2g

注 枠内の生薬より抽出したエキス0.30g含有

クラシエ薬品株式会社

生薬製剤　四物血行散

用法　15歳以上1回1包、12歳以上15歳未満1回2/3包、7歳以上12歳未満1回1/2包、4歳以上7歳未満1回1/3包を、1日3回食前又は食間に水又は白湯で服用。
成分　1包中[15歳以上の1回量に相当]
　　　　ジオウ 0.08333g
　　　　シャクヤク 0.08333g
　　　　センキュウ 0.50g
　　　　トウキ 0.50g
　　　　シャクヤク末 0.0667g
　　　　ビャクジュツ末 0.667g
　　　　ブクリョウ末 0.667g

注 枠内の生薬より抽出したエキス1.54mL(固形物として0.10g)含有

クラシエ薬品株式会社

QRコードからWEBサイトの医療従事者向け製品要約テキストや添付文書をご覧いただけます。

| p.98 貧血用薬 | p.98 保健薬 | p.99 女性保健薬 | p.99 循環器用薬 | p.101 しみ改善薬 | p.101 西洋ハーブ |

生薬製剤　再春痛散湯エキス顆粒

用法　17歳以上1回1包、7歳以上17歳未満1回1/2包、4歳以上7歳未満1回1/3包を、1日3回随時服用。

成分　1包中 [17歳以上の1回量に相当]
- マオウ 0.23g
- キョウニン 0.167g
- ヨクイニン 0.43g
- カンゾウ 0.167g
- ボウイ 0.67g
- 動物胆 0.03g
- マオウ 0.2g
- ヨクイニン末 0.467g
- カンゾウ末 0.13g
- ボウイ末 0.53g

注 枠内は水性乾燥エキスとして0.167mg含有

株式会社再春館製薬所

生薬製剤　ハルンケア®内服液

用法　15歳以上1回1本(30mL)、1日2回朝夕食前又は食間に服用。

成分　1本(30mL)中 [15歳以上の1回量に相当]
生薬エキスHとして5.5mL含有 / 以下に相当
- ジオウ 2.5g
- ブクリョウ 1.5g
- ケイヒ 0.5g
- タクシャ 1.5g
- サンシュユ 1.5g
- 炮附子 0.5g
- ボタンピ 1.5g
- サンヤク 1.5g

大鵬薬品工業株式会社

生薬製剤　樋屋奇応丸特撰金粒

用法　16歳以上1回15粒、8歳以上16歳未満1回8〜10粒、4歳以上8歳未満1回5〜8粒、1歳以上4歳未満1回2〜5粒、1歳未満1回1〜2粒を、1日3回食前に水又は白湯で服用。

成分　15粒 [16歳以上の1回量に相当]
- ジンコウ 6.1125mg
- ジャコウ 1.3125mg
- ゴオウ 0.2625mg
- ニンジン 17.475mg
- ユウタン 0.45mg

樋屋奇応丸株式会社

生薬製剤　扁鵲

用法　16歳以上1回1包、7歳以上16歳未満1回1/2包を、1日3回食間に水又はお湯で服用。

成分　1包中 [16歳以上の1回量に相当]
- タクシャ末 0.2867g
- ダイオウ末 0.143g
- ショウキョウ末 0.143g
- カンゾウ末 0.143g
- ケイヒ末 0.143g
- シャクヤク末 0.143g
- ボタンピ末 0.143g
- チョレイ末 0.2867g
- サイコ末 0.2867g
- ハンゲ末 0.143g
- ショウマ末 0.143g

大鵬薬品工業株式会社

MEMO

p.101 生薬製剤　p.103 外用かぜ薬　p.103 解熱坐薬　p.104-109 外用消炎鎮痛薬[外用鎮痛薬]

外用かぜ薬　ヴイックス ヴェポラッブ

用法 12歳以上1回6〜10ｇ、6歳以上12歳未満1回5ｇ、3歳以上6歳未満1回4ｇ、6ヵ月以上3歳未満1回3ｇを、1日3回、胸・のど・背中に塗布、または塗布後布で覆う。

成分 10g中 [12歳以上の1回量に相当]
　dl-カンフル 0.526g
　テレビン油 0.468g
　l-メントール 0.282g
　ユーカリ油 0.133g
　ニクズク油 0.069g
　杉葉油 0.044g

注 剤型：塗布剤[軟膏剤]

大正製薬株式会社

外用かぜ薬　カコナール® かぜパップ

用法 15歳以上1回1枚、4歳以上15歳未満1回1/2枚、2歳以上4歳未満1回1/3枚を、1日2〜3回薬面のフィルムをはがし、胸またはのどに貼付。

成分 膏体100g(900㎠)中
　dl-カンフル 1.0g
　l-メントール 0.7g
　ユーカリ油 0.5g
　チミアン油 0.5g
　カミツレチンキ 0.5g
　ニクズク油 0.3g

注 剤型：貼付剤[パップ剤]

第一三共ヘルスケア株式会社

解熱坐薬　こども解熱坐薬

用法 6歳以上13歳未満1回1〜2個、3歳以上6歳未満1回1個、1歳以上3歳未満1回1/2〜1個を、1日1回、肛門内に挿入。

成分 2個中 [6歳以上13歳未満の1回量に相当]
　アセトアミノフェン 200mg

注 剤型：挿入剤[坐剤]

宇津救命丸株式会社

解熱坐薬　キオフィーバ

用法 6歳以上13歳未満1回1〜2個、3歳以上6歳未満1回1個、1歳以上3歳未満1回1/2〜1個を、1日1回、肛門内に挿入。

成分 2個中 [6歳以上13歳未満の1回量に相当]
　アセトアミノフェン 200mg

注 剤型：挿入剤[坐剤]

樋屋奇応丸株式会社

解熱坐薬　こどもパブロン坐薬

用法 6歳以上13歳未満1回1〜2個、3歳以上6歳未満1回1個、1歳以上3歳未満1回1/2〜1個を、1日1回、肛門内に挿入。

成分 2個中 [6歳以上13歳未満の1回量に相当]
　アセトアミノフェン 200mg

注 剤型：挿入剤[坐剤]

大正製薬株式会社

QRコードからWEBサイトの医療従事者向け製品要約テキストや添付文書をご覧いただけます。

p.103 外用かぜ薬　　p.103 解熱坐薬　　p.104-109 外用消炎鎮痛薬[外用鎮痛薬]

外用鎮痛薬　アンメルツ®ゴールドEX　NEO

用法　15歳以上。1日3〜4回、適量を患部に塗布。

成分　100g中
ジクロフェナクナトリウム 1g
l-メントール 5g
トコフェロール酢酸エステル 100mg
ノナン酸バニリルアミド 12mg
ニコチン酸ベンジルエステル 10mg

剤型：塗布剤[液剤]

小林製薬株式会社

外用鎮痛薬　ニューアンメルツ®ヨコヨコA

用法　1日数回患部に適量を塗布。

成分　100mL中
サリチル酸グリコール 2500mg
l-メントール 3000mg
クロルフェニラミンマレイン酸塩 100mg
ニコチン酸ベンジルエステル 10mg
ノナン酸バニリルアミド 12mg

剤型：塗布剤[液剤]

小林製薬株式会社

外用鎮痛薬　サロメチールジクロ®Lα

用法　15歳以上。プラスチックフィルムをはがし、1日1回1枚、患部に貼付。ただし、1回あたり1枚を超えての使用不可。本成分を含む他の外用剤の併用不可。

成分　膏体100g中
ジクロフェナクナトリウム 2g
l-メントール 3.5g

剤型：貼付剤[パップ剤]

佐藤製薬株式会社

外用鎮痛薬　サロメチールジクロ®α

用法　15歳以上。プラスチックフィルムをはがし、1日1回1〜2枚、患部に貼付。ただし、1回あたり2枚を超えての使用不可。本成分を含む他の外用剤の併用不可。

成分　膏体100g中
ジクロフェナクナトリウム 2g
l-メントール 3.5g

剤型：貼付剤[パップ剤]

佐藤製薬株式会社

外用鎮痛薬　サロメチールジクロ®ゲル

用法　15歳以上。1日3〜4回適量を患部に塗擦。

成分　1g中
ジクロフェナクナトリウム 10mg
l-メントール 30mg

剤型：塗布剤[ゲル剤]

佐藤製薬株式会社

| 外用鎮痛薬 | のびのび®サロンシップ®F |

- **用法** 1日1～2回患部に貼付。
- **成分** 膏体100g中
  - サリチル酸グリコール 2.0g
  - l-メントール 1.0g
  - ビタミンE酢酸エステル 1.0g

注 剤型：貼付剤[パップ剤]

久光製薬株式会社

| 外用鎮痛薬 | サロンパス® |

- **用法** 1日数回患部に貼付。
- **成分** 膏体100g中
  - サリチル酸メチル 10.0g
  - l-メントール 3.0g
  - ビタミンE酢酸エステル 2.0g

注 剤型：貼付剤[テープ剤]

久光製薬株式会社

| 外用鎮痛薬 | サロンパスAe® |

- **用法** 1日数回患部に貼付。
- **成分** 膏体100g中
  - サリチル酸メチル 6.29g
  - l-メントール 5.71g
  - ビタミンE酢酸エステル 2.00g
  - dl-カンフル 1.24g

注 剤型：貼付剤[テープ剤]

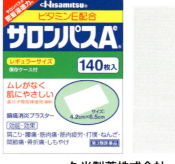

久光製薬株式会社

| 外用鎮痛薬 | パテックス®うすぴた®シップ |

- **用法** そのまま、または適当な大きさに切り、表面のフィルムをはがし、1日1～2回患部に貼付。
- **成分** 膏体100g中
  - サリチル酸グリコール 2g
  - l-メントール 1g
  - アルニカチンキ 1mL(原生薬として0.2g相当)

注 剤型：貼付剤[パップ剤]

第一三共ヘルスケア株式会社

| 外用鎮痛薬 | ハリックス５５EX　温感A |

- **用法** 表面のプラスチックフィルムをはがし、患部に1日1～2回貼付。
- **成分** 膏体100g(1000c㎡)中
  - サリチル酸グリコール 2.0g
  - グリチルレチン酸 0.05g
  - トウガラシエキス 0.02g(原生薬換算量1.0g)
  - トコフェロール酢酸エステル 0.3g

注 剤型：貼付剤[パップ剤]

ライオン株式会社

p.103 外用かぜ薬　　p.103 解熱坐薬　　p.104-109 外用消炎鎮痛薬[外用鎮痛薬]

外用鎮痛薬　ハリックス５５ＥＸ　冷感Ａ

用法　表面のプラスチックフィルムをはがし、患部に1日1～2回貼付。

成分　膏体100g(1000c㎡)中
　　　サリチル酸グリコール 2.0g
　　　グリチルレチン酸 0.05g
　　　l-メントール 1.0g
　　　トコフェロール酢酸エステル 0.3g

剤型：貼付剤[パップ剤]

ライオン株式会社

外用鎮痛薬　バンテリンコーワ液α

用法　11歳以上。1日4回を限度に適量を患部に塗布。

成分　1g中
　　　インドメタシン 10mg
　　　l-メントール 60mg
　　　アルニカチンキ 5mg(アルニカとして1mg)

剤型：塗布剤[液剤]

興和株式会社

外用鎮痛薬　バンテリンコーワクリーミィーゲルα

用法　11歳以上。1日4回を限度に適量を患部に塗擦。

成分　1g中
　　　インドメタシン 10mg
　　　l-メントール 30mg
　　　トコフェロール酢酸エステル 20mg
　　　アルニカチンキ 5mg(アルニカとして1mg)

剤型：塗布剤[ゲル剤]

興和株式会社

外用鎮痛薬　バンテリンコーワクリームα

用法　11歳以上。1日4回を限度に適量を患部に塗擦。

成分　1g中
　　　インドメタシン 10mg
　　　l-メントール 30mg
　　　トコフェロール酢酸エステル 20mg
　　　アルニカチンキ 5mg(アルニカとして1mg)

剤型：塗布剤[クリーム剤]

興和株式会社

外用鎮痛薬　バンテリンコーワゲルα

用法　11歳以上。1日4回を限度に適量を患部に塗擦。

成分　1g中
　　　インドメタシン 10mg
　　　l-メントール 60mg
　　　アルニカチンキ 5mg(アルニカとして1mg)

剤型：塗布剤[ゲル剤]

興和株式会社

外用鎮痛薬	バンテリンコーワパットEX
用法	15歳以上。プラスチックフィルムをはがし、1日2回を限度として患部に貼付。
成分	膏体100g中 インドメタシン 1.0g アルニカチンキ 1mL(アルニカとして0.2g) l-メントール 1.2g

注 剤型：剤型：貼付剤[パップ剤]

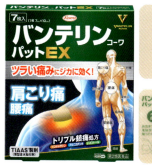

興和株式会社

外用鎮痛薬	バンテリンコーワパップS
用法	15歳以上。ライナー(プラスチックフィルム)をはがし、1日2回を限度として患部に貼付。
成分	膏体100g中 インドメタシン 0.5g

注 剤型：貼付剤[パップ剤]

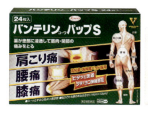

興和株式会社

外用鎮痛薬	フェイタス®5.0
用法	15歳以上。表面のフィルムをはがし、1日2回を限度として患部に貼付。
成分	膏体100g中 フェルビナク 5.0g l-メントール 3.5g トコフェロール酢酸エステル(ビタミンE) 2.3g

注 剤型：貼付剤[テープ剤]

久光製薬株式会社

外用鎮痛薬	フェイタス®Zαジクサス
用法	15歳以上。プラスチックフィルムをはがし、1日1回1～2枚を、患部に貼付。ただし、1回あたり2枚を超えての使用不可。本成分を含む他の外用剤の併用不可。
成分	膏体100g中 ジクロフェナクナトリウム 2.0g l-メントール 3.5g

注 剤型：貼付剤[テープ剤]

久光製薬株式会社

外用鎮痛薬	フェイタス®Zαジクサス®ゲル
用法	15歳以上。1日3～4回、適量を患部に塗擦。ただし、塗擦部位をラップフィルム等の通気性の悪いもので覆わない。本成分を含む他の外用剤の併用不可。
成分	100g中 ジクロフェナクナトリウム 1.0g l-メントール 4.5g グリチルレチン酸 0.05g ノニル酸ワニリルアミド 0.02g

注 剤型：塗布剤[ゲル剤]

久光製薬株式会社

QRコードからWEBサイトの医療従事者向け製品要約テキストや添付文書をご覧いただけます。

p.103 外用かぜ薬　　p.103 解熱坐薬　　p.104 外用消炎鎮痛薬[外用鎮痛薬]　　p.109 鼻炎用点鼻薬[鼻炎点鼻薬]　　p.113 うがい薬

外用鎮痛薬　ボルタレンACαテープ

用法 15歳以上。プラスチックフィルムをはがし、1日1回1〜2枚、患部に貼付。ただし、1回あたり2枚を超えての使用不可。本成分を含む他の外用剤の併用不可。

成分 膏体100g中
ジクロフェナクナトリウム 1g

剤型：貼付剤[テープ剤]

グラクソ・スミスクライン・コンシューマー・ヘルスケア・ジャパン株式会社

外用鎮痛薬　ボルタレンACαテープL

用法 15歳以上。プラスチックフィルムをはがし、1日1回1枚、患部に貼付。ただし、1回あたり1枚を超えての使用不可。本成分を含む他の外用剤の併用不可。

成分 膏体100g中
ジクロフェナクナトリウム 1g

剤型：貼付剤[テープ剤]

グラクソ・スミスクライン・コンシューマー・ヘルスケア・ジャパン株式会社

外用鎮痛薬　ボルタレンEXテープ

用法 15歳以上。プラスチックフィルムをはがし、1日1回1〜2枚、患部に貼付。ただし、1回あたり2枚を超えての使用不可。本成分を含む他の外用剤の併用不可。

成分 膏体100g中
ジクロフェナクナトリウム 1g

剤型：貼付剤[テープ剤]

 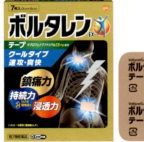 

グラクソ・スミスクライン・コンシューマー・ヘルスケア・ジャパン株式会社

外用鎮痛薬　ボルタレンEXテープL

用法 15歳以上。プラスチックフィルムをはがし、1日1回1枚、患部に貼付。ただし、1回あたり1枚を超えての使用不可。本成分を含む他の外用剤の併用不可。

成分 膏体100g中
ジクロフェナクナトリウム 1g

剤型：貼付剤[テープ剤]

 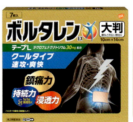 

グラクソ・スミスクライン・コンシューマー・ヘルスケア・ジャパン株式会社

外用鎮痛薬　ロイヒ膏™ロキソプロフェン

用法 15歳以上。表面のセパレーター(フィルム)をはがし、1日1回患部に貼付

成分 膏体100g中
ロキソプロフェンナトリウム水和物 8.1g(無水物として7.14g)

剤型：貼付剤[テープ剤]

ニチバン株式会社

p.115 口腔咽喉外用薬[口腔外用薬]　p.116 口内炎用薬　p.118 口唇用薬　p.119-121 外用歯槽膿漏薬[歯槽膿漏薬]

外用鎮痛薬　ロイヒつぼ膏 TM

用法 膏面をフィルムからはがし、患部に貼付。

成分 膏体100g中
- サリチル酸メチル 7.17g
- l-メントール 3.25g
- ハッカ油 0.35g
- dl-カンフル 2.51g
- チモール 0.05g
- ノニル酸ワニリルアミド 0.03g

注 剤型：貼付剤[テープ剤]

ニチバン 株式会社

外用鎮痛薬　ロキソニンSテープ

用法 15歳以上。表面のライナー(フィルム)をはがし、1日1回患部に貼付。

成分 膏体100g中
- ロキソプロフェンナトリウム水和物 5.67g(無水物として5g)

注 剤型：貼付剤[テープ剤]

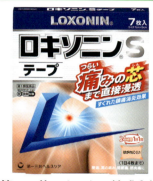

第一三共ヘルスケア株式会社

鼻炎点鼻薬　エメロットＡＬＧプラス点鼻薬

用法 7歳以上1回1噴霧ずつを、1日3～5回両鼻腔内に噴霧。使用間隔は3時間以上。

成分 100mL中
- クロモグリク酸ナトリウム 1g
- ナファゾリン塩酸塩 0.025g
- クロルフェニラミンマレイン酸塩 0.25g
- ベンゼトニウム塩化物 0.02g
- グリチルリチン酸二カリウム 0.3g

奥田製薬株式会社

鼻炎点鼻薬　エージーアレルカット®ＥＸ c ＜季節性アレルギー専用＞

用法 18歳以上1回1噴霧ずつを、通常1日2回(朝・夕)両鼻腔内に噴霧。最大4回まで使用できるが使用間隔は3時間以上。1年間に3ヵ月を超えて使用しないこと。

成分 100g中
- ベクロメタゾンプロピオン酸エステル 0.1g

第一三共ヘルスケア株式会社

鼻炎点鼻薬　エージーノーズ®アレルカット® C

用法 7歳以上1回1噴霧ずつを、1日3～5回両鼻腔内に噴霧。使用間隔は3時間以上。

成分 100mL中
- クロモグリク酸ナトリウム 1g
- クロルフェニラミンマレイン酸塩 0.25g
- ナファゾリン塩酸塩 0.025g
- グリチルリチン酸二カリウム 0.3g

第一三共ヘルスケア株式会社

QRコードからWEBサイトの医療従事者向け製品要約テキストや添付文書をご覧いただけます。

p 109 鼻炎用点鼻薬[鼻炎点鼻薬]　　p.113 うがい薬　　p.115 口腔咽喉外用薬[口腔外用薬]　　p.116 口内炎用薬　　p.118 口唇用薬

鼻炎点鼻薬　エージーノーズ®アレルカット®M

用法　7歳以上1回1噴霧ずつを、1日3～5回両鼻腔内に噴霧。使用間隔は3時間以上。
成分　100mL中
　クロモグリク酸ナトリウム 1g
　クロルフェニラミンマレイン酸塩 0.25g
　ナファゾリン塩酸塩 0.025g
　グリチルリチン酸二カリウム 0.3g

第一三共ヘルスケア株式会社

鼻炎点鼻薬　エージーノーズ®アレルカット®S

用法　7歳以上1回1噴霧ずつを、1日3～5回両鼻腔内に噴霧。使用間隔は3時間以上。
成分　100mL中
　クロモグリク酸ナトリウム 1g
　クロルフェニラミンマレイン酸塩 0.25g
　ナファゾリン塩酸塩 0.025g
　グリチルリチン酸二カリウム 0.3g

第一三共ヘルスケア株式会社

鼻炎点鼻薬　カイゲン点鼻スプレー

用法　7歳以上1回1～2度ずつを、1日1～5回まで鼻腔内に噴霧。使用間隔は3時間以上。
成分　100mL中
　ナファゾリン塩酸塩 50mg
　クロルフェニラミンマレイン酸塩 300mg
　リドカイン 100mg

カイゲンファーマ株式会社

鼻炎点鼻薬　カイゲン点鼻薬

用法　7歳以上1回1～2度ずつを、1日1～5回まで鼻腔内に噴霧。使用間隔は3時間以上。
成分　30mL中
　ナファゾリン塩酸塩 15mg
　クロルフェニラミンマレイン酸塩 30mg
　ベンゼトニウム塩化物 3mg

カイゲンファーマ株式会社

鼻炎点鼻薬　クールワン®鼻スプレー

用法　7歳以上1回1～2度ずつを、1日6回を限度として鼻腔内に噴霧。使用間隔は3時間以上。
成分　100mL中
　ナファゾリン塩酸塩 50mg
　クロルフェニラミンマレイン酸塩 500mg
　ベンザルコニウム塩化物 10mg

杏林製薬株式会社

p.119-121 外用歯槽膿漏薬[歯槽膿漏薬]

鼻炎点鼻薬　コールタイジン®点鼻液a

用法　7歳以上1回1〜2噴霧ずつを、1日6回を限度として鼻腔内に噴霧。使用間隔は3時間以上。

成分　1mL中
　　塩酸テトラヒドロゾリン 1.0mg
　　プレドニゾロン 0.2mg

ジョンソン・エンド・ジョンソン株式会社

鼻炎点鼻薬　ナザール®「スプレー」

用法　7歳以上1回1〜2度ずつを、1日6回を限度として両鼻腔内に噴霧。適用間隔は3時間以上。

成分　100mL中
　　ナファゾリン塩酸塩 50mg
　　クロルフェニラミンマレイン酸塩 500mg
　　ベンザルコニウム塩化物 10mg

佐藤製薬株式会社

鼻炎点鼻薬　ナザール®αAR0.1%＜季節性アレルギー専用＞

用法　18歳以上1回1噴霧ずつを、通常1日2回(朝夕)両鼻腔内に噴霧。最大4回まで使用できるが使用間隔は3時間以上。1年間に3ヵ月を超えて使用しないこと。

成分　100g中
　　ベクロメタゾンプロピオン酸エステル 0.1g

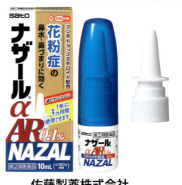

佐藤製薬株式会社

鼻炎点鼻薬　ナザール®αAR 0.1% C ＜季節性アレルギー専用＞

用法　18歳以上1回1噴霧ずつを、通常1日2回(朝夕)両鼻腔内に噴霧。最大4回まで使用できるが使用間隔は3時間以上。1年間に3ヵ月を超えて使用しないこと。

成分　100g中
　　ベクロメタゾンプロピオン酸エステル 0.1g

佐藤製薬株式会社

鼻炎点鼻薬　ナシビン®Mスプレー

用法　15歳以上1回2〜3度ずつ、1日2回まで各鼻腔に噴霧。適用間隔は10〜12時間以上。

成分　100mL中
　　オキシメタゾリン塩酸塩 0.05g

佐藤製薬株式会社

QRコードからWEBサイトの医療従事者向け製品要約テキストや添付文書をご覧いただけます。

p.109 鼻炎用点鼻薬[鼻炎点鼻薬]　　p.113 うがい薬　　p.115 口腔咽喉外用薬[口腔外用薬]　　p.116 口内炎用薬　　p.118 口唇用薬

鼻炎点鼻薬　パブロン点鼻

用法　7歳以上1回1〜2度ずつを、1日6回を限度として両鼻腔内に噴霧。使用間隔は3時間以上。

成分　100mL中
ナファゾリン塩酸塩 0.05g
クロルフェニラミンマレイン酸塩 0.5g
ベンゼトニウム塩化物 0.02g

大正製薬株式会社

鼻炎点鼻薬　パブロン点鼻ＥＸ

用法　7歳以上1回1〜2度ずつ、1日6回まで鼻腔内に噴霧。使用間隔は3時間以上。

成分　100mL中
塩酸テトラヒドロゾリン 0.1g
クロルフェニラミンマレイン酸塩 0.5g
ベンゼトニウム塩化物 0.004g

大正製薬株式会社

鼻炎点鼻薬　パブロン鼻炎アタックＪＬ＜季節性アレルギー専用＞

用法　18歳以上1回1噴霧ずつを、通常1日2回(朝夕)両鼻腔内に噴霧。最大4回まで使用できるが使用間隔は3時間以上。1年間に3ヵ月を超えて使用しないこと。

成分　100g中
ベクロメタゾンプロピオン酸エステル 0.1g

大正製薬株式会社

鼻炎点鼻薬　フルナーゼ点鼻薬〈季節性アレルギー専用〉

用法　15歳以上1回1噴霧ずつ、1日2回(朝・夕)左右の鼻腔内に噴霧。1日最大4回(8噴霧)まで使用できる。使用間隔は3時間以上。1年間に3ヵ月を超えて使用しないこと。

成分　100mL中
フルチカゾンプロピオン酸エステル 51mg

グラクソ・スミスクライン・コンシューマー・ヘルスケア・ジャパン株式会社

鼻炎点鼻薬　ベンザ®鼻炎スプレー

用法　7歳以上1回1〜2度ずつ、1日6回まで鼻腔内に噴霧。使用間隔は3時間以上。

成分　1mL中
塩酸テトラヒドロゾリン 1mg
クロルフェニラミンマレイン酸塩 5mg
ベンゼトニウム塩化物 0.2mg
リドカイン 5mg

武田コンシューマーヘルスケア株式会社

p.119-121 外用歯槽膿漏薬[歯槽膿漏薬]

鼻炎点鼻薬　新ルル®点鼻薬

用法 15歳以上1回1〜2度ずつ、1日6回まで両鼻腔内に噴霧。使用間隔は3〜4時間ごと。

成分 1mL中
- ナファゾリン塩酸塩 0.5mg
- クロルフェニラミンマレイン酸塩 5mg
- 塩酸リドカイン(無水物として) 3mg
- ベンゼトニウム塩化物 0.2mg

第一三共ヘルスケア株式会社

鼻炎点鼻薬　アルガード®鼻炎クールスプレー a

用法 7歳以上1回1〜2度ずつを、1日6回まで両鼻腔内に噴霧。使用間隔は3〜4時間ごと。

成分 100mL中
- 塩酸テトラヒドロゾリン 100mg
- クロルフェニラミンマレイン酸塩 500mg
- ベンゼトニウム塩化物 20mg

ロート製薬株式会社

鼻炎点鼻薬　ロートアルガード®ＳＴ鼻炎スプレー

用法 7歳以上1回1度ずつ、1日3〜5回両鼻腔内に噴霧。使用間隔は3時間以上。

成分
- クロモグリク酸ナトリウム 1%
- クロルフェニラミンマレイン酸塩 0.25%
- ナファゾリン塩酸塩 0.025%
- ベンゼトニウム塩化物 0.005%

ロート製薬株式会社

鼻炎点鼻薬　ロート アルガード®クリアノーズ　季節性アレルギー専用

用法 18歳以上1回1噴霧ずつを、通常1日2回(朝・夕)両鼻腔内に噴霧。1年間に1ヵ月を超えて使用しないこと。

成分 100mL中
- フルニソリド 0.0255g(フルニソリド無水物として0.025g)

ロート製薬株式会社

うがい薬　浅田飴ＡＺうがい薬

用法 1回、本剤10〜13滴(約0.4mL)を水又は微温水約100mLにうすめて数回うがいする。これを1日数回行う。

成分 100mL中
- アズレンスルホン酸ナトリウム(水溶性アズレン) 0.5g

株式会社浅田飴

QRコードからWEBサイトの医療従事者向け製品要約テキストや添付文書をご覧いただけます。

p.109 鼻炎用点鼻薬[鼻炎点鼻薬]　　p.113 うがい薬　　p.115 口腔咽喉外用薬[口腔外用薬]　　p.116 口内炎用薬　　p.118 口唇用薬

うがい薬　イソジン®うがい薬

用法　1回、本剤2〜4mLを水約60mLにうすめて、1日数回うがいする。
成分　1mL中
　　　　ポビドンヨード 70mg(有効ヨウ素として7mg)

注 本剤の使用により、銀を含有する歯科材料（義歯など）が変色することがあります。

シオノギヘルスケア株式会社

うがい薬　ケンエーうがい薬S

用法　1回、本剤2〜4mLを水約60mLに薄めて、1日数回うがいする。
成分　100mL中
　　　　ポビドンヨード 7.0g(有効ヨウ素700mg)

注 本剤の使用により、銀を含有する歯科材料（義歯等）が変色することがあります。

健栄製薬株式会社

うがい薬　新コルゲンコーワうがいぐすり

用法　通常1回3振り(約1.2mL)をコップ約1/3量(約60mL)の水にうすめてうがいする。1日数回行う。
成分　1mL中
　　　　塩化セチルピリジニウム 2.5mg
　　　　グリチルリチン酸二カリウム 2.5mg
　　　　l-メントール 5.0mg
　　　　チョウジ油 0.25mg
　　　　ハッカ油 1.5mg

興和株式会社

うがい薬　新コルゲンコーワうがいぐすり「ワンプッシュ」

用法　1回約1mL(1押し)を約50mL(コップ約1/4量)の水にうすめてうがいする。1日数回行う。
成分　1mL中
　　　　塩化セチルピリジニウム 2.5mg
　　　　グリチルリチン酸二カリウム 2.5mg
　　　　l-メントール 5.0mg
　　　　チョウジ油 0.25mg
　　　　ハッカ油 1.5mg

興和株式会社

うがい薬　パブロンうがい薬ＡＺ

用法　本品約10滴(約0.4mL)を、水又は微温水約100mLに薄めて、数回うがいする。これを1日数回行う。
成分　100mL中
　　　　アズレンスルホン酸ナトリウム水和物 0.5g

大正製薬株式会社

うがい薬 パープルショットうがい薬F

- **用法** 1回約0.5mLの本品を水又は微温湯約100mLに薄めて数回うがいする。これを1日数回行う。
- **成分** 100mL中
  アズレンスルホン酸ナトリウム(水溶性アズレン) 0.4g

ダイヤ製薬株式会社

うがい薬 明治うがい薬

- **用法** 1回、本剤2〜4mLを水約60mLにうすめて、1日数回うがいする。
- **成分** 1mL中
  ポビドンヨード 70mg(有効ヨウ素として7mg)

注 本剤の使用により、銀を含有する歯科材料（義歯等）が変色することがあります。／ お問い合わせ窓口は、Meiji Seikaファルマ株式会社となります。

株式会社明治

うがい薬 ラリンゴール®

- **用法** 通常1回2〜3振り(約0.5mL)をコップ半量(約100mL)の水にうすめてうがいする。1日3〜5回行う。
- **成分** 100mL中
  ミルラチンキ 1,000mg
  ラタニアチンキ 400mg
  サリチル酸フェニル 600mg
  チモール 100mg

佐藤製薬株式会社

口腔外用薬 浅田飴AZのどスプレーS

- **用法** 1日数回、適量を患部に噴射塗布。
- **成分** 1mL中
  アズレンスルホン酸ナトリウム(水溶性アズレン) 0.2mg

株式会社浅田飴

口腔外用薬 ディアポピー

- **用法** 1日数回、適量をのどの粘膜面に噴射塗布。
- **成分** 100mL中
  ポビドンヨード 0.45g

注 本剤の使用により、銀を含有する歯科材料（義歯等）が変色することがあります。

ダイヤ製薬株式会社

QRコードからWEBサイトの医療従事者向け製品要約テキストや添付文書をご覧いただけます。

p.109 鼻炎用点鼻薬[鼻炎点鼻薬]　　p.113 うがい薬　　p.115 口腔咽喉外用薬[口腔外用薬]　　p.116 口内炎用薬　　p.118 口唇用薬

口腔外用薬	**のどぬーるスプレー　ＥＸクール**

用法　1日数回、適量を患部に噴射。
成分　100mL中
　　　ヨウ素 0.5g

小林製薬株式会社

口腔外用薬	**のどぬーるスプレーＢ**

用法　1日数回、適量を患部に噴射。
成分　100mL中
　　　ヨウ素 0.5g

小林製薬株式会社

口腔外用薬	**パブロントローチＡＺ**

用法　15歳以上1回1錠1日4〜6回、5歳以上15歳未満1回1錠1日2〜3回、かまずに口中でゆっくり溶かして服用。
成分　1錠中 [15歳以上、5歳以上15歳未満の1回量に相当]
　　　アズレンスルホン酸ナトリウム 0.8mg
　　　グリチルリチン酸二カリウム 2.5mg
　　　セチルピリジニウム塩化物水和物 1mg

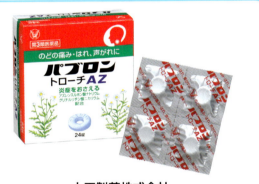
大正製薬株式会社

口腔外用薬	**パープルショット**

用法　1日数回適量を患部に噴射塗布。
成分　本剤1mL中
　　　アズレンスルホン酸ナトリウム水和物(水溶性アズレン) 0.2mg

ダイヤ製薬株式会社

口内炎用薬	**アフタガード**

用法　1日1〜数回、適量を患部に塗布。
成分　100g中
　　　トリアムシノロンアセトニド 100mg

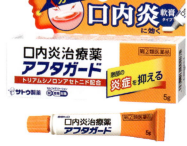
佐藤製薬株式会社

注 剤型：塗布剤[軟膏剤]

p.119-121 外用歯槽膿漏薬[歯槽膿漏薬]

口内炎用薬　アフタッチ®A

用法 5歳以上1患部に、1回1錠、1日1〜2回白色面を患部粘膜に付着。
成分 1錠中 [5歳以上の1回量に相当]
　　　トリアムシノロンアセトニド 0.025mg

剤型：貼付剤[パッチ剤]

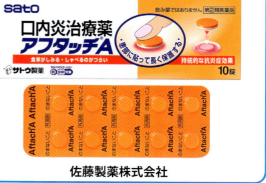
佐藤製薬株式会社

口内炎用薬　サトウ口内軟膏

用法 1日2〜4回、患部を清浄にした後、適量を塗布。
成分
　　　アズレンスルホン酸ナトリウム 0.02%
　　　グリチルレチン酸 0.3%
　　　セチルピリジニウム塩化物水和物 0.1%

剤型：塗布剤[軟膏剤]

佐藤製薬株式会社

口内炎用薬　口内炎軟膏大正クイックケア

用法 1日1〜数回、適量を患部に塗布。
成分 100g中
　　　トリアムシノロンアセトニド 0.1g

剤型：塗布剤[軟膏剤]

大正製薬株式会社

口内炎用薬　口内炎パッチ大正A

用法 5歳以上1患部に1回1枚、1日1〜4回、患部粘膜に付着。
成分 1枚(1パッチ)中
　　　シコンエキス 0.10mg(シコンとして4.55mg)
　　　グリチルレチン酸 0.15mg

剤型：貼付剤[パッチ剤]

大正製薬株式会社

口内炎用薬　口内炎パッチ大正クイックケア

用法 5歳以上1患部に1回1枚、1日1〜2回、患部粘膜に付着。
成分 1枚(1パッチ)中
　　　トリアムシノロンアセトニド 0.025mg

剤型：貼付剤[パッチ剤]

大正製薬株式会社

QRコードからWEBサイトの医療従事者向け製品要約テキストや添付文書をご覧いただけます。

p 109 鼻炎用点鼻薬[鼻炎点鼻薬]　　p.113 うがい薬　　p.115 口腔咽喉外用薬[口腔外用薬]　　p.116 口内炎用薬　　p.118 口唇用薬

口内炎用薬　トラフル　ダイレクト

用法 5歳以上1患部に、1回1枚、1日1〜2回、オレンジ色面を患部粘膜に付着。
成分 1枚中
トリアムシノロンアセトニド 0.025mg

剤型：貼付剤[フィルム剤]

第一三共ヘルスケア株式会社

口内炎用薬　トラフル軟膏PROクイック

用法 1日1〜数回、適量を患部に塗布。
成分 100g中
トリアムシノロンアセトニド 0.1g

剤型：塗布剤[軟膏剤]

第一三共ヘルスケア株式会社

口唇用薬　アラセナS

用法 1日1〜4回、適量を患部に塗布。
成分 1g中
ビダラビン 30mg

佐藤製薬株式会社

口唇用薬　アラセナSクリーム

用法 1日1〜4回、適量を患部に塗布。
成分 1g中
ビダラビン 30mg

佐藤製薬株式会社

口唇用薬　ヘルペシアクリーム

用法 1日3〜5回、適量を患部に塗布。
成分 1g中
アシクロビル 50mg

大正製薬株式会社

p.119-121 外用歯槽膿漏薬[歯槽膿漏薬]

口唇用薬　メンソレータム® メディカルリップ n c

用法 1日数回、適量を患部に塗布。

成分
トコフェロール酢酸エステル(ビタミンE誘導体) 0.2%
グリチルレチン酸 0.3%
ピリドキシン塩酸塩(ビタミンB6) 0.1%
アラントイン 0.5%
セチルピリジニウム塩化物水和物 0.1%

ロート製薬株式会社

口唇用薬　モアリップN

用法 1日数回、適量を患部に塗布。

成分 1g中
アラントイン 5mg
グリチルレチン酸 3mg
トコフェロール酢酸エステル(ビタミンE) 2mg
ピリドキシン塩酸塩(ビタミンB6) 1mg
パンテノール 5mg

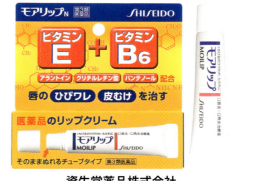

資生堂薬品株式会社

歯槽膿漏薬　アセス®

用法 適量(1.0g、約3cm)を歯ブラシにつけて、1日2回(朝・夕)歯肉をマッサージするように磨く。

成分
カミツレチンキ 1.25%
ラタニアチンキ 1.25%
ミルラチンキ 0.62%

佐藤製薬株式会社

歯槽膿漏薬　アセス®L

用法 適量(1.0g、約3cm)を歯ブラシにつけて、1日2回(朝・夕)歯肉をマッサージするように磨く。

成分
カミツレチンキ 1.25%
ラタニアチンキ 1.25%
ミルラチンキ 0.62%

佐藤製薬株式会社

歯槽膿漏薬　アセス®液

用法 1日2回(朝・夕)歯肉をブラッシングした後、本剤1mLを水で15倍に薄めて、歯肉部分を中心に約30秒間激しく口をすすぐ。

成分
カミツレチンキ 1.25%
ラタニアチンキ 1.25%
ミルラチンキ 0.62%

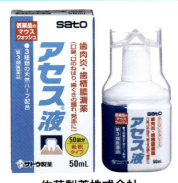

佐藤製薬株式会社

QRコードからWEBサイトの医療従事者向け製品要約テキストや添付文書をご覧いただけます。

p.109 鼻炎用点鼻薬[鼻炎点鼻薬]　　p.113 うがい薬　　p.115 口腔咽喉外用薬[口腔外用薬]　　p.116 口内炎用薬　　p.118 口唇用薬

歯槽膿漏薬　アセス®メディクリーン

用法　1日2回(朝・夕)歯肉をブラッシングした後、本剤15mLで歯肉部分を中心に約30秒間激しく口をすすぐ。

成分　150g中
　カミツレチンキ 125mg
　ミルラチンキ 62mg
　ラタニアチンキ 125mg

佐藤製薬株式会社

歯槽膿漏薬　クリーンデンタル®N

用法　歯肉炎・歯槽膿漏：1日2回(朝・晩)ブラッシング後、適量(約0.3g)を指にのせ、歯ぐきに塗擦。口内炎：1日2～4回、適量を患部に塗布。

成分　100g中
　トコフェロール酢酸エステル 2.0g
　ヒノキチオール 0.1g
　セチルピリジニウム塩化物水和物 0.05g
　グリチルリチン酸二カリウム 0.4g
　アラントイン 0.3g

第一三共ヘルスケア株式会社

歯槽膿漏薬　生葉液薬

用法　歯肉炎・歯槽膿漏：1日2回(朝・晩)ブラッシング後、適量(約0.3g)を綿棒を用いて歯ぐきに塗擦。口内炎：1日2～4回、適量を患部に塗布。

成分　100g中
　ヒノキチオール 0.1g
　セチルピリジニウム塩化物水和物 0.05g
　グリチルリチン酸二カリウム 0.4g
　アラントイン 0.3g

小林製薬株式会社

歯槽膿漏薬　生葉口内塗薬

用法　歯肉炎・歯槽膿漏：1日2回(朝・晩)ブラッシング後、適量(約0.3g)を指にのせ、歯ぐきに塗擦。口内炎：1日2～4回、適量を患部に塗布。

成分　100g中
　ヒノキチオール 0.1g
　セチルピリジニウム塩化物水和物 0.05g
　グリチルリチン酸二カリウム 0.4g
　アラントイン 0.3g

小林製薬株式会社

歯槽膿漏薬　デントヘルスB

用法　適量(約0.3g、約0.5cm)を歯ブラシにつけて、1日2回(朝・晩)歯肉をマッサージするように磨く。

成分　100g中
　トコフェロール酢酸エステル 2.0g
　グリチルレチン酸 0.3g
　セチルピリジニウム塩化物水和物 0.05g

ライオン株式会社

p.119 外用歯槽膿漏薬[歯槽膿漏薬]　　p.121-128 点眼薬

歯槽膿漏薬　デントヘルスR

用法　歯肉炎・歯槽膿漏：1日2回(朝・晩)ブラッシング後、適量(約0.3g、約1.5cm)を指にのせ、歯ぐきに塗擦。口内炎：1日2〜4回、適量を患部に塗布。

成分　100g中
グリチルリチン酸二カリウム 0.4g
アラントイン 0.3g
ヒノキチオール 0.1g
セチルピリジニウム塩化物水和物 0.05g

ライオン株式会社

歯槽膿漏薬　パラデントエース

用法　適量(1回0.2〜0.5g、約1cm)を清潔な指頭または歯ブラシなどにとり、1日数回歯グキあるいは患部に塗布、またはマッサージする。

成分　ヒノキチオール 0.1%

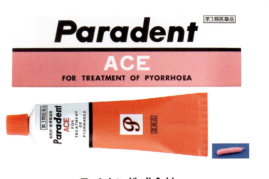

ライオン株式会社

点眼薬　サンテFX Vプラス®

用法　1回2〜3滴、1日5〜6回点眼。

成分
ビタミンB₆(ピリドキシン塩酸塩) 0.1%
タウリン 1.0%
L-アスパラギン酸カリウム 1.0%
ネオスチグミンメチル硫酸塩 0.005%
塩酸テトラヒドロゾリン 0.05%
クロルフェニラミンマレイン酸塩 0.03%
イプシロン-アミノカプロン酸 1.0%

参天製薬株式会社

点眼薬　サンテFXネオ®

用法　1回2〜3滴、1日5〜6回点眼。

成分
ネオスチグミンメチル硫酸塩 0.005%
タウリン 1.0%
L-アスパラギン酸カリウム 1.0%
塩酸テトラヒドロゾリン 0.05%
クロルフェニラミンマレイン酸塩 0.03%
イプシロン-アミノカプロン酸 1.0%

参天製薬株式会社

点眼薬　サンテPC®

用法　1回1〜3滴、1日5〜6回点眼。

成分
ビタミンB₁₂(シアノコバラミン) 0.02%
コンドロイチン硫酸エステルナトリウム 0.5%
ビタミンB₆(ピリドキシン塩酸塩) 0.1%
ネオスチグミンメチル硫酸塩 0.002%
タウリン 0.1%
グリチルリチン酸二カリウム 0.1%
クロルフェニラミンマレイン酸塩 0.01%
塩酸テトラヒドロゾリン 0.03%

参天製薬株式会社

QRコードからWEBサイトの医療従事者向け製品要約テキストや添付文書をご覧いただけます。

p.121-128 点眼薬

点眼薬 サンテPC® コンタクト

用法 1回1〜3滴、1日5〜6回点眼。
成分
- ビタミンB_6(ピリドキシン塩酸塩) 0.1%
- ネオスチグミンメチル硫酸塩 0.005%
- フラビンアデニンジヌクレオチドナトリウム(活性型ビタミンB_2) 0.05%
- イプシロン-アミノカプロン酸 1.0%

参天製薬株式会社

点眼薬 サンテボーティエ®

用法 1回1〜3滴、1日5〜6回点眼。
成分
- タウリン 1.0%
- ビタミンB_{12}(シアノコバラミン) 0.02%
- コンドロイチン硫酸エステルナトリウム 0.5%
- 塩酸テトラヒドロゾリン 0.05%
- クロルフェニラミンマレイン酸塩 0.03%

参天製薬株式会社

点眼薬 サンテボーティエ® コンタクト

用法 1回1〜3滴、1日5〜6回点眼。
成分
- ビタミンB_6(ピリドキシン塩酸塩) 0.1%
- ビタミンB_{12}(シアノコバラミン) 0.02%
- ネオスチグミンメチル硫酸塩 0.005%

参天製薬株式会社

点眼薬 サンテボーティエ® ムーンケア

用法 1回1〜3滴、1日5〜6回点眼。
成分
- L-アスパラギン酸カリウム 1.0%
- パンテノール 0.1%
- コンドロイチン硫酸エステルナトリウム 0.5%
- 天然型ビタミンE(酢酸d-α-トコフェロール) 0.05%
- 塩酸テトラヒドロゾリン 0.01%

参天製薬株式会社

点眼薬 サンテメディカル12®

用法 1回1〜3滴、1日5〜6回点眼。
成分
- ビタミンB_{12}(シアノコバラミン) 0.02%
- ネオスチグミンメチル硫酸塩 0.005%
- コンドロイチン硫酸エステルナトリウム 0.5%
- ビタミンB_6(ピリドキシン塩酸塩) 0.05%
- パンテノール 0.05%
- L-アスパラギン酸カリウム 0.5%
- タウリン 0.5%
- クロルフェニラミンマレイン酸塩 0.03%
- イプシロン-アミノカプロン酸 1.0%
- グリチルリチン酸二カリウム 0.1%
- 硫酸亜鉛水和物 0.05%
- 塩酸テトラヒドロゾリン 0.03%

参天製薬株式会社

点眼薬 サンテメディカルアクティブ®

用法 1回1～3滴、1日5～6回点眼。
成分
ビタミンA(レチノールパルミチン酸エステル) 5万単位/100mL
コンドロイチン硫酸エステルナトリウム 0.5%
天然型ビタミンE(酢酸d-α-トコフェロール) 0.05%
タウリン 0.5%
L-アスパラギン酸カリウム 0.5%
ネオスチグミンメチル硫酸塩 0.005%
クロルフェニラミンマレイン酸塩 0.03%
イプシロン-アミノカプロン酸 1.0%
塩酸テトラヒドロゾリン 0.01%

参天製薬株式会社

点眼薬 サンテメディカルガード® EX

用法 1回1～3滴、1日5～6回点眼。
成分
フラビンアデニンジヌクレオチドナトリウム(活性型ビタミンB₂) 0.05%
コンドロイチン硫酸エステルナトリウム 0.5%
タウリン 0.5%
ビタミンB₆(ピリドキシン塩酸塩) 0.1%
L-アスパラギン酸カリウム 0.5%
ネオスチグミンメチル硫酸塩 0.005%
クロルフェニラミンマレイン酸塩 0.03%
イプシロン-アミノカプロン酸 1.0%
グリチルリチン酸ニカリウム 0.25%
塩酸テトラヒドロゾリン 0.01%

参天製薬株式会社

点眼薬 サンテメディカル抗菌

用法 1回1滴、1日3～5回点眼。
成分
スルファメトキサゾール 4.0%
グリチルリチン酸ニカリウム 0.25%
タウリン 1.0%
ビタミンB₆ 0.1%

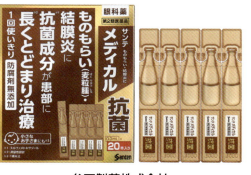

参天製薬株式会社

点眼薬 スマイル40 プレミアムDX

用法 1日3～6回、1回1～3滴を点眼。
成分 100mL中
レチノールパルミチン酸エステル(ビタミンA) 50,000単位
酢酸d-α-トコフェロール(天然型ビタミンE) 0.045g
ピリドキシン塩酸塩(ビタミンB₆) 0.01g
コンドロイチン硫酸エステルナトリウム 0.1g
タウリン 1g
L-アスパラギン酸カリウム 0.8g
ネオスチグミンメチル硫酸塩 0.005g
クロルフェニラミンマレイン酸塩 0.03g
塩酸テトラヒドロゾリン 0.01g
イプシロン-アミノカプロン酸 1g

ライオン株式会社

点眼薬 スマイル40 メディクリアDX

用法 1日3～6回、1回1～3滴を点眼。
成分 100mL中
レチノールパルミチン酸エステル(ビタミンA) 10,000単位
酢酸d-α-トコフェロール(天然型ビタミンE) 0.05g
ピリドキシン塩酸塩(ビタミンB₆) 0.08g
クロルフェニラミンマレイン酸塩 0.03g
塩酸テトラヒドロゾリン 0.02g
ベルベリン塩化物水和物 0.01g
グリチルリチン酸ニカリウム 0.25g

ライオン株式会社

QRコードからWEBサイトの医療従事者向け製品要約テキストや添付文書をご覧いただけます。

点眼薬 スマイルザメディカルA DX

用法 1日3～6回、1回1～3滴を点眼。
成分 100mL中
レチノールパルミチン酸エステル(ビタミンA) 50,000単位
酢酸d-α-トコフェロール(天然型ビタミンE) 0.05g

ライオン株式会社

点眼薬 スマイルザメディカルA DX コンタクト

用法 1日3～6回、1回1～3滴を点眼。
成分 100mL中
レチノールパルミチン酸エステル(ビタミンA) 50,000単位
酢酸d-α-トコフェロール(天然型ビタミンE) 0.05g
コンドロイチン硫酸エステルナトリウム 0.05g

ライオン株式会社

点眼薬 ソフトサンティア®

用法 1回2～3滴、1日5～6回点眼。
成分
塩化カリウム 0.1%
塩化ナトリウム 0.4%

参天製薬株式会社

点眼薬 ソフトサンティアひとみストレッチ®

用法 1回1～3滴、1日5～6回点眼。
成分
ビタミンB₁₂(シアノコバラミン) 0.02%
ネオスチグミンメチル硫酸塩 0.005%
ビタミンB₆(ピリドキシン塩酸塩) 0.1%

参天製薬株式会社

点眼薬 ノアール®CL

用法 1日3～6回、1回1～3滴点眼。
成分 15mL中
塩化ナトリウム 105mg
塩化カリウム 14.25mg

佐藤製薬株式会社

点眼薬 ヒアレイン®S

用法 1回1滴、1日5〜6回点眼。
成分
　精製ヒアルロン酸ナトリウム 0.1%

参天製薬株式会社

点眼薬 マイティア®V

用法 1回1〜2滴、1日3〜4回点眼。
成分 1mL中
　塩酸テトラヒドロゾリン 0.5mg

千寿製薬株式会社

点眼薬 マイティア®アルピタットEXα

用法 1回1〜2滴、1日4回点眼。
成分 1mL中
　クロモグリク酸ナトリウム 10mg
　クロルフェニラミンマレイン酸塩 0.3mg
　プラノプロフェン 0.5mg
　コンドロイチン硫酸エステルナトリウム 5mg

千寿製薬株式会社

点眼薬 マイティア®アルピタットNEXα

用法 1回1〜2滴、1日4回点眼。
成分 1mL中
　クロモグリク酸ナトリウム 10mg
　クロルフェニラミンマレイン酸塩 0.3mg
　プラノプロフェン 0.5mg
　コンドロイチン硫酸エステルナトリウム 5mg

千寿製薬株式会社

点眼薬 マイティア®ピントケアEX

用法 1回2〜3滴、1日5〜6回点眼。
成分 1mL中
　ネオスチグミンメチル硫酸塩 0.05mg
　アラントイン 1mg
　クロルフェニラミンマレイン酸塩 0.3mg
　酢酸d-α-トコフェロール(ビタミンE) 0.5mg
　パンテノール(プロビタミンB₅) 1mg
　L-アスパラギン酸カリウム 10mg

千寿製薬株式会社

QRコードからWEBサイトの医療従事者向け製品要約テキストや添付文書をご覧いただけます。

p.121-128 点眼薬

点眼薬 マイティア®ピントケアEX　マイルド

用法 1回2〜3滴、1日5〜6回点眼。

成分 1mL中
ネオスチグミンメチル硫酸塩 0.05mg
アラントイン 1mg
クロルフェニラミンマレイン酸塩 0.3mg
酢酸d-α-トコフェロール(ビタミンE) 0.5mg
パンテノール(プロビタミンB_5) 1mg
L-アスパラギン酸カリウム 10mg

千寿製薬株式会社

点眼薬 Newマイティア®CL-s

用法 1回2〜3滴、1日5〜6回点眼。

成分 1mL中
塩化ナトリウム 5.5mg
塩化カリウム 1.5mg
ブドウ糖 0.05mg
タウリン 1mg

千寿製薬株式会社

点眼薬 Newマイティア®CLクール-s

用法 1回2〜3滴、1日5〜6回点眼。

成分 1mL中
塩化ナトリウム 5.5mg
塩化カリウム 1.5mg
ブドウ糖 0.05mg
タウリン 1mg

千寿製薬株式会社

点眼薬 Newマイティア®CLクールHi-s

用法 1回2〜3滴、1日5〜6回点眼。

成分 1mL中
塩化ナトリウム 5.5mg
塩化カリウム 1.5mg
ブドウ糖 0.05mg
タウリン 1mg

千寿製薬株式会社

点眼薬 Newマイティア®CLアイスクラッシュ

用法 1回2〜3滴、1日5〜6回点眼。

成分 1mL中
塩化ナトリウム 5.5mg
塩化カリウム 1.5mg
コンドロイチン硫酸エステルナトリウム 0.5mg
ブドウ糖 0.05mg

千寿製薬株式会社

点眼薬 Newマイティア®CLアイスリフレッシュ

用法 1回2～3滴、1日5～6回点眼。
成分 1mL中
L-アスパラギン酸カリウム 1mg
塩化ナトリウム 1mg
塩化カリウム 1mg

千寿製薬株式会社

点眼薬 Newマイティア®CLビタクリアクール

用法 1回2～3滴、1日5～6回点眼。
成分 1mL中
ピリドキシン塩酸塩(ビタミンB_6) 1mg
シアノコバラミン(ビタミンB_{12}) 0.2mg
ネオスチグミンメチル硫酸塩 0.05mg

千寿製薬株式会社

点眼薬 Newマイティア®CL-Wケア

用法 1回2～3滴、1日5～6回点眼。
成分 1mL中
クロルフェニラミンマレイン酸塩 0.3mg
ピリドキシン塩酸塩(ビタミンB_6) 0.1mg
タウリン 1mg
コンドロイチン硫酸エステルナトリウム 5mg

千寿製薬株式会社

点眼薬 ロート アルガード® こどもクリア

用法 15歳未満1回1～3滴、1日5～6回点眼
成分
グリチルリチン酸二カリウム 0.1%
クロルフェニラミンマレイン酸塩 0.03%
ビタミンB_6(ピリドキシン塩酸塩) 0.05%
L-アスパラギン酸カリウム 0.2%

ロート製薬株式会社

点眼薬 ロートこどもソフト

用法 4ヵ月以上15歳未満1回2～3滴、1日5～6回点眼
成分
アミノエチルスルホン酸(タウリン) 1%
クロルフェニラミンマレイン酸塩 0.03%
ビタミンB_6 0.05%
L-アスパラギン酸カリウム 0.2%

ロート製薬株式会社

QRコードからWEBサイトの医療従事者向け製品要約テキストや添付文書をご覧いただけます。

p.121 点眼薬　　p.129 皮膚用薬　　p.144 魚の目・たこ・いぼ用薬[うおのめ他]　　p.145-146 水虫たむし薬[水虫たむし]

点眼薬　ロートジー®b

用法 1回2～3滴、1日5～6回点眼。

成分
- 塩酸テトラヒドロゾリン 0.05%
- クロルフェニラミンマレイン酸塩 0.03%
- ネオスチグミンメチル硫酸塩 0.003%
- ビタミンB_6 0.1%
- 硫酸亜鉛水和物 0.05%
- L-アスパラギン酸カリウム 1%

ロート製薬株式会社

点眼薬　ロートジー®プロ d

用法 1回1～3滴、1日5～6回点眼。

成分
- 塩酸テトラヒドロゾリン 0.05%
- クロルフェニラミンマレイン酸塩 0.03%
- ネオスチグミンメチル硫酸塩 0.005%
- ビタミンB_6 0.1%
- アラントイン 0.2%
- コンドロイチン硫酸エステルナトリウム 0.5%
- 硫酸亜鉛水和物 0.1%

ロート製薬株式会社

点眼薬　Vロートジュニア

用法 15歳未満1回1～3滴、1日5～6回点眼

成分
- ビタミンB_{12} 0.02%
- ビタミンB_6 0.05%
- ネオスチグミンメチル硫酸塩 0.005%
- クロルフェニラミンマレイン酸塩 0.03%
- コンドロイチン硫酸エステルナトリウム 0.5%

ロート製薬株式会社

点眼薬　Vロート　アクティブプレミアム

用法 1回1～3滴、1日5～6回点眼。

成分
- レチノールパルミチン酸エステル(ビタミンA) 50,000単位/100mL
- 塩酸テトラヒドロゾリン 0.01%
- ネオスチグミンメチル硫酸塩 0.005%
- クロルフェニラミンマレイン酸塩 0.03%
- ビタミンB_6 0.01%
- 酢酸d-α-トコフェロール(天然型ビタミンE) 0.045%
- L-アスパラギン酸カリウム 0.5%
- タウリン 1%
- コンドロイチン硫酸エステルナトリウム 0.1%

ロート製薬株式会社

点眼薬　Vロートプレミアム®

用法 1回1～2滴、1日5～6回点眼。

成分
- 塩酸テトラヒドロゾリン 0.05%
- ネオスチグミンメチル硫酸塩 0.005%
- アラントイン 0.1%
- グリチルリチン酸二カリウム 0.1%
- 硫酸亜鉛水和物 0.1%
- クロルフェニラミンマレイン酸塩 0.03%
- ビタミンB_6 0.05%
- パンテノール 0.1%
- 酢酸d-α-トコフェロール 0.025%
- L-アスパラギン酸カリウム 1%
- タウリン 0.5%
- コンドロイチン硫酸エステルナトリウム 0.25%

ロート製薬株式会社

皮膚用薬　イハダ ダーマキュア軟膏

用法　1日数回、適量を患部に塗布。
成分　1g中
- ウフェナマート 50mg
- グリチルレチン酸 3mg
- ジフェンヒドラミン 10mg
- リドカイン 10mg
- ベンゼトニウム塩化物 1mg
- トコフェロール酢酸エステル 5mg

注 剤型：塗布剤[軟膏剤] ／ 適応症：皮膚炎、湿疹、かゆみ、かぶれ、ただれ、あせも、おむつかぶれ

資生堂薬品株式会社

皮膚用薬　ウナコーワエース L

用法　1日数回、適量を患部に塗布。
成分　1mL中
- プレドニゾロン吉草酸エステル酢酸エステル(PVA) 1.5mg
- リドカイン塩酸塩 10.0mg
- ジフェンヒドラミン塩酸塩 20.0mg
- l-メントール 35.0mg
- dl-カンフル 10.0mg

注 剤型：塗布剤[液剤] ／ 効能・効果：虫さされ、かゆみ、湿疹、かぶれ、皮膚炎、あせも、じんましん

興和株式会社

皮膚用薬　新ウナコーワクール

用法　1日数回、適量を患部に塗布。
成分　1mL中
- ジフェンヒドラミン塩酸塩 20.0mg
- リドカイン 5.0mg
- l-メントール 30.0mg
- dl-カンフル 20.0mg

注 剤型：塗布剤[液剤] ／ 効能・効果：かゆみ、虫さされ

興和株式会社

皮膚用薬　エルキス®N

用法　1日数回、適量を患部に塗布。
成分　100g中
- ジフェンヒドラミン 1g
- リドカイン 0.5g
- イソプロピルメチルフェノール 0.1g
- 酸化亜鉛 5g

注 剤型：塗布剤[クリーム剤] ／ 効能・効果：湿疹、皮膚炎、ただれ、あせも、かぶれ、かゆみ、しもやけ、虫さされ、じんましん

ゼネル薬工粉河株式会社

皮膚用薬　エンペキュア™

用法　1日数回、適量を患部に塗布。
成分　100g中
- ジフェンヒドラミン 1g
- リドカイン 2g
- グリチルレチン酸 0.5g
- トコフェロール酢酸エステル 0.5g
- イソプロピルメチルフェノール 0.1g

注 剤型：塗布剤[クリーム剤] ／ 効能：かゆみ、かぶれ、湿疹、皮膚炎、じんましん、あせも、ただれ、虫さされ、しもやけ

佐藤製薬株式会社

QRコードからWEBサイトの医療従事者向け製品要約テキストや添付文書をご覧いただけます。

p.129 皮膚用薬　　p.144 魚の目・たこ・いぼ用薬[うおのめ他]　　p.145-146 水虫たむし薬[水虫たむし]

皮膚用薬　オロナイン® H軟膏

用法 患部の状態に応じて適宜ガーゼ・脱脂綿等に塗布して使用するか又は清潔な手指にて直接患部に応用。

成分 1g中
クロルヘキシジングルコン酸塩液(20%) 10mg

注 剤型：塗布剤[クリーム剤] ／ 効能・効果：にきび、吹出物、はたけ、やけど(かるいもの)、ひび、しもやけ、あかぎれ、きず、水虫(じゅくじゅくしていないもの)、たむし、いんきん、しらくも

大塚製薬株式会社

皮膚用薬　キンカン

用法 1日数回、患部に適量を塗布。

成分 100mL中
アンモニア水 21.3mL
l-メントール 1.97g
d-カンフル 2.41g
サリチル酸 0.57g
トウガラシチンキ 0.35mL(原生薬量として35mg)

注 剤型：塗布剤[液剤] ／ 効能・効果：虫さされ、かゆみ、肩こり、腰痛、打撲、捻挫

株式会社金冠堂

皮膚用薬　キンカン　ノアール（販売名：キンカン）

用法 1日数回、患部に適量を塗布。

成分 100mL中
アンモニア水 21.3mL
l-メントール 1.97g
d-カンフル 2.41g
サリチル酸 0.57g
トウガラシチンキ 0.35mL(原生薬量として35mg)

注 剤型：塗布剤[液剤] ／ 効能・効果：虫さされ、かゆみ、肩こり、腰痛、打撲、捻挫

株式会社金冠堂

皮膚用薬　キンカンソフトかゆみどめ

用法 1日数回適量を患部に塗布。

成分 100mL中
ジフェンヒドラミン塩酸塩 2g
d-カンフル 2g
l-メントール 3g

注 剤型：塗布剤[液剤] ／ 効能・効果：湿疹、皮膚炎、あせも、かぶれ、かゆみ、しもやけ、虫さされ、じんましん

株式会社金冠堂

皮膚用薬　クロキュア® EX

用法 1日数回、適量を患部に塗擦。

成分 100g中
尿素 20.0g
グリチルリチン酸ーアンモニウム 0.5g
トコフェロール酢酸エステル 2.0g
ガンマ-オリザノール 1.0g

注 剤型：塗布剤[クリーム剤] ／ 効能・効果：ひじ、ひざ、かかと、くるぶしの角化症、手指のあれ、さめ肌、老人の乾皮症

小林製薬株式会社

皮膚用薬　クロマイ®-N軟膏

用法　1日1〜数回、適量を患部に塗布。
成分　1g中
クロラムフェニコール 20mg(力価)
フラジオマイシン硫酸塩 5mg(力価)
ナイスタチン 10万単位

剤型：塗布剤[軟膏剤] ／ 効能・効果：化膿性皮膚疾患(とびひ、めんちょう、毛のう炎)

第一三共ヘルスケア株式会社

皮膚用薬　クロロマイセチン®軟膏2％A

用法　1日1〜数回、適量を患部に塗擦するか、ガーゼなどにのばして貼付。
成分　100g中
クロラムフェニコール 2g(力価)

剤型：塗布剤[クリーム剤] ／ 効能・効果：化膿性皮膚疾患(とびひ、めんちょう、毛のう炎)

第一三共ヘルスケア株式会社

皮膚用薬　ケラチナミンコーワ20％尿素配合クリーム

用法　1日数回、適量を患部に塗擦。
成分　100g中
尿素 20.0g

剤型：塗布剤[クリーム剤] ／ 効能・効果：手指のあれ、ひじ・ひざ・かかと・くるぶしの角化症、老人の乾皮症、さめ肌

興和株式会社

皮膚用薬　ケラチナミンコーワ乳状液20

用法　1日数回、適量を患部に塗擦。
成分　100g中
尿素 20.0g
ジフェンヒドラミン塩酸塩 1.0g
グリチルレチン酸 0.3g

剤型：塗布剤[ローション剤] ／ 効能・効果：かゆみを伴う乾燥性皮膚(成人・老人の乾皮症)

興和株式会社

皮膚用薬　ザーネメディカルクリーム

用法　1日1〜数回、適量を患部にすりこむか、またはガーゼなどにのばして貼付。
成分　100g中
ヘパリン類似物質 0.3g

剤型：塗布剤[クリーム剤] ／ 効能・効果：手指の荒れ、乾皮症、ひじ・ひざ・かかと・くるぶしの角化症、小児の乾燥性皮ふ、しもやけ(ただれを除く)、手足のひび・あかぎれ、きず・やけどのあとの皮ふのしこり・つっぱり(顔面を除く)、打身・ねんざ後のはれ、筋肉痛・関節痛

エーザイ株式会社

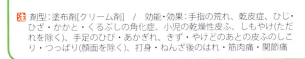
QRコードからWEBサイトの医療従事者向け製品要約テキストや添付文書をご覧いただけます。

p.129 皮膚用薬　　p.144 魚の目・たこ・いぼ用薬[うおのめ他]　　p.145-146 水虫たむし薬[水虫たむし]

皮膚用薬　ザーネメディカルスプレー

用法　1日1～数回、適量を患部に噴霧。顔には適量を手にとり塗布。
成分　100g中
　　　　ヘパリン類似物質 0.3g

注　剤型：塗布剤[液剤]　/　効能・効果：手指の荒れ、乾皮症、ひじ・ひざ・かかと・くるぶしの角化症、小児の乾燥性皮ふ、しもやけ(ただれを除く)、手足のひび・あかぎれ、きず・やけどのあとの皮ふのしこり・つっぱり(顔面を除く)、打身・ねんざ後のはれ、筋肉痛・関節痛

エーザイ株式会社

皮膚用薬　ダイアフラジンAソフト

用法　1日数回、適量を患部に塗布。
成分　100g中
　　　　ジフェンヒドラミン 1.0g
　　　　ビタミンA油(肝油類) 5.0g
　　　　　(レチノールパルミチン酸エステルとして200,000I.U.)
　　　　グリチルレチン酸 0.5g

注　剤型：塗布剤[クリーム剤]　/　効能・効果：しっしん、皮ふ炎、かゆみ、かぶれ、ただれ、あせも、虫さされ、しもやけ、じんましん

富山めぐみ製薬株式会社

皮膚用薬　ダイアフラジンA軟膏

用法　1日数回、適量を患部に塗布。
成分　100g中
　　　　ジフェンヒドラミン 1.0g
　　　　ビタミンA油(肝油類) 5.0g
　　　　　(レチノールパルミチン酸エステルとして200,000I.U.)
　　　　グリチルレチン酸 0.5g

注　剤型：塗布剤[軟膏剤]　/　効能・効果：しっしん、皮ふ炎、かゆみ、かぶれ、ただれ、あせも、虫さされ、しもやけ、じんましん

富山めぐみ製薬株式会社

皮膚用薬　ダイアフラジンEX軟膏

用法　1日数回、適量を患部に塗布。
成分　100g中
　　　　プレドニゾロン吉草酸エステル酢酸エステル(PVA) 0.15g
　　　　ビタミンA油(肝油類) 5.0g
　　　　　(レチノールパルミチン酸エステルとして200,000I.U.)
　　　　トコフェロール酢酸エステル 0.5g

注　剤型：塗布剤[軟膏剤]　/　効能・効果：しっしん、皮ふ炎、かゆみ、かぶれ、あせも、虫さされ、じんましん

富山めぐみ製薬株式会社

皮膚用薬　ダイアフラジンHB軟膏

用法　1日数回、適量を患部に塗布。
成分　100g中
　　　　アラントイン 0.2g
　　　　パンテノール(プロビタミンB_5) 1.0g
　　　　ビタミンA油(肝油類) 12.5g
　　　　　(レチノールパルミチン酸エステルとして500,000I.U.)
　　　　トコフェロール酢酸エステル 2.0g
　　　　グリチルリチン酸ジカリウム 0.5g

注　剤型：塗布剤[軟膏剤]　/　効能・効果：ひじ・ひざ・かかとのあれ、ひび、あかぎれ、指先・手のひらのあれ、しもやけ

富山めぐみ製薬株式会社

皮膚用薬　テラ・コートリル®軟膏a

用法　1日1〜数回、適量を患部に塗布するか、ガーゼなどにのばして貼付。
成分　1g中
　オキシテトラサイクリン塩酸塩 30mg(力価)
　ヒドロコルチゾン 10mg

注　剤型：塗布剤[軟膏剤] ／ 効能・効果：化膿を伴う次の諸症：湿疹、皮膚炎、あせも、かぶれ、しもやけ、虫さされ、じんましん、化膿性皮膚疾患(とびひ、めんちょう、毛のう炎)

ジョンソン・エンド・ジョンソン株式会社

皮膚用薬　テラマイシン®軟膏a

用法　1日1〜数回、適量を患部に塗布するか、ガーゼなどにのばして貼付。
成分　1g中
　オキシテトラサイクリン塩酸塩 30mg(力価)
　ポリミキシンB硫酸塩 10,000単位

注　剤型：塗布剤[軟膏剤] ／ 効能・効果：化膿性皮膚疾患(とびひ、めんちょう、毛のう炎)

ジョンソン・エンド・ジョンソン株式会社

皮膚用薬　デリケアb

用法　1日数回、適量を患部に塗布。
成分　100g中
　ジフェンヒドラミン 1.0g
　イソプロピルメチルフェノール 1.5g
　グリチルレチン酸 0.5g
　トコフェロール酢酸エステル 0.5g

注　剤型：塗布剤[クリーム剤] ／ 効能：かゆみ、かぶれ、ただれ、しっしん、皮ふ炎、じんましん、あせも、虫さされ、しもやけ

株式会社池田模範堂

皮膚用薬　デリケアエムズ

用法　1日数回、適量を患部に塗布。
成分　100g中
　ジフェンヒドラミン塩酸塩 2.0g
　グリチルレチン酸 0.2g
　イソプロピルメチルフェノール 0.1g
　l-メントール 0.5g
　トコフェロール酢酸エステル 0.5g

注　剤型：塗布剤[クリーム剤] ／ 効能：かゆみ、かぶれ、ただれ、しっしん、皮ふ炎、じんましん、あせも、虫さされ、しもやけ

株式会社池田模範堂

皮膚用薬　テレス®Ｈｉ　クリームH

用法　1日1〜数回、適量を患部に塗擦するか、又はガーゼなどにのばして貼付。
成分　1g中
　ヘパリン類似物質 3mg

注　剤型：塗布剤[クリーム剤] ／ 効能・効果：手指の荒れ、ひじ・ひざ・かかと・くるぶしの角化症、手足のひび・あかぎれ、乾皮症、小児の乾燥性皮ふ、しもやけ(ただれを除く)、きず・やけどあとの皮ふのしこり・つっぱり(顔面を除く)、打身・ねんざ後のはれ・筋肉痛・関節痛

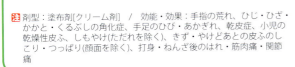

ジョンソン・エンド・ジョンソン株式会社

QRコードからWEBサイトの医療従事者向け製品要約テキストや添付文書をご覧いただけます。

p.129 皮膚用薬　　p.144 魚の目・たこ・いぼ用薬[うおのめ他]　　p.145-146 水虫たむし薬[水虫たむし]

皮膚用薬　トレンタム®Gクリーム

用法 1日数回、適量を患部に塗布。
成分 1g中
ウフェナマート 50mg
リドカイン 10mg
クロルフェニラミンマレイン酸塩 10mg
トコフェロール酢酸エステル(ビタミンE酢酸エステル) 5mg
グリチルリチン酸二カリウム 5mg

注 剤型：塗布剤[クリーム剤] ／ 効能：皮膚炎、かぶれ、湿疹、かゆみ、おむつかぶれ、ただれ、あせも

佐藤製薬株式会社

皮膚用薬　トレンタム®Gローション

用法 1日数回、適量を患部に塗布。
成分 1g中
ウフェナマート 50mg
リドカイン 10mg
クロルフェニラミンマレイン酸塩 10mg
トコフェロール酢酸エステル(ビタミンE酢酸エステル) 5mg
グリチルリチン酸二カリウム 5mg

注 剤型：塗布剤[ローション剤] ／ 効能：皮膚炎、かぶれ、湿疹、かゆみ、おむつかぶれ、ただれ、あせも

佐藤製薬株式会社

皮膚用薬　バストップケア

用法 1日数回、適量を患部に塗布。
成分 100g中
ジフェンヒドラミン 1.0g
l-メントール 5.0g
dl-カンフル 1.0g
グリチルレチン酸 0.3g
パンテノール(プロビタミンB_5) 1.0g

注 剤型：塗布剤[クリーム剤] ／ 効能：かゆみ、皮ふ炎、かぶれ、ただれ、しっしん、じんましん、あせも、虫さされ、しもやけ

株式会社池田模範堂

皮膚用薬　ヒビケアFT

用法 1日数回、適量を患部に塗布。
成分 100g中
ビタミンA油 0.5g(ビタミンAとして500000国際単位)
アラントイン 0.2g
パンテノール(プロビタミンB_5) 1.0g
トコフェロール酢酸エステル 2.0g
グリセリン 40.0g
ジフェンヒドラミン 0.5g

注 剤型：塗布剤[クリーム剤] ／ 効能：ひじ・ひざ・かかとのあれ、ひび、あかぎれ、指先・手のひらのあれ、しもやけ

株式会社池田模範堂

皮膚用薬　ヒビケア軟膏a

用法 1日数回、適量を患部に塗布。
成分 100g中
アラントイン 0.2g
パンテノール(プロビタミンB_5) 1.0g
トコフェロール酢酸エステル 0.2g
グリセリン 40.0g
ジフェンヒドラミン 0.5g

注 剤型：塗布剤[クリーム剤] ／ 効能：ひび、あかぎれ、しもやけ

株式会社池田模範堂

皮膚用薬　ヒルマイルドクリーム

用法　1日1〜数回、適量を患部にすりこむか、又はガーゼ等にのばして貼付。
成分　100g中
　　　ヘパリン類似物質 0.3g

注 剤型：塗布剤[クリーム剤]　/　効能・効果：手指の荒れ、ひじ・ひざ・かかと・くるぶしの角化症、手足のひび・あかぎれ、乾皮症、小児の乾燥性皮ふ、しもやけ(ただれを除く)、きず・やけどのあとの皮ふのしこり・つっぱり(顔面を除く)、打身・ねんざ後のはれ・筋肉痛・関節痛

健栄製薬株式会社

皮膚用薬　ヒルマイルドローション

用法　1日1〜数回、適量を患部にすりこむか、又はガーゼ等にのばして貼付。
成分　100g中
　　　ヘパリン類似物質 0.3g

注 剤型：塗布剤[ローション剤]　/　効能・効果：手指の荒れ、ひじ・ひざ・かかと・くるぶしの角化症、手足のひび・あかぎれ、乾皮症、小児の乾燥性皮ふ、しもやけ(ただれを除く)、きず・やけどのあとの皮ふのしこり・つっぱり(顔面を除く)、打身・ねんざ後のはれ・筋肉痛・関節痛

健栄製薬株式会社

皮膚用薬　フェミニーナ®軟膏S

用法　1日数回、患部に適量を塗布。
成分　100g中
　　　リドカイン 2.0g
　　　ジフェンヒドラミン塩酸塩 2.0g
　　　イソプロピルメチルフェノール 0.1g
　　　トコフェロール酢酸エステル 0.3g

注 剤型：塗布剤[クリーム剤]　/　効能・効果：かゆみ、かぶれ、湿疹、虫さされ、皮ふ炎、じんましん、あせも、ただれ、しもやけ

小林製薬株式会社

皮膚用薬　フェルゼア®　DX20ローション

用法　15歳以上。1日数回、適量を患部に塗擦。
成分　1g中
　　　尿素 200mg
　　　ジフェンヒドラミン 10mg
　　　リドカイン 20mg
　　　グリチルリチン酸二カリウム 5mg
　　　トコフェロール酢酸エステル 5mg

注 剤型：塗布剤[ローション剤]　/　適応症：かゆみを伴う乾燥性皮膚(成人・老人の乾皮症)

ライオン株式会社

皮膚用薬　フェルゼア®　HA20クリーム

用法　15歳以上。1日数回、適量を患部に塗擦。
成分　1g中
　　　尿素 200mg
　　　グリチルリチン酸二カリウム 5mg
　　　トコフェロール酢酸エステル 5mg

注 剤型：塗布剤[クリーム剤]　/　適応症：手指のあれ、ひじ・ひざ・かかと・くるぶしの角化症、老人の乾皮症、さめ肌

ライオン株式会社

QRコードからWEBサイトの医療従事者向け製品要約テキストや添付文書をご覧いただけます。

p.129 皮膚用薬　　p.144 魚の目・たこ・いぼ用薬[うおのめ他]　　p.145-146 水虫たむし薬[水虫たむし]

皮膚用薬　フェルゼア　クリームM

用法　1日数回、適量を手足のかさついた部分、またはあれた部分に塗擦。
成分　1g中
　　　尿素 100mg
　　　グリチルリチン酸二カリウム 5mg
　　　酢酸トコフェロール(ビタミンE) 5mg

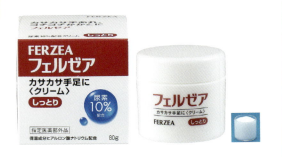

剤型：塗布剤[クリーム剤] / 効能・効果：手足のかさつき・あれの緩和

ライオン株式会社

皮膚用薬　フルコート®f

用法　1日1～数回、適量を患部に塗布。
成分　1g中
　　　フルオシノロンアセトニド(合成副腎皮質ホルモン) 0.25mg
　　　フラジオマイシン硫酸塩(抗生物質) 3.5mg(力価)

剤型：塗布剤[軟膏剤] / 効能：◎化膿を伴う次の諸症：湿疹、皮膚炎、あせも、かぶれ、しもやけ、虫さされ、じんましん　◎化膿性皮膚疾患(とびひ、めんちょう、毛のう炎)

田辺三菱製薬株式会社

皮膚用薬　プレバリン®αクリーム

用法　1日数回、適量を患部に塗布。
成分　100g中
　　　プレドニゾロン吉草酸エステル酢酸エステル 0.15g
　　　ビタミンE酢酸エステル 0.5g
　　　リドカイン 1g
　　　イソプロピルメチルフェノール 0.1g

剤型：塗布剤[クリーム剤] / 効能・効果：湿疹、皮膚炎、あせも、かぶれ、かゆみ、虫さされ、じんましん

ゼリア新薬工業株式会社

皮膚用薬　プレバリン®マイケア

用法　1日数回、適量を患部に塗布。
成分　100g中
　　　ジフェンヒドラミン塩酸塩 2g
　　　トコフェロール酢酸エステル 0.5g
　　　リドカイン 2g
　　　グリチルリチン酸二カリウム 0.5g
　　　アラントイン 0.2g

剤型：塗布剤[クリーム剤] / 効能・効果：かゆみ、かぶれ、ただれ、あせも、湿疹、皮膚炎、しもやけ、虫さされ、じんましん

ゼリア新薬工業株式会社

皮膚用薬　ペアアクネクリームW

用法　1日数回、石けんで洗顔後、適量を患部に塗布。
成分
　　　イブプロフェンピコノール(IPPN) 3.0%
　　　イソプロピルメチルフェノール(IPMP) 0.3%

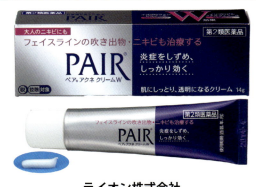

剤型：塗布剤[クリーム剤] / 効能・効果：吹き出物、ニキビ

ライオン株式会社

皮膚用薬 ポリベビー®

用法 1日1〜2回、適量を患部に塗布。
成分 10g中
ビタミンA油 10mg(ビタミンAとして10,000I.U.)
エルゴカルシフェロール(ビタミンD_2) 0.01mg
トリクロロカルバニリド 30mg
ジフェンヒドラミン 50mg
酸化亜鉛 1,000mg

注 剤型:塗布剤[軟膏剤] / 効能:おむつかぶれ、あせも、湿疹、皮膚炎、ただれ、かぶれ、かゆみ、しもやけ、虫さされ、じんま疹

佐藤製薬株式会社

皮膚用薬 マキロン® s

用法 1日数回、患部に噴霧又はガーゼ・脱脂綿に浸して塗布。
成分 100mL中
ベンゼトニウム塩化物 0.1g
アラントイン 0.2g
クロルフェニラミンマレイン酸塩 0.2g

注 剤型:塗布剤[液剤] / 効能・効果:切傷、すり傷、さし傷、かき傷、靴ずれ、創傷面の殺菌・消毒、痔疾の場合の肛門の殺菌・消毒

第一三共ヘルスケア株式会社

皮膚用薬 ミーミエイド

用法 1日数回、適量を患部に塗布。
成分 100g中
ウフェナマート 5.0g
ジフェンヒドラミン 1.0g
グリチルレチン酸 0.3g
トコフェロール酢酸エステル 0.5g
ベンゼトニウム塩化物 0.1g

注 剤型:塗布剤[クリーム剤] / 効能・効果:湿疹、皮ふ炎、ただれ、あせも、かぶれ、かゆみ、おむつかぶれ

小林製薬株式会社

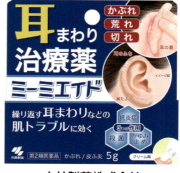

皮膚用薬 ムヒのきず液

用法 1日数回、患部に噴霧またはガーゼ、脱脂綿に浸して塗布。
成分 75mL中
ベンゼトニウム塩化物 75mg
アラントイン 150mg

©やなせたかし／フレーベル館・TMS・NTV
注 剤型:塗布剤[液剤] / 効能:すり傷、きり傷、さし傷、かき傷、靴ずれ、創傷面の殺菌・消毒

株式会社池田模範堂

皮膚用薬 ムヒパッチA

用法 パッチを台紙からはがし、1日数回患部に貼付。
成分 膏体100g中
ジフェンヒドラミン 1.0g
イソプロピルメチルフェノール 1.0g
l-メントール 3.0g

©やなせたかし／フレーベル館・TMS・NTV
注 剤型:貼付剤[パッチ剤] / 効能:虫さされ、かゆみ、しもやけ

株式会社池田模範堂

QRコードからWEBサイトの医療従事者向け製品要約テキストや添付文書をご覧いただけます。

p.129 皮膚用薬　　p.144 魚の目・たこ・いぼ用薬[うおのめ他]　　p.145-146 水虫たむし薬[水虫たむし]

皮膚用薬　ムヒS

用法　1日数回、適量を患部に塗布。
成分　100g中
　　　ジフェンヒドラミン 1.0g
　　　グリチルレチン酸 0.3g
　　　l-メントール 5.0g
　　　dl-カンフル 1.0g
　　　イソプロピルメチルフェノール 0.1g

注　剤型：塗布剤[クリーム剤]　/　効能：かゆみ、虫さされ、かぶれ、しっしん、じんましん、あせも、しもやけ、皮ふ炎、ただれ

株式会社池田模範堂

皮膚用薬　液体ムヒ®S2a

用法　1日数回、適量を患部に塗布。
成分　100mL中
　　　デキサメタゾン酢酸エステル 25mg
　　　ジフェンヒドラミン塩酸塩 2.0g
　　　l-メントール 3.5g
　　　dl-カンフル 1.0g
　　　グリチルレチン酸 0.2g
　　　イソプロピルメチルフェノール 0.1g

注　剤型：塗布剤[液剤]　/　効能：かゆみ、虫さされ、皮ふ炎、かぶれ、じんましん、しっしん、しもやけ、あせも

株式会社池田模範堂

皮膚用薬　ポケムヒS

用法　1日数回、適量を患部に塗布。
成分　100mL中
　　　ジフェンヒドラミン塩酸塩 2.0g
　　　l-メントール 5.0g
　　　dl-カンフル 1.0g
　　　グリチルレチン酸 0.2g

注　剤型：塗布剤[液剤]　/　効能：かゆみ、虫さされ、皮ふ炎、かぶれ、じんましん、しっしん、あせも

株式会社池田模範堂

皮膚用薬　ポケムヒSハローキティ

用法　1日数回、適量を患部に塗布。
成分　100mL中
　　　ジフェンヒドラミン塩酸塩 2.0g
　　　l-メントール 5.0g
　　　dl-カンフル 1.0g
　　　グリチルレチン酸 0.2g

注　剤型：塗布剤[液剤]　/　効能：かゆみ、虫さされ、皮ふ炎、かぶれ、じんましん、しっしん、あせも

株式会社池田模範堂

皮膚用薬　ムヒソフトGX

用法　1日数回、適量を患部に塗布。
成分　100g中
　　　ジフェンヒドラミン塩酸塩 2.0g
　　　パンテノール(プロビタミンB$_5$) 1.0g
　　　トコフェロール酢酸エステル 0.5g
　　　グリチルレチン酸 0.2g

注　剤型：塗布剤[クリーム剤]　/　効能：かゆみ、皮ふ炎、かぶれ、じんましん、あせも、しもやけ、虫さされ、ただれ

株式会社池田模範堂

| 皮膚用薬 | **ムヒソフトＧＸ乳状液** |

用法 1日数回、適量を患部に塗布。
成分 100g中
　ジフェンヒドラミン塩酸塩 2.0g
　パンテノール(プロビタミンB₅) 1.0g
　トコフェロール酢酸エステル 0.5g
　グリチルレチン酸 0.2g

注 剤型：塗布剤[ローション剤] ／ 効能：かゆみ、皮ふ炎、かぶれ、しっしん、じんましん、あせも、しもやけ、虫さされ、ただれ

株式会社池田模範堂

| 皮膚用薬 | **ムヒ・ベビーb** |

用法 1日数回、適量を患部に塗布。
成分 100g中
　ジフェンヒドラミン 1.0g
　グリチルレチン酸 0.5g
　イソプロピルメチルフェノール 1.5g
　トコフェロール酢酸エステル 0.5g

注 剤型：塗布剤[クリーム剤] ／ 効能：かゆみ、虫さされ、あせも、かぶれ、しっしん、じんましん、皮ふ炎、しもやけ、ただれ

株式会社池田模範堂

| 皮膚用薬 | **液体ムヒベビー** |

用法 1日数回、適量を患部に塗布。
成分 100g中
　ジフェンヒドラミン塩酸塩 2.0g
　パンテノール(プロビタミンB₅) 1.0g

注 剤型：塗布剤[液剤] ／ 効能：かゆみ、虫さされ、あせも、かぶれ、しっしん、じんましん、皮ふ炎、しもやけ、ただれ

株式会社池田模範堂

| 皮膚用薬 | **ムヒアルファＥＸ** |

用法 1日数回、適量を患部に塗布。
成分 100g中
　プレドニゾロン吉草酸エステル酢酸エステル(PVA) 0.15g
　ジフェンヒドラミン塩酸塩 1.0g
　l-メントール 3.5g
　dl-カンフル 1.0g
　クロタミトン 5.0g
　イソプロピルメチルフェノール 0.1g

注 剤型：塗布剤[クリーム剤] ／ 効能：虫さされ、かゆみ、しっしん、皮ふ炎、かぶれ、じんましん、あせも

株式会社池田模範堂

| 皮膚用薬 | **液体ムヒアルファＥＸ** |

用法 1日数回、適量を患部に塗布。
成分 100mL中
　プレドニゾロン吉草酸エステル酢酸エステル(PVA) 0.15g
　ジフェンヒドラミン塩酸塩 1.0g
　l-メントール 3.5g
　dl-カンフル 1.0g
　イソプロピルメチルフェノール 0.1g

注 剤型：塗布剤[液剤] ／ 効能：虫さされ、かゆみ、しっしん、皮ふ炎、かぶれ、じんましん、あせも

株式会社池田模範堂

QRコードからWEBサイトの医療従事者向け製品要約テキストや添付文書をご覧いただけます。

p.129 皮膚用薬　　p.144 魚の目・たこ・いぼ用薬[うおのめ他]　　p.145-146 水虫たむし薬[水虫たむし]

皮膚用薬　ムヒアルファSⅡ

用法 1日数回、適量を患部に塗布。
成分 100g中
- ジフェンヒドラミン塩酸塩 2.0g
- デキサメタゾン酢酸エステル 25mg
- l-メントール 3.5g
- dl-カンフル 1.0g
- クロタミトン 5.0g
- グリチルレチン酸 0.2g
- イソプロピルメチルフェノール 0.1g

注 剤型：塗布剤[クリーム剤]　/　効能：虫さされ、かゆみ、しっしん、皮ふ炎、かぶれ、じんましん、あせも、しもやけ

株式会社池田模範堂

皮膚用薬　アセムヒEX

用法 1日数回、適量を患部に塗布。
成分 100g中
- プレドニゾロン吉草酸エステル酢酸エステル(PVA) 0.15g
- ジフェンヒドラミン 1.0g
- l-メントール 3.5g
- クロタミトン 5.0g
- タンニン酸 0.06g

注 剤型：塗布剤[クリーム剤]　/　効能：かゆみ、かぶれ、しっしん、皮ふ炎、あせも、じんましん、虫さされ

株式会社池田模範堂

皮膚用薬　液体アセムヒEX

用法 1日数回、適量を患部に塗布。
成分 100mL中
- プレドニゾロン吉草酸エステル酢酸エステル(PVA) 0.15g
- ジフェンヒドラミン塩酸塩 1.0g
- l-メントール 3.5g
- タンニン酸 0.06g

注 剤型：塗布剤[液剤]　/　効能：かゆみ、かぶれ、しっしん、皮ふ炎、あせも、じんましん、虫さされ

株式会社池田模範堂

皮膚用薬　ムヒHDm

用法 1日数回、適量を患部に塗布。
成分 100g中
- ジフェンヒドラミン塩酸塩 1.0g
- プレドニゾロン吉草酸エステル酢酸エステル(PVA) 0.15g
- l-メントール 1.0g
- アラントイン 0.2g
- パンテノール(プロビタミンB5) 1.0g
- イソプロピルメチルフェノール 0.1g

注 剤型：塗布剤[液剤]　/　効能：かゆみ、しっしん、皮ふ炎、かぶれ、あせも、じんましん、虫さされ

株式会社池田模範堂

皮膚用薬　ムヒエイチディ

用法 1日数回、適量を患部に塗布。
成分 100g中
- ジフェンヒドラミン塩酸塩 1.0g
- プレドニゾロン吉草酸エステル酢酸エステル(PVA) 0.15g
- l-メントール 3.5g
- アラントイン 0.2g
- パンテノール(プロビタミンB5) 1.0g
- イソプロピルメチルフェノール 0.1g

注 剤型：塗布剤[液剤]　/　効能：かゆみ、しっしん、皮ふ炎、かぶれ、あせも、じんましん、虫さされ

株式会社池田模範堂

皮膚用薬 ムヒER

用法 1日数回、適量を患部に塗布。
成分 100g中
　プレドニゾロン吉草酸エステル酢酸エステル(PVA) 0.15g
　l-メントール 1.0g

注 剤型：塗布剤[液剤] ／ 効能：かゆみ、皮ふ炎、しっしん、かぶれ、あせも、じんましん、虫さされ

株式会社池田模範堂

皮膚用薬 メソッド ASクリーム

用法 1日数回、適量を患部に塗擦。
成分 1g中
　プレドニゾロン吉草酸エステル酢酸エステル
　　（アンテドラッグステロイド） 1.5mg
　ジフェンヒドラミン塩酸塩 20mg
　クロタミトン 50mg
　イソプロピルメチルフェノール 1mg
　トコフェロール酢酸エステル 5mg

注 剤型：塗布剤[クリーム剤] ／ 効能：かゆみ、湿疹、かぶれ、皮膚炎、あせも、虫さされ、じんましん

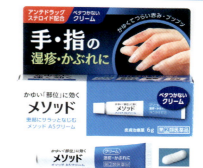
ライオン株式会社

皮膚用薬 メソッド AS軟膏

用法 1日数回、適量を患部に塗擦。
成分 1g中
　プレドニゾロン吉草酸エステル酢酸エステル
　　（アンテドラッグステロイド） 1.5mg
　ジフェンヒドラミン塩酸塩 20mg
　クロタミトン 50mg
　イソプロピルメチルフェノール 1mg
　トコフェロール酢酸エステル 5mg

注 剤型：塗布剤[軟膏剤] ／ 効能：かゆみ、湿疹、かぶれ、皮膚炎、あせも、虫さされ、じんましん

ライオン株式会社

皮膚用薬 メソッド ASローション

用法 1日数回、適量を患部に塗擦。
成分 1g中
　プレドニゾロン吉草酸エステル酢酸エステル
　　（アンテドラッグステロイド） 1.5mg
　ジフェンヒドラミン塩酸塩 20mg
　クロタミトン 50mg
　イソプロピルメチルフェノール 1mg
　トコフェロール酢酸エステル 5mg

注 剤型：塗布剤[ローション剤] ／ 効能：かゆみ、かぶれ、湿疹、皮膚炎、あせも、虫さされ、じんましん

ライオン株式会社

皮膚用薬 メソッド CLローション

用法 1日数回、適量を患部に塗布。
成分 1g中
　ジフェンヒドラミン 10mg
　リドカイン 20mg
　l-メントール 5mg
　グリチルリチン酸二カリウム 10mg
　イソプロピルメチルフェノール 1mg
　トコフェロール酢酸エステル 5mg

注 剤型：塗布剤[ローション剤] ／ 効能：かゆみ、湿疹、皮膚炎、かぶれ、あせも、ただれ、虫さされ、じんましん、しもやけ

ライオン株式会社

QRコードからWEBサイトの医療従事者向け製品要約テキストや添付文書をご覧いただけます。

p.129 皮膚用薬　　p.144 魚の目・たこ・いぼ用薬[うおのめ他]　　p.145-146 水虫たむし薬[水虫たむし]

皮膚用薬　メソッド　UFクリーム

用法　1日数回、適量を患部に塗布。
成分　1g中
　ジフェンヒドラミン 10mg
　ウフェナマート 50mg
　グリチルレチン酸 3mg
　ベンゼトニウム塩化物 1mg
　トコフェロール酢酸エステル 5mg

注 剤型：塗布剤[クリーム剤]　/　効能：かゆみ、かぶれ、湿疹、皮膚炎、あせも、ただれ、おむつかぶれ

ライオン株式会社

皮膚用薬　メソッド　WOクリーム

用法　1日数回、適量を患部に塗布。
成分　1g中
　ジフェンヒドラミン 10mg
　クロタミトン 20mg
　ウフェナマート 50mg
　アラントイン 2mg

注 剤型：塗布剤[クリーム剤]　/　効能：かゆみ、かぶれ、湿疹、皮膚炎、ただれ、あせも

ライオン株式会社

皮膚用薬　メソッド　シート

用法　1日数回、患部に塗布。
成分　100mL中
　ジフェンヒドラミン塩酸塩 2.0g
　グリチルリチン酸二カリウム 0.3g
　アラントイン 0.2g

注 剤型：塗布剤[シート剤]　/　効能：かゆみ、かぶれ、湿疹、皮膚炎、あせも、ただれ、虫さされ、じんましん、しもやけ

ライオン株式会社

皮膚用薬　メソッドプレミアム　ASクリーム

用法　1日数回、適量を患部に塗擦。
成分　1g中
　プレドニゾロン吉草酸エステル酢酸エステル
　　（アンテドラッグステロイド）1.5mg　イソプロピルメチルフェノール 1mg
　グリチルレチン酸 5mg　　トコフェロール酢酸エステル 10mg
　ジフェンヒドラミン塩酸塩 20mg
　クロタミトン 50mg
　リドカイン 20mg
　アラントイン 2mg

注 剤型：塗布剤[クリーム剤]　/　効能：かゆみ、皮膚炎、湿疹、かぶれ、あせも、虫さされ、じんましん

ライオン株式会社

皮膚用薬　メソッドプレミアム　AS軟膏

用法　1日数回、適量を患部に塗擦。
成分　1g中
　プレドニゾロン吉草酸エステル酢酸エステル
　　（アンテドラッグステロイド）1.5mg　イソプロピルメチルフェノール 1mg
　グリチルレチン酸 5mg　　トコフェロール酢酸エステル 10mg
　ジフェンヒドラミン塩酸塩 20mg
　クロタミトン 50mg
　リドカイン 20mg
　アラントイン 2mg

注 剤型：塗布剤[軟膏剤]　/　効能：かゆみ、皮膚炎、湿疹、かぶれ、あせも、虫さされ、じんましん

ライオン株式会社

| 皮膚用薬 | **メンソレータム®ＡＤクリームm** |

用法 1日数回、適量を患部に塗布。
成分 1g中
- クロタミトン 50mg
- リドカイン 20mg
- ジフェンヒドラミン 10mg
- トコフェロール酢酸エステル(ビタミンE誘導体) 5mg
- グリチルレチン酸 2mg

注 剤型:塗布剤[クリーム剤] / 効能・効果:かゆみ、皮フ炎、かぶれ、じんましん、虫さされ、しっしん、ただれ、あせも、しもやけ

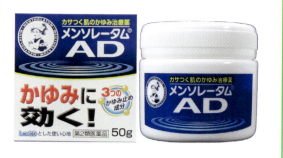
ロート製薬株式会社

| 皮膚用薬 | **ユースキン® リカＡソフト** |

用法 患部を清潔にしてから、1日数回適量を塗布。
成分 1g中
- クロタミトン 20mg
- ジフェンヒドラミン 10mg
- グリチルレチン酸 10mg
- イソプロピルメチルフェノール 5mg
- ビタミンE酢酸エステル 5mg

注 剤型:塗布剤[クリーム剤] / 効能:あせも、かぶれ、しっしん、皮ふ炎、かゆみ、ただれ、じんましん、虫さされ

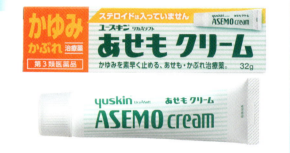
ユースキン製薬株式会社

| 皮膚用薬 | **ユースキン® リカＡソフトＰ** |

用法 患部を清潔にしてから、1日数回適量を塗布。
成分 1g中
- ジフェンヒドラミン 10mg
- グリチルレチン酸 5mg
- イソプロピルメチルフェノール 5mg
- 酸化亜鉛 50mg

注 剤型:塗布剤[クリーム剤] / 効能:あせも、かぶれ、しっしん、皮ふ炎、かゆみ、ただれ、じんましん、虫さされ

ユースキン製薬株式会社

| 皮膚用薬 | **ユースキン®Ａa** |

用法 患部を清潔にしてから、1日数回適量をよく塗擦。
成分 1g中
- トコフェロール酢酸エステル 2mg
- グリチルレチン酸 2mg
- dl-カンフル 8mg
- グリセリン 0.4g

注 剤型:塗布剤[クリーム剤] / 効能:ひび、あかぎれ、しもやけ

ユースキン製薬 株式会社

| 皮膚用薬 | **ユースキン® I** |

用法 患部を清潔にしてから、1日数回適量を塗布。
成分 1g中
- クロタミトン 20mg
- ジフェンヒドラミン 10mg
- グリチルレチン酸 10mg
- イソプロピルメチルフェノール 5mg
- ビタミンE酢酸エステル 5mg

注 剤型:塗布剤[クリーム剤] / 効能・効果:かゆみ、皮ふ炎、しっしん、じんましん、かぶれ、あせも、ただれ

ユースキン製薬株式会社

QRコードからWEBサイトの医療従事者向け製品要約テキストや添付文書をご覧いただけます。

うおのめ他　イボコロリ

用法　1日4回、キャップ付属の棒で、1滴ずつ患部に塗布。

成分　1g中
サリチル酸 0.1g

剤型：塗布剤[液剤]

横山製薬株式会社

うおのめ他　イボコロリ絆創膏ワンタッチS

用法　被覆してある剥離紙をはぎ取り、中央部のサリチル酸絆創膏が患部を覆うように貼付。

成分　膏体100g中
サリチル酸 50g

剤型：貼付剤[テープ剤]

横山製薬株式会社

うおのめ他　ウオノメコロリ

用法　1日1～2回、キャップ付属の棒で、1滴ずつ患部に塗布。

成分　100mL中
サリチル酸 10g
乳酸 10mL

剤型：塗布剤[液剤]

横山製薬株式会社

うおのめ他　ウオノメコロリ絆創膏足うら用

用法　被覆してある剥離紙をはぎ取り、中央部のサリチル酸絆創膏が患部を覆うように貼付。

成分　膏体100g中
サリチル酸 50g

剤型：貼付剤[テープ剤]

横山製薬株式会社

うおのめ他　スピール膏TMワンタッチEX

用法　本品を台紙からはがし、薬剤部分を患部にズレないように貼り、2～3日毎に新しい薬剤付パッドと交換。

成分　1cm²中
サリチル酸 45mg(サリチル酸50%配合)

剤型：貼付剤[テープ剤]

ニチバン株式会社

水虫たむし ダマリンL

用法 1日1回、適量を患部に塗布。
成分 100g中
　ミコナゾール硝酸塩 1.0g
　クロタミトン 10.0g
　リドカイン 2.0g
　グリチルリチン酸二カリウム 0.5g
　尿素 3.0g

剤型：塗布剤[クリーム剤]

大正製薬株式会社

水虫たむし ダマリングランデX

用法 1日1回、適量を患部に塗布。
成分 100g中
　テルビナフィン塩酸塩 1.0g
　イソプロピルメチルフェノール 0.3g
　リドカイン 2.0g
　グリチルレチン酸 0.5g
　l-メントール 2.0g

剤型：塗布剤[クリーム剤]

大正製薬株式会社

水虫たむし ピロエース®W液

用法 1日2〜3回、適量を患部に塗布。
成分 100mL中
　ピロールニトリン 0.2g(力価)
　クロトリマゾール 0.4g
　クロタミトン 5g
　l-メントール 1g

剤型：塗布剤[液剤]

第一三共ヘルスケア株式会社

水虫たむし ピロエース®Z液

用法 1日1回、適量を患部に塗布。
成分 100mL中
　ラノコナゾール 1.0g
　クロルフェニラミンマレイン酸塩 0.5g
　クロタミトン 5.0g
　グリチルレチン酸 0.5g
　l-メントール 1.0g

剤型：塗布剤[液剤]

第一三共ヘルスケア株式会社

水虫たむし ブテナロック®Vαクリーム

用法 1日1回、適量を患部に塗布。
成分 1g中
　ブテナフィン塩酸塩 10mg
　ジブカイン塩酸塩 2mg
　クロルフェニラミンマレイン酸塩 5mg
　グリチルレチン酸 2mg
　l-メントール 20mg
　クロタミトン 10mg
　イソプロピルメチルフェノール 3mg

剤型：塗布剤[クリーム剤]

久光製薬株式会社

QRコードからWEBサイトの医療従事者向け製品要約テキストや添付文書をご覧いただけます。

p.129 皮膚用薬　　p.144 魚の目・たこ・いぼ用薬[うおのめ他]　　p.145 水虫たむし薬[水虫たむし]　　p.147 便秘坐薬

水虫たむし　メンソレータム® エクシブ®W液

用法　1日1回、適量を患部に噴霧。
成分　100g中
　　　テルビナフィン塩酸塩 1.0g
　　　イソプロピルメチルフェノール 1.0g
　　　リドカイン 2.0g
　　　ジフェンヒドラミン塩酸塩 1.0g
　　　グリチルレチン酸 0.1g

注 剤型：塗布剤[液剤]

ロート製薬株式会社

水虫たむし　メンソレータム® エクシブ®Wきわケアジェル

用法　1日1回、適量を患部に塗布。
成分　100g中
　　　テルビナフィン塩酸塩 1.0g
　　　イソプロピルメチルフェノール 1.0g
　　　リドカイン 2.0g
　　　ジフェンヒドラミン塩酸塩 1.0g
　　　グリチルレチン酸 0.1g

注 剤型：塗布剤[ゲル剤]

ロート製薬株式会社

水虫たむし　メンソレータム® エクシブ®Wディープ10®クリーム

用法　1日1回、適量を患部に塗布。
成分　100g中
　　　テルビナフィン塩酸塩 1.0g
　　　イソプロピルメチルフェノール 1.0g
　　　尿素 10g
　　　リドカイン 2.0g
　　　ジフェンヒドラミン塩酸塩 1.0g
　　　グリチルレチン酸 0.1g

注 剤型：塗布剤[クリーム剤]

ロート製薬株式会社

水虫たむし　ラミシールＡＴクリーム

用法　1日1回、適量を患部に塗布。
成分　1g中
　　　テルビナフィン塩酸塩 10mg

注 剤型：塗布剤[クリーム剤]

グラクソ・スミスクライン・コンシューマー・ヘルスケア・ジャパン株式会社

水虫たむし　ラミシールプラスクリーム

用法　1日1回、適量を患部に塗布。
成分　100g中
　　　テルビナフィン塩酸塩 1g
　　　クロタミトン 5g
　　　グリチルレチン酸 0.5g
　　　l-メントール 2g
　　　尿素 5g

注 剤型：塗布剤[クリーム剤]

グラクソ・スミスクライン・コンシューマー・ヘルスケア・ジャパン株式会社

p.147 痔疾用薬　　p.149 女性用薬　　p.150 禁煙補助薬　　p.152-153 発毛・養毛薬

便秘坐薬　コーラック坐薬タイプ

- **用法** 12歳以上1回1個、直腸内に挿入し、それで効果のみられない場合には、さらにもう1個を挿入。
- **成分** 1個中 [12歳以上の1回量に相当]
  炭酸水素ナトリウム 0.5g
  無水リン酸二水素ナトリウム 0.68g

大正製薬株式会社

注 剤型：挿入剤[坐剤]

痔疾用薬　オシリア®

- **用法** 適量をとり、肛門部に塗布。なお、1日3回まで使用できる。
- **成分** 100g中
  ヒドロコルチゾン酢酸エステル 0.5g
  ジフェンヒドラミン塩酸塩 1.0g
  リドカイン 3.0g
  イソプロピルメチルフェノール 0.1g
  トコフェロール酢酸エステル 3.0g

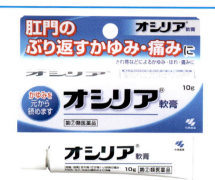
小林製薬株式会社

注 剤型：塗布剤[軟膏剤]

痔疾用薬　プリザSクリーム

- **用法** 適量をとり、1日1～3回肛門部に塗布。
- **成分** 100g中
  ヒドロコルチゾン酢酸エステル 0.3g
  塩酸リドカイン 3g
  l-メントール 0.1g
  トコフェロール酢酸エステル 1g
  セチルピリジニウム塩化物水和物 0.2g

大正製薬株式会社

注 剤型：塗布剤[クリーム剤]

痔疾用薬　プリザS坐剤

- **用法** 15歳以上1回1個、1日1～3回肛門内に挿入。
- **成分** 1.65g(1個)中
  ヒドロコルチゾン酢酸エステル 5mg
  リドカイン 60mg
  l-メントール 9mg
  アラントイン 10mg
  トコフェロール酢酸エステル 50mg
  クロルヘキシジン塩酸塩 5mg

大正製薬株式会社

注 剤型：挿入剤[坐剤]

痔疾用薬　プリザS坐剤T

- **用法** 15歳以上1回1個、1日1～3回肛門内に挿入。
- **成分** 1.00g(1個)中
  ヒドロコルチゾン酢酸エステル 5mg
  リドカイン 50mg
  l-メントール 9mg
  アラントイン 10mg
  トコフェロール酢酸エステル 50mg

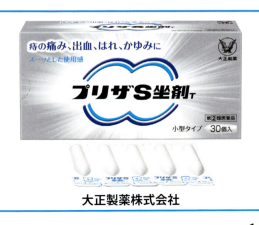
大正製薬株式会社

注 剤型：挿入剤[坐剤]

QRコードからWEBサイトの医療従事者向け製品要約テキストや添付文書をご覧いただけます。

p.147 便秘坐薬　　p.147 痔疾用薬　　p.149 女性用薬　　p.150 禁煙補助薬　　p.152-153 発毛・養毛薬

痔疾用薬　プリザエース坐剤T

用法 15歳以上1回1個、1日1～3回肛門内に挿入。

成分 1.65g(1個)中
ヒドロコルチゾン酢酸エステル 5mg
塩酸テトラヒドロゾリン 1mg
リドカイン 60mg
l-メントール 10mg
アラントイン 20mg
トコフェロール酢酸エステル 60mg
クロルヘキシジン塩酸塩 5mg

剤型：挿入剤[坐剤]

大正製薬株式会社

痔疾用薬　プリザエース注入軟膏T

用法 [注入する場合]15歳以上1回1個、1日1～3回肛門部に挿入。[塗布する場合]15歳以上1回適量、1日1～3回肛門部に塗布。

成分 2g(1個)中 [15歳以上の1回量に相当]
ヒドロコルチゾン酢酸エステル 5mg
塩酸テトラヒドロゾリン 1mg
リドカイン 60mg
l-メントール 10mg
アラントイン 20mg
トコフェロール酢酸エステル 60mg
クロルヘキシジン塩酸塩 5mg

剤型：挿入剤[軟膏剤]

大正製薬株式会社

痔疾用薬　プリザエース軟膏

用法 適量をとり、1日1～3回肛門部に塗布。

成分 100g中
ヒドロコルチゾン酢酸エステル 0.5g
塩酸テトラヒドロゾリン 0.05g
リドカイン 3g
クロルフェニラミンマレイン酸塩 0.2g
l-メントール 0.2g
アラントイン 1g
トコフェロール酢酸エステル 3g
クロルヘキシジン塩酸塩 0.25g

剤型：塗布剤[軟膏剤]

大正製薬株式会社

痔疾用薬　ボラギノール®A注入軟膏

用法 ●15歳以上1回1個、1日1～2回ノズル部分を肛門内に挿入し、全量をゆっくり注入(肛門内に注入する場合)。または●15歳以上1回適量を、1日1～3回患部に塗布。なお、一度塗布に使用したものは、注入には使用しないこと(患部に塗布する場合)

成分 2g(1個)中
プレドニゾロン酢酸エステル 1mg
リドカイン 60mg
アラントイン 20mg
ビタミンE酢酸エステル
　(トコフェロール酢酸エステル) 50mg

剤型：挿入剤[軟膏剤]

武田コンシューマーヘルスケア株式会社

痔疾用薬　ボラギノール®M坐剤

用法 15歳以上1回1個、1日1～2回肛門内に挿入。

成分 1.75g(1個)中
リドカイン 60mg
グリチルレチン酸 30mg
アラントイン 20mg
ビタミンE酢酸エステル
　(トコフェロール酢酸エステル) 50mg

剤型：挿入剤[坐剤]

武田コンシューマーヘルスケア株式会社

女性用薬　エンペシド®L

用法　15歳以上60歳未満1回1錠、1日1回(できれば就寝前)膣深部に挿入。6日間毎日続けて使用すること。ただし、3日間使用しても症状の改善がみられないか、6日間使用しても症状が消失しない場合は医師の診療を受けること。

成分　1錠中 [15歳以上60歳未満の1回量に相当]
クロトリマゾール 100mg

注　剤型：挿入剤[錠剤] ／ 効能：膣カンジタの再発。(過去に医師の診断・治療を受けた方に限る。)

佐藤製薬株式会社

女性用薬　エンペシド®Lクリーム

用法　15歳以上60歳未満1日2～3回、適量を患部に塗布。ただし、3日間使用しても症状の改善がみられないか、6日間使用しても症状が消失しない場合は医師の診療を受けること。

成分　クロトリマゾール 1%

注　剤型：挿入剤[クリーム剤] ／ 効能：膣カンジタの再発による、発疹を伴う外陰部のかゆみ(以前に医師の診断・治療を受けた方に限る。)ただし、膣症状(おりもの、熱感等)を伴う場合は、必ず膣剤(膣に挿入する薬)を併用すること

佐藤製薬株式会社

女性用薬　メンソレータム®フレディ®ＣＣ１

用法　15歳以上60歳未満1回1錠(できれば就寝前)、膣深部に挿入。ただし、3日間経過しても症状の改善がみられないか、6日間経過しても症状が消失しない場合は医師の診療を受けること。

成分　1錠中 [15歳以上60歳未満の1回量に相当]
イソコナゾール硝酸塩 600mg

注　剤型：挿入剤[錠剤] ／ 効能・効果：膣カンジタの再発。(以前に医師から、膣カンジタの診断・治療を受けたことのある人に限る。)

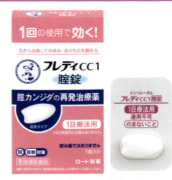
ロート製薬株式会社

女性用薬　メンソレータム®フレディ®ＣＣ１Ａ

用法　15歳以上60歳未満1回1錠(できれば就寝前)、アプリケーターを用いて膣深部に挿入。ただし、3日間経過しても症状の改善がみられないか、6日間経過しても症状が消失しない場合は医師の診療を受けること。

成分　1錠中 [15歳以上60歳未満の1回量に相当]
イソコナゾール硝酸塩 600mg

注　剤型：挿入剤[錠剤]アプリケーター付き ／ 効能・効果：膣カンジタの再発。(以前に医師から、膣カンジタの診断・治療を受けたことのある人に限る。)

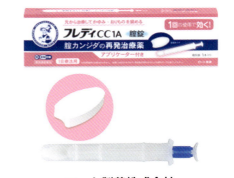
ロート製薬株式会社

女性用薬　メンソレータム®フレディ®ＣＣクリーム

用法　15歳以上60歳未満1日2～3回、適量を患部に塗布。ただし、3日間使用しても症状の改善がみられないか、6日間使用しても症状が消失しない場合は医師の診療を受けること。

成分　イソコナゾール硝酸塩 1%

注　剤型：挿入剤[クリーム剤] ／ 効能・効果：膣カンジタの再発による、発疹を伴う外陰部のかゆみ(以前に医師から、膣カンジタの診断・治療を受けたことのある人に限る。)ただし、膣症状(おりもの、熱感等)を伴う場合は、必ず膣剤(膣に挿入する薬)を併用すること

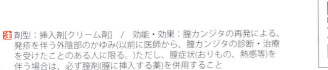

ロート製薬株式会社

QRコードからWEBサイトの医療従事者向け製品要約テキストや添付文書をご覧いただけます。

p.147 便秘坐薬　　p.147 痔疾用薬　　p.149 女性用薬　　p.150 禁煙補助薬　　p.152-153 発毛・養毛薬

女性用薬　メンソレータム®フレディ®ＣＣ膣錠

用法　15歳以上60歳未満1回1錠(できれば就寝前)、膣深部に挿入。6日間毎日続けて使用すること。ただし、3日間使用しても症状の改善がみられないか、6日間使用しても症状が消失しない場合は医師の診療を受けること。

成分　1錠中 [15歳以上60歳未満の1回量に相当]
イソコナゾール硝酸塩 100mg

剤型：挿入剤[錠剤] ／ 効能・効果：膣カンジダの再発。(以前に医師から、膣カンジダの診断・治療を受けたことのある人に限る。)

ロート製薬株式会社

禁煙補助薬　ニコチネルスペアミント

用法　タバコを吸いたいと思ったとき、1回1個をゆっくりと間をおきながら、30分～60分間かけてかむ。1日の使用個数は、通常1日4～12個から始めて適宜増減するが、1日の総使用個数は24個を超えないこと。禁煙になれてきたら(1ヵ月前後)、1週間ごとに1日の使用個数を1～2個ずつ減らし、1日の使用個数が1～2個となった段階で使用をやめる。なお、使用期間は3ヵ月を目処とする。

成分　1個中
ニコチン 2mg

グラクソ・スミスクライン・コンシューマー・ヘルスケア・ジャパン株式会社

禁煙補助薬　ニコチネルマンゴー

用法　タバコを吸いたいと思ったとき、1回1個をゆっくりと間をおきながら、30分～60分間かけてかむ。1日の使用個数は、通常1日4～12個から始めて適宜増減するが、1日の総使用個数は24個を超えないこと。禁煙になれてきたら(1ヵ月前後)、1週間ごとに1日の使用個数を1～2個ずつ減らし、1日の使用個数が1～2個となった段階で使用をやめる。なお、使用期間は3ヵ月を目処とする。

成分　1個中
ニコチン 2mg

グラクソ・スミスクライン・コンシューマー・ヘルスケア・ジャパン株式会社

禁煙補助薬　ニコチネルミント

用法　タバコを吸いたいと思ったとき、1回1個をゆっくりと間をおきながら、30分～60分間かけてかむ。1日の使用個数は、通常1日4～12個から始めて適宜増減するが、1日の総使用個数は24個を超えないこと。禁煙になれてきたら(1ヵ月前後)、1週間ごとに1日の使用個数を1～2個ずつ減らし、1日の使用個数が1～2個となった段階で使用をやめる。なお、使用期間は3ヵ月を目処とする。

成分　1個中
ニコチン 2mg

グラクソ・スミスクライン・コンシューマー・ヘルスケア・ジャパン株式会社

禁煙補助薬　ニコチネルパッチ１０

用法　最初の6週間はニコチネルパッチ20を1日1回、1枚を起床時から就寝時まで貼付し、次の2週間はニコチネルパッチ10を1日1回、1枚を起床時から就寝時まで貼付。禁煙によるイライラなどの症状がなくなり、禁煙を続ける意志が強く、禁煙を続けられる自信がある場合には、6週間のニコチネルパッチ20を使用後、7週間目以降のニコチネルパッチ10を使用せずに、本剤の使用を中止してもかまわない。貼付する場所は上腕部、腹部あるいは腰背部に毎日場所を変えて貼付。

成分　1個中
ニコチン 17.5mg

グラクソ・スミスクライン・コンシューマー・ヘルスケア・ジャパン株式会社

禁煙補助薬　ニコチネルパッチ20

用法　最初の6週間はニコチネルパッチ20を1日1回、1枚を起床時から就寝時まで貼付し、次の2週間はニコチネルパッチ10を1日1回、1枚を起床時から就寝時まで貼付。禁煙によるイライラなどの症状がなくなり、禁煙を続ける意志が強く、禁煙を続けられる自信がある場合には、6週間のニコチネルパッチ20を使用後、7週目以降のニコチネルパッチ10を使用せずに、本剤の使用を中止してもかまわない。貼付する場所は上腕部、腹部あるいは腰背部に毎日場所を変えて貼付。

成分　1個中
ニコチン 35mg

グラクソ・スミスクライン・コンシューマー・ヘルスケア・ジャパン株式会社

禁煙補助薬　ニコレット®

用法　タバコを吸いたいと思ったとき、1回1個をゆっくりと間をおきながら、30分～60分間かけてかむ。1日の使用個数は、通常1日4～12個から始めて適宜増減するが、1日の総使用個数は24個を超えないこと。禁煙になれてきたら(1ヵ月前後)、1週間ごとに1日の使用個数を1～2個ずつ減らし、1日の使用個数が1～2個となった段階で使用をやめる。なお、使用期間は3ヵ月を目処とする。

成分　1個中
ニコチン 2mg

ジョンソン・エンド・ジョンソン株式会社

禁煙補助薬　ニコレット®アイスミント

用法　タバコを吸いたいと思ったとき、1回1個をゆっくりと間をおきながら、30分～60分間かけてかむ。1日の使用個数は、通常1日4～12個から始めて適宜増減するが、1日の総使用個数は24個を超えないこと。禁煙になれてきたら(1ヵ月前後)、1週間ごとに1日の使用個数を1～2個ずつ減らし、1日の使用個数が1～2個となった段階で使用をやめる。なお、使用期間は3ヵ月を目処とする。

成分　1個中
ニコチン 2mg

ジョンソン・エンド・ジョンソン株式会社

禁煙補助薬　ニコレット®クールミント

用法　タバコを吸いたいと思ったとき、1回1個をゆっくりと間をおきながら、30分～60分間かけてかむ。1日の使用個数は、通常1日4～12個から始めて適宜増減するが、1日の総使用個数は24個を超えないこと。禁煙になれてきたら(1ヵ月前後)、1週間ごとに1日の使用個数を1～2個ずつ減らし、1日の使用個数が1～2個となった段階で使用をやめる。なお、使用期間は3ヵ月を目処とする。

成分　1個中
ニコチン 2mg

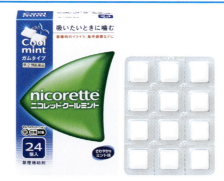

ジョンソン・エンド・ジョンソン株式会社

禁煙補助薬　ニコレット®フルーティミント

用法　タバコを吸いたいと思ったとき、1回1個をゆっくりと間をおきながら、30分～60分間かけてかむ。1日の使用個数は、通常1日4～12個から始めて適宜増減するが、1日の総使用個数は24個を超えないこと。禁煙になれてきたら(1ヵ月前後)、1週間ごとに1日の使用個数を1～2個ずつ減らし、1日の使用個数が1～2個となった段階で使用をやめる。なお、使用期間は3ヵ月を目処とする。

成分　1個中
ニコチン 2mg

ジョンソン・エンド・ジョンソン株式会社

QRコードからWEBサイトの医療従事者向け製品要約テキストや添付文書をご覧いただけます。

p.147 便秘坐薬　　p.147 痔疾用薬　　p.149 女性用薬　　p.150 禁煙補助薬　　p.152-153 発毛・養毛薬

発毛養毛薬　LABOMO　ヘアグロウ　ハナミノキ

用法　成人女性(20歳以上)が、1日2回、1回1mLを脱毛している頭皮に塗布。
成分　100mL中
　　　ミノキシジル 1.0g
　　　パントテニールエチルエーテル 1.0g
　　　トコフェロール酢酸エステル 0.08g
　　　l-メントール 0.3g

カイゲンファーマ株式会社

発毛養毛薬　LABOMO ヘアグロウ ミノキシ5

用法　成人男性(20歳以上)が、1日2回、1回1mLを脱毛している頭皮に塗布。
成分　100mL中
　　　ミノキシジル 5g

カイゲンファーマ株式会社

発毛養毛薬　アロゲイン5

用法　成人男性(20歳以上)が、1日2回、1回1mLを脱毛している頭皮に塗布。
成分　100mL中
　　　ミノキシジル 5g

佐藤製薬株式会社

発毛養毛薬　リアップ

用法　成人男性(20歳以上)が、1日2回、1回1mLを脱毛している頭皮に塗布。
成分　100mL中
　　　ミノキシジル 1.0g

大正製薬株式会社

発毛養毛薬　リアップX5プラスネオ

用法　成人男性(20歳以上)が、1日2回、1回1mLを脱毛している頭皮に塗布。
成分　100mL中
　　　ミノキシジル 5.0g
　　　ピリドキシン塩酸塩 0.05g
　　　トコフェロール酢酸エステル 0.08g
　　　l-メントール 0.3g
　　　ジフェンヒドラミン塩酸塩 0.1g
　　　グリチルレチン酸 0.1g
　　　ヒノキチオール 0.05g

大正製薬株式会社

発毛養毛薬　リアップジェット

用法 成人男性(20歳以上)が、1日2回、1回薬液1mL(15噴射)を脱毛している頭皮に噴射。

成分 100mL中
ミノキシジル 1.0g
パントテニールエチルエーテル 1.0g
トコフェロール酢酸エステル 0.08g
l-メントール 0.3g

大正製薬株式会社

発毛養毛薬　リアッププラス

用法 成人男性(20歳以上)が、1日2回、1回1mLを脱毛している頭皮に塗布。

成分 100mL中
ミノキシジル 1.0g
パントテニールエチルエーテル 1.0g
トコフェロール酢酸エステル 0.08g
l-メントール 0.3g

大正製薬株式会社

発毛養毛薬　リアップリジェンヌ

用法 成人女性(20歳以上)が、1日2回、1回1mLを脱毛している頭皮に塗布。

成分 100mL中
ミノキシジル 1.0g
パントテニールエチルエーテル 1.0g
トコフェロール酢酸エステル 0.08g
l-メントール 0.3g

大正製薬株式会社

MEMO

QRコードからWEBサイトの医療従事者向け製品要約テキストや添付文書をご覧いただけます。

安中散加茯苓[アンチュウサンカブクリョウ]　　茵蔯五苓散[インチンゴレイサン]　　温経湯[ウンケイトウ]　　葛根湯[カッコントウ]

漢方ア行　太田漢方胃腸薬Ⅱ

用法　15歳以上1回1包、7歳以上15歳未満1回2/3包を、1日3回食間(就寝前を含む)又は空腹時に水又はぬるま湯で服用。

成分　1包中 [15歳以上の1回量に相当]
安中散加茯苓末700mg (以下、生薬混合末)　　安中散料加茯苓エキス90mg (以下、生薬エキス)
　ブクリョウ(茯苓) 166.7mg　　　　　　　　　ブクリョウ(茯苓) 270mg
　ケイヒ(桂皮) 100mg　　　　　　　　　　　　ケイヒ(桂皮) 162mg
　エンゴサク(延胡索) 100mg　　　　　　　　　エンゴサク(延胡索) 162mg
　ボレイ(牡蛎) 100mg　　　　　　　　　　　　ボレイ(牡蛎) 162mg
　ウイキョウ(茴香) 66.7mg　　　　　　　　　　ウイキョウ(茴香) 108mg
　シュクシャ(縮砂) 66.7mg　　　　　　　　　　シュクシャ(縮砂) 108mg
　カンゾウ(甘草) 66.7mg　　　　　　　　　　　カンゾウ(甘草) 108mg
　リョウキョウ(良姜) 33.3mg　　　　　　　　　リョウキョウ(良姜) 54mg

注 安中散加茯苓[製 なし・処 1A]

株式会社太田胃散

漢方ア行　太田漢方胃腸薬Ⅱ＜錠剤＞

用法　15歳以上1回3錠、7歳以上15歳未満1回2錠を、1日3回食間(就寝前を含む)又は空腹時に水又はぬるま湯で服用。

成分　3錠中 [15歳以上の1回量に相当]
安中散加茯苓末700mg (以下、生薬混合末)　　安中散料加茯苓エキス90mg (以下、生薬エキス)
　ブクリョウ(茯苓) 166.7mg　　　　　　　　　ブクリョウ(茯苓) 270mg
　ケイヒ(桂皮) 100mg　　　　　　　　　　　　ケイヒ(桂皮) 162mg
　エンゴサク(延胡索) 100mg　　　　　　　　　エンゴサク(延胡索) 162mg
　ボレイ(牡蛎) 100mg　　　　　　　　　　　　ボレイ(牡蛎) 162mg
　ウイキョウ(茴香) 66.7mg　　　　　　　　　　ウイキョウ(茴香) 108mg
　シュクシャ(縮砂) 66.7mg　　　　　　　　　　シュクシャ(縮砂) 108mg
　カンゾウ(甘草) 66.7mg　　　　　　　　　　　カンゾウ(甘草) 108mg
　リョウキョウ(良姜) 33.3mg　　　　　　　　　リョウキョウ(良姜) 54mg

注 安中散加茯苓[製 なし・処 1A]

株式会社太田胃散

漢方ア行　アルピタンγ（茵蔯五苓散）

用法　15歳以上1回4錠、1日2回食前又は食間に水又はお湯で服用。

成分　4錠中 [15歳以上の1回量に相当]
茵蔯五苓散料エキスとして1g含有 / 以下に相当
　タクシャ 1.5g
　ブクリョウ 1.125g
　チョレイ 1.125g
　ビャクジュツ 1.125g
　ケイヒ 0.75g
　インチンコウ 1.0g

注 茵蔯五苓散[製 117・処 65A]

小林製薬株式会社

漢方ア行　ルナフェミン

用法　15歳以上1回4錠、7歳以上15歳未満1回3錠を、1日3回食前又は食間に水又はお湯で服用。

成分　4錠中 [15歳以上の1回量に相当]
温経湯エキスとして1173.33mg含有
　ハンゲ 0.667g　　　　　ケイヒ 0.333g
　バクモンドウ 0.667g　　ゼラチン 0.333g
　トウキ 0.5g　　　　　　ボタンピ 0.333g
　センキュウ 0.333g　　　カンゾウ 0.333g
　シャクヤク 0.333g　　　ゴシュユ 0.1667g
　ニンジン 0.333g　　　　ショウキョウ 0.08333g

注 温経湯[製 106・処 7]

ロート製薬株式会社

漢方カ行　「クラシエ」漢方葛根湯エキスEX錠

用法　15歳以上1回4錠、7歳以上15歳未満1回3錠、5歳以上7歳未満1回2錠を、1日3回食前又は食間に水又は白湯で服用。

成分　4錠中 [15歳以上の1回量に相当]
葛根湯エキスとして1,155.667mg含有/ 以下に相当
　カッコン 1.77667g　　　ショウキョウ 0.22333g
　マオウ 0.89g
　タイソウ 0.89g
　ケイヒ 0.667g
　シャクヤク 0.667g
　カンゾウ 0.44333g

注 葛根湯[製 1・処 24]

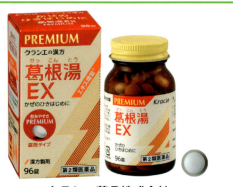
クラシエ薬品株式会社

製 医療用漢方製剤の製品番号　　処 一般用漢方製剤承認基準の処方番号　　詳細は20頁をご覧ください。

加味帰脾湯[カミキヒトウ]

漢方カ行　カコナール® 2

用法　15歳以上1回1本、1日2回を、朝夕、食前又は食間によく振ってから服用。

成分　1本中 [15歳以上の1回量に相当]
水製抽出液の葛根湯濃縮液として40.5mL含有 / 以下に相当
- 日局カッコン 4g
- 日局マオウ 2g
- 日局タイソウ 2g
- 日局ケイヒ 1.5g
- 日局シャクヤク 1.5g
- 日局カンゾウ 1g
- 日局ショウキョウ 0.5g

葛根湯 [1・24]

第一三共ヘルスケア株式会社

漢方カ行　葛根湯エキス顆粒Sクラシエ

用法　15歳以上1回1包、7歳以上15歳未満1回2/3包、4歳以上7歳未満1回1/2包、2歳以上4歳未満1回1/3包、2歳未満1回1/4包を、1日3回食前又は食間に水又は白湯で服用。

成分　1包中 [15歳以上の1回量に相当]
葛根湯エキスとして1,300mg含有 / 以下に相当
- カッコン 2g　　ショウキョウ 0.25g
- マオウ 1g
- タイソウ 1g
- ケイヒ 0.75g
- シャクヤク 0.75g
- カンゾウ 0.5g

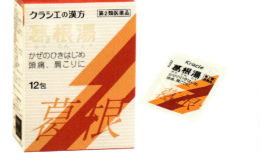

葛根湯 [1・24]

クラシエ薬品株式会社

漢方カ行　葛根湯クイック

用法　15歳以上1回1包、7歳以上15歳未満1回2/3包、4歳以上7歳未満1回1/2包、2歳以上4歳未満1回1/3包、2歳未満1回1/4包を、1日3回食前又は食間に水又は白湯で服用。

成分　1包中 [15歳以上の1回量に相当]
葛根湯エキスとして712.667mg含有 / 以下に相当
- カッコン 0.89g　　カンゾウ 0.44333g
- マオウ 0.667g　　ショウキョウ 0.22333g
- タイソウ 0.667g
- ケイヒ 0.44333g
- シャクヤク 0.44333g

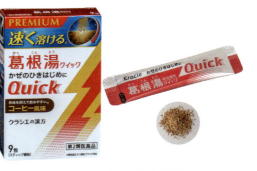

葛根湯 [1・24]

クラシエ薬品株式会社

漢方カ行　ツムラ漢方葛根湯エキス顆粒A

用法　15歳以上1回1包、7歳以上15歳未満1回2/3包、4歳以上7歳未満1回1/2包、2歳以上4歳未満1回1/3包を、1日2回食前に水又はお湯で服用。

成分　1包中 [15歳以上の1回量に相当]
葛根湯エキスとして1.25g含有 / 以下に相当
- 日局カッコン 1.34g　　日局ショウキョウ 0.67g
- 日局タイソウ 1.005g
- 日局マオウ 1.005g
- 日局カンゾウ 0.67g
- 日局ケイヒ 0.67g
- 日局シャクヤク 0.67g

葛根湯 [1・24]

株式会社ツムラ

漢方カ行　ヒロレス　加味帰脾湯錠

用法　15歳以上1回5錠、7歳以上15歳未満1回4錠、5歳以上7歳未満1回3錠を、1日3回食前又は食間に水又はお湯で服用。

成分　5錠中 [15歳以上の1回量に相当]
加味帰脾湯エキスとして1.4g含有 / 以下に相当
- ニンジン 0.5g　　オンジ 0.333g
- ソウジュツ 0.5g　　サイコ 0.5g
- ブクリョウ 0.5g　　サンシシ 0.333g
- サンソウニン 0.5g　　カンゾウ 0.1667g
- リュウガンニク 0.5g　　モッコウ 0.1667g
- オウギ 0.5g　　タイソウ 0.333g
- トウキ 0.333g　　ショウキョウ 0.1667g

加味帰脾湯 [137・34A]

小林製薬株式会社

QRコードからWEBサイトの医療従事者向け製品要約テキストや添付文書をご覧いただけます。

加味帰脾湯[カミキヒトウ]　加味逍遙散[カミショウヨウサン]　桔梗湯[キキョウトウ]　響声破笛丸[キョウセイハテキガン]

漢方カ行　ユクリズム®

用法　15歳以上1回4錠、7歳以上15歳未満1回3錠、5歳以上7歳未満1回2錠を、1日3回食前又は食間に水又はお湯で服用。

成分　4錠中 [15歳以上の1回量に相当]
加味帰脾湯エキスとして933.3mg含有 / 以下に相当
- ニンジン 0.5g
- ビャクジュツ 0.5g
- ブクリョウ 0.5g
- タイソウ 0.25g
- サイコ 0.5g
- オウギ 0.33g
- トウキ 0.33g
- サンシシ 0.33g
- オンジ 0.25g
- カンゾウ 0.167g
- モッコウ 0.167g
- ショウキョウ 0.083g
- サンソウニン 0.5g
- リュウガンニク 0.5g

加味帰脾湯[製137・処34A]

ロート製薬株式会社

漢方カ行　ツムラ漢方加味逍遙散エキス顆粒

用法　15歳以上1回1包、7歳以上15歳未満1回2/3包、4歳以上7歳未満1回1/2包、2歳以上4歳未満1回1/3包を、1日2回食前に水又はお湯で服用。

成分　1包中 [15歳以上の1回量に相当]
加味逍遙散エキスとして1g含有 / 以下に相当
- 日局サイコ 0.75g
- 日局シャクヤク 0.75g
- 日局ソウジュツ 0.75g
- 日局トウキ 0.75g
- 日局ブクリョウ 0.75g
- 日局サンシシ 0.5g
- 日局ボタンピ 0.5g
- 日局カンゾウ 0.375g
- 日局ショウキョウ 0.25g
- 日局ハッカ 0.25g

加味逍遙散[製24・処109A]

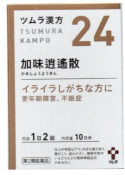

株式会社ツムラ

漢方カ行　ツムラ漢方桔梗湯エキス顆粒

用法　15歳以上1回1包、7歳以上15歳未満1回2/3包、4歳以上7歳未満1回1/2包、2歳以上4歳未満1回1/3包を、1日2回少しずつ口中に含み、水又はお湯で徐々に溶かし服用。

成分　1包中 [15歳以上の1回量に相当]
混合生薬の乾燥エキスとして0.3125g含有 / 以下に相当
- 日局カンゾウ 0.75g
- 日局キキョウ 0.5g

桔梗湯[製138・処33]

株式会社ツムラ

漢方カ行　響声破笛丸料エキス顆粒ＫＭ

用法　15歳以上1回1包、7歳以上15歳未満1回2/3包、4歳以上7歳未満1回1/2包、2歳以上4歳未満1回1/3包、2歳未満1回1/4包を、1日3回食前又は食間に水又はぬるま湯で服用。

成分　1包中 [15歳以上の1回量に相当]
響声破笛丸料水製乾燥エキスとして1.1667g含有 / 以下に相当
- ハッカ 1.33g
- レンギョウ 0.83g
- キキョウ 0.83g
- カンゾウ 0.83g
- アセンヤク 0.67g
- ダイオウ 0.33g
- シュクシャ 0.33g
- センキュウ 0.33g
- カシ 0.33g

響声破笛丸[製なし・処36]

北日本製薬株式会社

漢方カ行　ユービケア

用法　15歳以上1回1包、7歳以上15歳未満1回2/3包、4歳以上7歳未満1回1/2包、2歳以上4歳未満1回1/3包を、1日3回食前又は食間に水又はお湯で服用。

成分　1包中 [15歳以上の1回量に相当]
桂枝加苓朮附湯エキスとして0.8g含有 / 以下に相当
- ケイヒ 0.667g
- シャクヤク 0.667g
- タイソウ 0.667g
- ショウキョウ 0.1667g
- カンゾウ 0.333g
- ビャクジュツ 0.667g
- ブクリョウ 0.667g
- ブシ末 0.08333g

桂枝加苓朮附湯[製8・処46A]

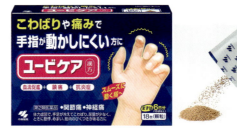

小林製薬株式会社

桂枝加苓朮附湯[ケイシカリョウジュツブトウ]　桂枝茯苓丸[ケイシブクリョウガン]　杞菊地黄丸[コギクジオウガン]　五虎湯[ゴコトウ]　五淋散[ゴリンサン]

漢方カ行　ツムラ漢方桂枝茯苓丸エキス顆粒A

用法	15歳以上1回1包、7歳以上15歳未満1回2/3包、4歳以上7歳未満1回1/2包、2歳以上4歳未満1回1/3包を、1日2回食前に水又はお湯で服用。
成分	1包中 [15歳以上の1回量に相当] 桂枝茯苓丸エキスとして0.4375g含有 / 以下に相当 　日局ケイヒ 0.75g 　日局シャクヤク 0.75g 　日局トウニン 0.75g 　日局ブクリョウ 0.75g 　日局ボタンピ 0.75g

桂枝茯苓丸[25・ 50]

株式会社ツムラ

漢方カ行　杞菊地黄丸クラシエ

用法	15歳以上1回8丸、1日3回水又は白湯で服用。
成分	8丸中 [15歳以上の1回量に相当] 　クコシ 0.096g 　キクカ 0.096g 　ジオウ 0.384g 　サンシュユ 0.192g 　サンヤク 0.192g 　ブクリョウ 0.144g 　ボタンピ 0.144g 　タクシャ 0.144g

杞菊地黄丸[なし・ 166A]

クラシエ薬品株式会社

漢方カ行　こども咳止め漢方ゼリー

用法	2歳以上7歳未満1回1包、1日3回食前又は食間に口の中でゼリーをくずして服用。
成分	1包中 [2歳以上7歳未満の1回量に相当] 五虎湯エキス粉末として175mg含有 / 以下に相当 　マオウ 0.333g 　キョウニン 0.333g 　カンゾウ 0.1667g 　セッコウ 0.8333g 　ソウハクヒ 0.25g

五虎湯[95・ 194A]

クラシエ薬品株式会社

漢方カ行　五淋散カプレット「コタロー」

用法	15歳以上及び7歳以上1回2錠、5歳以上7歳未満1回1錠を、1日3回食前又は食間に服用。
成分	2錠中 [15歳以上の1回量に相当] 五淋散エキス散として1.12g含有 / 以下に相当 ブクリョウ 1.00g　　ジオウ 0.50g トウキ 0.50g　　　タクシャ 0.50g オウゴン 0.50g　　モクツウ 0.50g カンゾウ 0.50g　　カッセキ 0.50g シャクヤク 0.33g　シャゼンシ 0.50g サンシシ 0.33g

五淋散[56・ 64]

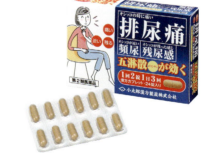

小太郎漢方製薬株式会社

漢方カ行　ボーコレン

用法	15歳以上1回4錠、7歳以上15歳未満1回3錠、5歳以上7歳未満1回2錠を、1日3回食前又は食間に水又はお湯で服用。
成分	4錠中 [15歳以上の1回量に相当] 五淋散料エキスとして0.85g含有 / 以下に相当 ブクリョウ 1.0g　　モクツウ 0.5g トウキ 0.5g　　　カッセキ 0.5g オウゴン 0.5g　　シャゼンシ 0.5g カンゾウ 0.5g　　シャクヤク 0.33g ジオウ 0.5g　　　サンシシ 0.33g タクシャ 0.5g

五淋散[56・ 64]

小林製薬株式会社

QRコードからWEBサイトの医療従事者向け製品要約テキストや添付文書をご覧いただけます。

五苓散[ゴレイサン]　　酸棗仁湯[サンソウニントウ]　　柿蒂湯[シテイトウ]

漢方カ行　「クラシエ」漢方五苓散料エキス顆粒

用法 15歳以上1回1包、7歳以上15歳未満1回2/3包、4歳以上7歳未満1回1/2包、2歳以上4歳未満1回1/3包、2歳未満1回1/4包を、1日3回食前又は食間に水又は白湯で服用。

成分 1包中 [15歳以上の1回量に相当]
　五苓散エキスとして333mg含有/ 以下に相当
　　タクシャ 0.8333g
　　チョレイ 0.5g
　　ブクリョウ 0.5g
　　ビャクジュツ 0.5g
　　ケイヒ 0.333g

注 五苓散 [製17・処65]

クラシエ薬品株式会社

漢方カ行　アルピタン®

用法 15歳以上1回1包、7歳以上15歳未満1回2/3包、4歳以上7歳未満1回1/2包、2歳以上4歳未満1回1/3包を、1日3回食前又は食間に水又はお湯で服用。

成分 1包中 [15歳以上の1回量に相当]
　五苓散料エキスとして0.7667g含有 / 以下に相当
　　タクシャ 1.667g
　　チョレイ 1g
　　ブクリョウ 1g
　　ビャクジュツ 1g
　　ケイヒ 0.667g

注 五苓散 [製17・処65]

小林製薬株式会社

漢方カ行　キアガード

用法 15歳以上1回4錠、5歳以上15歳未満1回2錠を、1日3回食前又は食間に水又はお湯で服用。

成分 4錠中 [15歳以上の1回量に相当]
　五苓散料エキスとして0.725g含有 / 以下に相当
　　タクシャ 1.333g
　　チョレイ 1g
　　ブクリョウ 1g
　　ソウジュツ 1g
　　ケイヒ 0.5g

注 五苓散 [製17・処65]

ロート製薬株式会社

漢方カ行　テイラック

用法 15歳以上1回4錠、5歳以上15歳未満1回2錠を、1日3回食前又は食間に水又はお湯で服用。

成分 4錠中 [15歳以上の1回量に相当]
　五苓散料エキスとして0.7667g含有 / 以下に相当
　　タクシャ 1.667g
　　チョレイ 1g
　　ブクリョウ 1g
　　ビャクジュツ 1g
　　ケイヒ 0.667g

注 五苓散 [製17・処65]

小林製薬株式会社

漢方サ行　ヒロレス　酸棗仁湯錠

用法 15歳以上1回3錠、7歳以上15歳未満1回2錠を、1日3回食前又は食間に水又はお湯で服用。

成分 3錠中 [15歳以上の1回量に相当]
　酸棗仁湯エキスとして0.6333g含有 / 以下に相当
　　サンソウニン 2.5g
　　チモ 0.5g
　　センキュウ 0.5g
　　ブクリョウ 0.8333g
　　カンゾウ 0.1667g

注 酸棗仁湯 [製103・処77]

小林製薬株式会社

芍薬甘草湯[シャクヤクカンゾウトウ]

漢方サ行　ネオカキックス細粒「コタロー」

- **用法** 15歳以上1回1包、7歳以上15歳未満1回2/3包、4歳以上7歳未満1回1/2包、2歳以上4歳未満1回1/3包、2歳未満1回1/4包を、1日3回食前又は食間に服用。
- **成分** 1包中[15歳以上の1回量に相当]
  柿蒂湯水製エキスとして0.20g含有 / 以下に相当
  　チョウジ 0.50g
  　シテイ 1.67g
  　ショウキョウ 0.33g

注 柿蒂湯[劇なし・処91]

小太郎漢方製薬株式会社

漢方サ行　「クラシエ」漢方芍薬甘草湯エキス顆粒

- **用法** 15歳以上1回1包、7歳以上15歳未満1回2/3包、4歳以上7歳未満1回1/2包、2歳以上4歳未満1回1/3包、2歳未満1回1/4包を、1日3回食前又は食間に水又は白湯で服用。
- **成分** 1包中[15歳以上の1回量に相当]
  芍薬甘草湯エキスとして483.3mg含有 / 以下に相当
  　シャクヤク 1.0g
  　カンゾウ 1.0g

注 芍薬甘草湯[劇68・処94]

クラシエ薬品株式会社

漢方サ行　コムレケア® a

- **用法** 15歳以上1回4錠、7歳以上15歳未満1回2錠を、1日3回食前又は食間に水又はお湯で服用。
- **成分** 4錠中[15歳以上の1回量に相当]
  芍薬甘草湯エキスとして0.8g含有 / 以下に相当
  　シャクヤク 2.0g
  　カンゾウ 2.0g

注 芍薬甘草湯[劇68・処94]

小林製薬株式会社

漢方サ行　コムロン®

- **用法** 15歳以上1回1錠、1日3回食前又は食間に服用。
- **成分** 1錠中[15歳以上の1回量に相当]
  芍薬甘草湯エキス散として0.50g含有 / 以下に相当
  　シャクヤク 0.83g
  　カンゾウ 0.83g

注 芍薬甘草湯[劇68・処94]

小太郎漢方製薬株式会社

漢方サ行　ツラレス®

- **用法** 15歳以上1回4錠、7歳以上15歳未満1回2錠を、1日2～3回水又はお湯で服用。
- **成分** 4錠中[15歳以上の1回量に相当]
  芍薬甘草湯エキスとして800mg含有 / 以下に相当
  　シャクヤク 2.0g
  　カンゾウ 2.0g

注 芍薬甘草湯[劇68・処94]

ロート製薬株式会社

十全大補湯[ジュウゼンタイホトウ]　十味敗毒湯[ジュウミハイドクトウ]　小青竜湯[ショウセイリュウトウ]　小青竜湯加杏仁石膏[ショウセイリュウトウカキョウニンセッコウ]

漢方サ行　ヒロレス　十全大補湯錠

用法　15歳以上1回5錠、7歳以上15歳未満1回4錠、5歳以上7歳未満1回3錠を、1日3回食前又は食間に水又はお湯で服用。

成分　5錠中 [15歳以上の1回量に相当]
十全大補湯エキスとして1.0333g含有 / 以下に相当
- ニンジン 0.5g
- ジオウ 0.5g
- オウギ 0.5g
- センキュウ 0.5g
- ビャクジュツ 0.5g
- ケイヒ 0.5g
- ブクリョウ 0.5g
- カンゾウ 0.25g
- トウキ 0.5g
- シャクヤク 0.5g

注 十全大補湯 [製48・処97]

小林製薬株式会社

漢方サ行　十味敗毒湯エキス錠クラシエ

用法　15歳以上1回4錠、7歳以上15歳未満1回3錠、5歳以上7歳未満1回2錠を、1日3回食前又は食間に水又は白湯で服用。

成分　4錠中 [15歳以上の1回量に相当]
十味敗毒湯エキスとして666.7mg含有 / 以下に相当
- サイコ 0.5g
- ボウフウ 0.33g
- キキョウ 0.5g
- ドクカツ 0.33g
- センキュウ 0.5g
- カンゾウ 0.167g
- ブクリョウ 0.5g
- ケイガイ 0.167g
- レンギョウ 0.5g
- ショウキョウ 0.05g
- オウヒ 0.5g

注 十味敗毒湯 [製6・処98]

クラシエ薬品株式会社

漢方サ行　「クラシエ」漢方小青竜湯エキスＥＸ錠

用法　15歳以上1回4錠、7歳以上15歳未満1回3錠、5歳以上7歳未満1回2錠を、1日3回食前又は食間に水又は白湯で服用。

成分　4錠中 [15歳以上の1回量に相当]
小青竜湯エキスとして1155.667mg含有 / 以下に相当
- マオウ 0.667g
- ゴミシ 0.667g
- シャクヤク 0.667g
- ハンゲ 1.333g
- カンキョウ 0.667g
- カンゾウ 0.667g
- ケイヒ 0.667g
- サイシン 0.667g

注 小青竜湯 [製19・処104]

クラシエ薬品株式会社

漢方サ行　ツムラ漢方小青竜湯エキス顆粒

用法　15歳以上1回1包、7歳以上15歳未満1回2/3包、4歳以上7歳未満1回1/2包、2歳以上4歳未満1回1/3包を、1日2回食前に水又はお湯で服用。

成分　1包中 [15歳以上の1回量に相当]
小青竜湯エキスとして1.25g含有 / 以下に相当
- 日局ハンゲ 1.5g
- 日局シャクヤク 0.75g
- 日局カンキョウ 0.75g
- 日局マオウ 0.75g
- 日局カンゾウ 0.75g
- 日局ケイヒ 0.75g
- 日局ゴミシ 0.75g
- 日局サイシン 0.75g

注 小青竜湯 [製19・処104]

株式会社ツムラ

漢方サ行　小太郎漢方せき止め錠N

用法　15歳以上1回4錠、7歳以上15歳未満1回3錠、5歳以上7歳未満1回2錠を、1日3回食前又は食間に服用。

成分　4錠中 [15歳以上の1回量に相当]
エキス散として1.04g含有 / 以下に相当
- マオウ 0.67g
- ショウキョウ 0.25g
- ケイヒ 0.5g
- ゴミシ 0.25g
- ハンゲ 1.0g
- セッコウ 1.67g
- シャクヤク 0.5g
- カンゾウ 0.5g
- サイシン 0.5g
- キョウニン 0.67g

注 小青竜湯加杏仁石膏 [製なし・処104A]

小太郎漢方製薬株式会社

辛夷清肺湯[シンイセイハイトウ]　清心蓮子飲[セイシンレンシイン]　清肺湯[セイハイトウ]　疎経活血湯[ソケイカッケツトウ]　大黄甘草湯[ダイオウカンゾウトウ]

漢方サ行　チクナイン®a

用法　15歳以上1回1包、7歳以上15歳未満1回2/3包、4歳以上7歳未満1回1/2包、2歳以上4歳未満1回1/3包を、1日2回朝夕食前又は食間に水又はお湯で服用。

成分　1包中 [15歳以上の1回量に相当]
辛夷清肺湯エキスとして1.0g含有 / 以下に相当
- シンイ 0.75g
- セッコウ 1.5g
- チモ 0.75g
- ショウマ 0.375g
- ビャクゴウ 0.75g
- ビワヨウ 0.25g
- オウゴン 0.75g
- サンシシ 0.375g
- バクモンドウ 1.5g

注 辛夷清肺湯 [製104・処110]

小林製薬株式会社

漢方サ行　ユリナール®b

用法　15歳以上1回5錠、1日2回食前又は食間に水又はお湯で服用。

成分　5錠中 [15歳以上の1回量に相当]
清心蓮子飲エキスとして1,119mg含有 / 以下に相当
- レンニク 1.75g
- ジコッピ 1.05g
- バクモンドウ 1.05g
- カンゾウ 0.35g
- ブクリョウ 1.4g
- ニンジン 1.75g
- シャゼンシ 1.05g
- オウゴン 1.05g
- オウギ 1.4g

注 清心蓮子飲 [製111・処122]

小林製薬株式会社

漢方サ行　ダスモック®a

用法　15歳以上1回1包、1日2回食前又は食間に水又はお湯で服用。

成分　1包中 [15歳以上の1回量に相当]
清肺湯エキスとして1.6g含有 / 以下に相当
- オウゴン 0.5g
- タイソウ 0.5g
- キキョウ 0.5g
- チクジョ 0.5g
- ソウハクヒ 0.5g
- ブクリョウ 0.75g
- キョウニン 0.5g
- トウキ 0.75g
- サンシシ 0.5g
- バクモンドウ 0.75g
- テンモンドウ 0.5g
- ゴミシ 0.125g
- バイモ 0.5g
- ショウキョウ 0.125g
- チンピ 0.5g
- カンゾウ 0.25g

注 清肺湯 [製90・処125]

小林製薬株式会社

漢方サ行　疎経活血湯エキス錠クラシエ

用法　15歳以上1回4錠、7歳以上15歳未満1回3錠、5歳以上7歳未満1回2錠を、1日3回食前又は食間に水又は白湯で服用。

成分　4錠中 [15歳以上の1回量に相当]
疎経活血湯エキス粉末として1,000mg含有 / 以下に相当
- ジオウ 0.333g
- リュウタン 0.25g
- カンゾウ 0.1667g
- トウキ 0.333g
- チンピ 0.25g
- シャクヤク 0.41667g
- トウニン 0.333g
- キョウカツ 0.25g
- ショウキョウ 0.08333g
- センキュウ 0.333g
- イレイセン 0.25g
- ブクリョウ 0.333g
- ボウイ 0.25g
- ビャクジュツ 0.333g
- ボウフウ 0.25g
- ゴシツ 0.25g
- ビャクシ 0.1667g

注 疎経活血湯 [製53・処134]

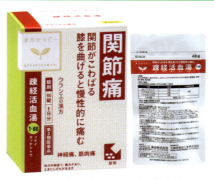

クラシエ薬品株式会社

漢方タ行　タケダ漢方便秘薬

用法　15歳以上では、軽い便秘のとき1回1錠～3錠、頑固な便秘のとき1回2錠～4錠、5歳以上15歳未満では、軽い便秘のとき1回半錠～1錠半を、頑固な便秘のとき1回1錠～2錠を、1日1回就寝前に水又はお湯で、かまずに服用。

成分　4錠中 [15歳以上の1日最大服用量に相当]
大黄甘草湯エキス散として800mg含有 / 以下に相当
- ダイオウ 1,067mg
- カンゾウ 267mg

注 大黄甘草湯 [製84・処136]

武田コンシューマーヘルスケア株式会社

QRコードからWEBサイトの医療従事者向け製品要約テキストや添付文書をご覧いただけます。

大柴胡湯[ダイサイコトウ]　知柏地黄丸[チバクジオウガン]　猪苓湯[チョレイトウ]　当帰芍薬散[トウキシャクヤクサン]

漢方タ行　コッコアポG錠

用法　15歳以上1回4錠、7歳以上15歳未満1回3錠、5歳以上7歳未満1回2錠を、1日3回食前又は食間に水又は白湯で服用。

成分　4錠中 [15歳以上の1回量に相当]
大柴胡湯エキスとして900mg含有 / 以下に相当
　サイコ 1.0g　　　　キジツ 0.33g
　ハンゲ 0.67g
　ショウキョウ 0.167g
　ダイオウ 0.167g
　オウゴン 0.5g
　シャクヤク 0.5g
　タイソウ 0.5g

注 大柴胡湯[製8・処140]

クラシエ薬品株式会社

漢方タ行　JPS知柏地黄丸料エキス錠N

用法　15歳以上1回5錠、1日3回食前又は食間に水又は白湯で服用。

成分　5錠中 [15歳以上の1回量に相当]
知柏地黄丸料乾燥エキスとして1,000mg含有 / 以下に相当
　チモ 0.21667g　　　タクシャ 0.32667g
　オウバク 0.21667g
　ジオウ 0.86333g
　サンシュユ 0.4333g
　サンヤク 0.4333g
　ボタンピ 0.32667g
　ブクリョウ 0.32667g

注 知柏地黄丸[製なし・処166C]

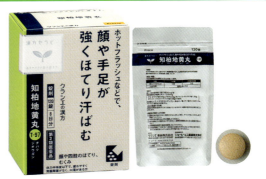

クラシエ薬品株式会社

漢方タ行　ツムラ漢方猪苓湯エキス顆粒A

用法　15歳以上1回1包、7歳以上15歳未満1回2/3包、4歳以上7歳未満1回1/2包、2歳以上4歳未満1回1/3包を、1日2回食前に水又はお湯で服用。

成分　1包中 [15歳以上の1回量に相当]
混合生薬の乾燥エキスとして0.625g含有 / 以下に相当
　日局カッセキ 0.75g
　日局タクシャ 0.75g
　日局チョレイ 0.75g
　日局ブクリョウ 0.75g
　アキョウ 0.75g

注 猪苓湯[製40・処150]

株式会社ツムラ

漢方タ行　クラシエ当帰芍薬散錠

用法　15歳以上1回4錠、7歳以上15歳未満1回3錠、5歳以上7歳未満1回2錠を、1日3回食前又は食間に水又は白湯で服用。

成分　4錠中 [15歳以上の1回量に相当]
　トウキ末 136.3mg
　センキュウ末 136.3mg
　シャクヤク末 182mg
　ブクリョウ末 182mg
　ソウジュツ末 182mg
　タクシャ末 182mg

注 当帰芍薬散[製23・処155]

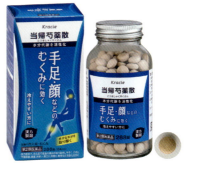

クラシエ薬品株式会社

漢方タ行　ツムラ漢方当帰芍薬散料エキス顆粒

用法　15歳以上1回1包、7歳以上15歳未満1回2/3包、4歳以上7歳未満1回1/2包、2歳以上4歳未満1回1/3包を、1日2回食前に水又はお湯で服用。

成分　1包中 [15歳以上の1回量に相当]
当帰芍薬散エキスとして1.0g含有 / 以下に相当
　日局シャクヤク 1.0g
　日局ソウジュツ 1.0g
　日局タクシャ 1.0g
　日局ブクリョウ 1.0g
　日局センキュウ 0.75g
　日局トウキ 0.75g

注 当帰芍薬散[製23・処155]

株式会社ツムラ

独活葛根湯[ドッカツカッコントウ]　　人参養栄湯[ニンジンヨウエイトウ]　　排膿散及湯[ハイノウサンキュウトウ]　　麦門冬湯[バクモンドウトウ]

漢方タ行　ヒロレス　当帰芍薬散錠

用法　15歳以上1回4錠、7歳以上15歳未満1回3錠、5歳以上7歳未満1回2錠を、1日3回食前又は食間に水又はお湯で服用。

成分　4錠中[15歳以上の1回量に相当]
当帰芍薬散エキスとして0.7667g含有 / 以下に相当
　トウキ 0.5g
　センキュウ 0.5g
　シャクヤク 0.667g
　ブクリョウ 0.667g
　ソウジュツ 0.667g
　タクシャ 0.667g

注 当帰芍薬散[23・処155]

小林製薬株式会社

漢方タ行　シジラック®

用法　15歳以上1回4錠、7歳以上15歳未満1回3錠、5歳以上7歳未満1回2錠を、1日3回食前又は食間に水又はお湯で服用。

成分　4錠中[15歳以上の1回量に相当]
独活葛根湯エキスとして953.3mg含有 / 以下に相当
　カッコン 0.83g　　ジオウ 0.67g
　ケイヒ 0.5g　　　タイソウ 0.167g
　シャクヤク 0.5g　カンゾウ 0.167g
　マオウ 0.33g
　ドクカツ 0.33g
　ショウキョウ 0.167g

注 独活葛根湯[なし・処24B]

小林製薬株式会社

漢方ナ行　人参養栄湯エキス顆粒クラシエ

用法　15歳以上1回1包、7歳以上15歳未満1回2/3包、4歳以上7歳未満1回1/2包、2歳以上4歳未満1回1/3包を、1日3回食前又は食間に水又は白湯で服用。

成分　1包中[15歳以上の1回量に相当]
人参養栄湯エキス粉末として1116.67mg含有 / 以下に相当
　ニンジン 0.5g　　　チンピ 0.333g
　トウキ 0.667g　　　オンジ 0.333g
　ジオウ 0.667g　　　オウギ 0.25g
　ビャクジュツ 0.667g　ケイヒ 0.41667g
　ブクリョウ 0.667g　　ゴミシ 0.1667g
　シャクヤク 0.333g　　カンゾウ 0.1667g

注 人参養栄湯[108・処163]

クラシエ薬品株式会社

漢方ハ行　生葉漢方内服薬

用法　15歳以上1回4錠、1日3回食前又は食間に水またはお湯で服用。

成分　4錠中[15歳以上の1回量に相当]
排膿散及湯エキスとして0.9667g含有 / 以下に相当
　キキョウ 0.667g
　カンゾウ 0.5g
　タイソウ 0.5g
　シャクヤク 0.5g
　ショウキョウ 0.1667g
　キジツ 0.5g

注 排膿散及湯[122・処164]

小林製薬株式会社

漢方ハ行　「クラシエ」漢方麦門冬湯エキス顆粒A

用法　15歳以上1回1包、7歳以上15歳未満1回2/3包、4歳以上7歳未満1回1/2包、2歳以上4歳未満1回1/3包、2歳未満1回1/4包を、1日3回食前又は食間に水又は白湯で服用。

成分　1包中[15歳以上の1回量に相当]
麦門冬湯エキス散として2,066.7mg含有 / 以下に相当
　バクモンドウ 3.33g　　ニンジン 0.667g
　ハンゲ 1.667g　　　　カンゾウ 0.667g
　コウベイ 1.667g
　タイソウ 1g

注 麦門冬湯[29・処165]

クラシエ薬品株式会社

麦門冬湯[バクモンドウトウ]　　八味地黄丸[ハチミジオウガン]　　半夏厚朴湯[ハンゲコウボクトウ]

漢方ハ行　漢方せき止めトローチS「麦門冬湯」

用法 15歳以上及び7歳以上1回2錠、5歳以上7歳未満1回1錠を、1日3回食間又は空腹時に、1錠ずつ口中に含み、かまずにゆっくり溶かして服用。

成分 2錠中[15歳以上及び7歳以上の1回量に相当]
麦門冬湯エキスとして1.5g含有 / 以下に相当
　バクモンドウ 1.67g
　コウベイ 0.83g
　ニンジン 0.33g
　ハンゲ 0.83g
　タイソウ 0.5g
　カンゾウ 0.33g

注 麦門冬湯[製29・処165]

小太郎漢方製薬株式会社

漢方ハ行　ツムラ漢方麦門冬湯エキス顆粒

用法 15歳以上1回1包、7歳以上15歳未満1回2/3包、4歳以上7歳未満1回1/2包、2歳以上4歳未満1回1/3包を、1日2回食前に水又はお湯で服用。

成分 1包中[15歳以上の1回量に相当]
麦門冬湯エキスとして1.5g含有 / 以下に相当
　日局バクモンドウ 2.5g
　日局コウベイ 1.25g
　日局ハンゲ 1.25g
　日局タイソウ 0.75g
　日局カンゾウ 0.5g
　日局ニンジン 0.5g

注 麦門冬湯[製29・処165]

株式会社ツムラ

漢方ハ行　クラシエ八味地黄丸A

用法 15歳以上1回4錠、1日3回食前又は食間に水又は白湯で服用。

成分 4錠中[15歳以上の1回量に相当]
　ジオウ(熟ジオウ)末 296.7mg
　サンシュユ末 148.3mg
　サンヤク末 148.3mg
　タクシャ末 111.3mg
　ブクリョウ末 111.3mg
　ボタンピ末 111.3mg
　ケイヒ末 37.0mg
　ブシ末 37.0mg

注 八味地黄丸[製7・処166]

クラシエ薬品株式会社

漢方ハ行　「クラシエ」漢方半夏厚朴湯エキス顆粒

用法 15歳以上1回1包、7歳以上15歳未満1回2/3包、4歳以上7歳未満1回1/2包、2歳以上4歳未満1回1/3包、2歳未満1回1/4包を、1日3回食前又は食間に水又は白湯で服用。

成分 1包中[15歳以上の1回量に相当]
半夏厚朴湯エキスとして250mg含有 / 以下に相当
　ハンゲ 1.0g
　ブクリョウ 0.83g
　コウボク 0.5g
　ソヨウ 0.33g
　ショウキョウ 0.2167g

注 半夏厚朴湯[製16・処168]

クラシエ薬品株式会社

漢方ハ行　ツムラ漢方半夏厚朴湯エキス顆粒

用法 15歳以上1回1包、7歳以上15歳未満1回2/3包、4歳以上7歳未満1回1/2包、2歳以上4歳未満1回1/3包を、1日2回食前に水又はお湯で服用。

成分 1包中[15歳以上の1回量に相当]
半夏厚朴湯エキスとして0.625g含有 / 以下に相当
　日局ハンゲ 1.5g
　日局ブクリョウ 1.25g
　日局コウボク 0.75g
　日局ソヨウ 0.5g
　日局ショウキョウ 0.25g

注 半夏厚朴湯[製16・処168]

株式会社ツムラ

防已黄耆湯[ボウイオウギトウ]　　防風通聖散[ボウフウツウショウサン]

漢方ハ行　アクリアEX

用法　15歳以上1回5錠、1日2回食前又は食間に水又はお湯で服用。

成分　5錠中[15歳以上の1回量に相当]
防已黄耆湯エキスとして1.6g含有 / 以下に相当
　ボウイ 2.5g
　オウギ 2.5g
　ビャクジュツ 1.5g
　ショウキョウ 0.5g
　タイソウ 1.5g
　カンゾウ 0.75g

防已黄耆湯[20・183]

小林製薬株式会社

漢方ハ行　コッコアポL錠

用法　15歳以上1回4錠、5歳以上15歳未満1回2錠を、1日3回食前又は食間に水又は白湯で服用。

成分　4錠中[15歳以上の1回量に相当]
防已黄耆湯エキスとして1,066.7mg含有 / 以下に相当
　ボウイ 1.67g
　オウギ 1.67g
　ビャクジュツ 1.0g
　タイソウ 1.0g
　カンゾウ 0.5g
　ショウキョウ 0.33g

防已黄耆湯[20・183]

クラシエ薬品株式会社

漢方ハ行　エバユーススリム®F

用法　15歳以上1回4錠、7歳以上15歳未満1回3錠、5歳以上7歳未満1回2錠を、1日3回食前又は食間に水又はお湯で服用。

成分　4錠中[15歳以上の1回量に相当]
防風通聖散エキスとして916.67mg含有 / 以下に相当
　トウキ 0.2g　　　ケイガイ 0.2g　　　オウゴン 0.33g
　シャクヤク 0.2g　ボウフウ 0.2g　　　カンゾウ 0.33g
　センキュウ 0.2g　マオウ 0.2g　　　　セッコウ 0.33g
　サンシシ 0.2g　　ダイオウ 0.25g　　　カッセキ 0.5g
　レンギョウ 0.2g　無水ボウショウ 0.125g
　ハッカ 0.2g　　　ビャクジュツ 0.33g
　ショウキョウ 0.067g　キキョウ 0.33g

防風通聖散[62・185]

第一三共ヘルスケア株式会社

漢方ハ行　コッコアポEX錠

用法　15歳以上1回4錠、1日3回食前又は食間に水又は白湯で服用。

成分　4錠中[15歳以上の1回量に相当]
防風通聖散料エキスとして1,140mg含有 / 以下に相当
　トウキ 0.24g　　　マオウ 0.24g　　　　セッコウ 0.4g
　シャクヤク 0.24g　ショウキョウ 0.08g　カッセキ 0.6g
　センキュウ 0.24g　ダイオウ 0.3g
　サンシシ 0.24g　　無水ボウショウ 0.15g
　レンギョウ 0.24g　ビャクジュツ 0.4g
　ハッカ 0.24g　　　キキョウ 0.4g
　ケイガイ 0.24g　　オウゴン 0.4g
　ボウフウ 0.24g　　カンゾウ 0.4g

防風通聖散[62・185]

クラシエ薬品株式会社

漢方ハ行　新・ロート防風通聖散錠満量

用法　15歳以上1回4錠、1日3回食前又は食間に水又はお湯で服用。

成分　4錠中[15歳以上の1回量に相当]
防風通聖散エキスとして1,667mg含有 / 以下に相当
　キキョウ 0.67g　　センキュウ 0.4g　カッセキ 1.0g
　ビャクジュツ 0.67g　サンシシ 0.4g　ボウショウ 0.5g
　カンゾウ 0.67g　　レンギョウ 0.4g
　オウゴン 0.67g　　ハッカ 0.4g
　セッコウ 0.67g　　ケイガイ 0.4g
　ダイオウ 0.5g　　　ボウフウ 0.4g
　トウキ 0.4g　　　　マオウ 0.4g
　シャクヤク 0.4g　　ショウキョウ 0.13g

防風通聖散[62・185]

ロート製薬株式会社

QRコードからWEBサイトの医療従事者向け製品要約テキストや添付文書をご覧いただけます。

防風通聖散[ボウフウツウショウサン]　　補中益気湯[ホチュウエッキトウ]　　麻黄湯[マオウトウ]

漢方ハ行　ナイシトール®８５a

用法 15歳以上1回5錠、1日2回食前又は食間に水又はお湯で服用。

成分 5錠中[15歳以上の1回量に相当]
防風通聖散エキスとして1.25g含有 / 以下に相当
- トウキ 0.3g
- センキュウ 0.3g
- レンギョウ 0.3g
- ショウキョウ 0.075g
- ボウフウ 0.3g
- ダイオウ 0.375g
- ビャクジュツ 0.5g
- オウゴン 0.5g
- セッコウ 0.5g
- シャクヤク 0.3g
- サンシシ 0.3g
- ハッカ 0.3g
- ケイガイ 0.3g
- マオウ 0.3g
- ボウショウ 0.375g
- キキョウ 0.5g

注 防風通聖散[製62・処185]

小林製薬株式会社

漢方ハ行　ナイシトールＺa

用法 15歳以上1回5錠、1日3回食前又は食間に水又はお湯で服用。

成分 5錠中[15歳以上の1回量に相当]
防風通聖散エキスとして1.667g含有 / 以下に相当
- トウキ 0.4g
- センキュウ 0.4g
- レンギョウ 0.4g
- ショウキョウ 0.4g
- ボウフウ 0.4g
- ダイオウ 0.5g
- ビャクジュツ 0.667g
- オウゴン 0.667g
- セッコウ 0.667g
- シャクヤク 0.4g
- サンシシ 0.4g
- ハッカ 0.4g
- ケイガイ 0.4g
- マオウ 0.4g
- 無水ボウショウ 0.5g
- キキョウ 0.667g
- カンゾウ 0.667g
- カッセキ 1g

注 防風通聖散[製62・処185]

小林製薬株式会社

漢方ハ行　新生補中益気湯内服液

用法 15歳以上 1回1本を、1日3回食前又は食間によく振ってから服用。

成分 1本中[15歳以上の1回量に相当]
補中益気湯濃縮液(水製抽出液)として27mL含有 / 以下に相当
- 日局ニンジン 1.333g
- 日局ビャクジュツ 1.333g
- 日局オウギ 1.333g
- 日局トウキ 1g
- 日局チンピ 0.667g
- 日局タイソウ 0.667g
- 日局サイコ 0.333g
- 日局カンゾウ 0.5g
- 日局ショウキョウ 0.1667g
- 日局ショウマ 0.1667g

注 補中益気湯[製41・処187]

ロート製薬株式会社

漢方ハ行　ツムラ漢方補中益気湯エキス顆粒

用法 15歳以上1回1包、7歳以上15歳未満1回2/3包、4歳以上7歳未満1回1/2包、2歳以上4歳未満1回1/3包を、1日2回食前に水又はお湯で服用。

成分 1包中[15歳以上の1回量に相当]
補中益気湯エキスとして1.25g含有 / 以下に相当
- 日局オウギ 1.0g
- 日局ソウジュツ 1.0g
- 日局ニンジン 1.0g
- 日局トウキ 0.75g
- 日局サイコ 0.5g
- 日局タイソウ 0.5g
- 日局チンピ 0.5g
- 日局カンゾウ 0.375g
- 日局ショウマ 0.25g
- 日局ショウキョウ 0.125g

注 補中益気湯[製41・処187]

株式会社ツムラ

漢方ハ行　補中益気湯エキス錠Ｎ「コタロー」

用法 15歳以上1回5錠、7歳以上15歳未満1回4錠、5歳以上7歳未満1回3錠を、1日3回食前又は食間に服用。

成分 5錠中[15歳以上の1回量に相当]
補中益気湯エキス散として1.4g含有 / 以下に相当
- ニンジン 0.67g
- ビャクジュツ 0.67g
- オウギ 0.67g
- トウキ 0.5g
- チンピ 0.33g
- タイソウ 0.33g
- サイコ 0.33g
- カンゾウ 0.25g
- ショウキョウ 0.08g
- ショウマ 0.17g

注 補中益気湯[製41・処187]

小太郎漢方製薬株式会社

製 医療用漢方製剤の製品番号　　処 一般用漢方製剤承認基準の処方番号　　詳細は20頁をご覧ください。

漢方ハ行　補中益気湯エキス錠クラシエ

用法　15歳以上1回4錠、7歳以上15歳未満1回3錠、5歳以上7歳未満1回2錠を、1日3回食前又は食間に水又は白湯で服用。

成分　4錠中 [15歳以上の1回量に相当]
補中益気湯エキスとして1,066.7mg含有 / 以下に相当
- ニンジン 0.667g
- ビャクジュツ 0.667g
- オウギ 0.667g
- トウキ 0.5g
- タイソウ 0.333g
- サイコ 0.333g
- チンピ 0.333g
- カンゾウ 0.25g
- ショウキョウ 0.08333g
- ショウマ 0.1667g

注 補中益気湯 [製 41・処 187]

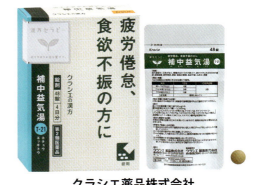

クラシエ薬品株式会社

漢方ハ行　リハビット

用法　15歳以上1回4錠、7歳以上15歳未満1回3錠、5歳以上7歳未満1回2錠を、1日2回食前又は食間に水又はお湯で服用。

成分　4錠中 [15歳以上の1回量に相当]
補中益気湯エキスとして1185mg含有 / 以下に相当
- ニンジン 1.0g
- ビャクジュツ 1.0g
- オウギ 1.0g
- トウキ 0.75g
- チンピ 0.5g
- タイソウ 0.5g
- サイコ 0.5g
- カンゾウ 0.375g
- ショウキョウ 0.125g
- ショウマ 0.25g

注 補中益気湯 [製 41・処 187]

ロート製薬株式会社

漢方マ行　コルゲンコーワ液体かぜ薬

用法　15歳以上1回1本、1日3回食前又は食間によく振ってから服用。

成分　1本(30mL)中 [15歳以上の1回量に相当]
麻黄湯エキスとして27mL含有 / 以下に相当
- マオウ 1.67g
- ケイヒ 1.33g
- キョウニン 1.67g
- カンゾウ 0.5g

注 麻黄湯 [製 27・処 192]

興和株式会社

漢方マ行　ツムラ漢方麻黄湯エキス顆粒

用法　15歳以上1回1包、7歳以上15歳未満1回2/3包、4歳以上7歳未満1回1/2包、2歳以上4歳未満1回1/3包を、1日2回食前に水又はお湯で服用。

成分　1包中 [15歳以上の1回量に相当]
麻黄湯エキスとして0.4375g含有 / 以下に相当
- 日局キョウニン 1.25g
- 日局マオウ 1.25g
- 日局ケイヒ 1.0g
- 日局カンゾウ 0.375g

注 麻黄湯 [製 27・処 192]

株式会社ツムラ

漢方マ行　麻黄湯エキスＥＸ錠クラシエ

用法　15歳以上1回2錠、5歳以上15歳未満1回1錠を、1日3回食前又は食間に水又は白湯で服用。

成分　2錠中 [15歳以上の1回量に相当]
麻黄湯エキスとして426.67mg含有 / 以下に相当
- マオウ 1.11g
- キョウニン 1.11g
- ケイヒ 0.89g
- カンゾウ 0.333g

注 麻黄湯 [製 27・処 192]

クラシエ薬品株式会社

QRコードからWEBサイトの医療従事者向け製品要約テキストや添付文書をご覧いただけます。

抑肝散[ヨクカンサン]　　抑肝散加陳皮半夏[ヨクカンサンカチンピハンゲ]　　六君子湯[リックンシトウ]

漢方ヤ行　アロパノール®内服液

用法 15歳以上1回1びん(30mL)、1日3回食前又は食間に服用。

成分 30mL中[15歳以上の1回量に相当]
抑肝散料エキスとして2g含有 / 以下に相当
- トウキ 1.0g
- チョウトウコウ 1.0g
- センキュウ 1.0g
- ビャクジュツ 1.33g
- ブクリョウ 1.33g
- サイコ 0.67g
- カンゾウ(甘草) 0.5g

注 抑肝散[製54・処201]

全薬工業株式会社

漢方ヤ行　抑肝散加陳皮半夏エキス顆粒クラシエ

用法 15歳以上1回1包、7歳以上15歳未満1回2/3包、4歳以上7歳未満1回1/2包、2歳以上4歳未満1回1/3包、2歳未満1回1/4包を、1日3回食前又は食間に水又は白湯で服用。

成分 1包中[15歳以上の1回量に相当]
抑肝散加陳皮半夏エキス粉末として766.7mg含有 / 以下に相当
- トウキ 0.5g　　ブクリョウ 0.667g
- センキュウ 0.5g　ハンゲ 0.8333g
- チンピ 0.5g　　サイコ 0.333g
- チョウトウコウ 0.5g　カンゾウ 0.25g
- ソウジュツ 0.667g

注 抑肝散加陳皮半夏[製83・処201B]

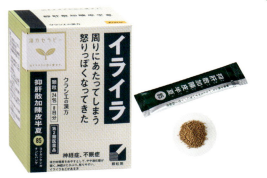

クラシエ薬品株式会社

漢方ラ行　ギャクリア®

用法 15歳以上1回1包、1日2回食前又は食間に水又はお湯で服用。

成分 1包中[15歳以上の1回量に相当]
六君子湯エキスとして0.95g含有 / 以下に相当
- ニンジン 1.0g　　ショウキョウ 0.125g
- ソウジュツ 1.0g
- ブクリョウ 1.0g
- ハンゲ 1.0g
- チンピ 0.5g
- タイソウ 0.5g
- カンゾウ 0.25g

注 六君子湯[製43・処202]

小林製薬株式会社

MEMO

謝　辞

　掲載製品の選択や医薬品等安全性情報に関する情報提供でご協力をいただいた日本薬剤師会、製薬会社のご担当者様へのご連絡でご協力いただいた日本一般用医薬品連合会、製品情報のご提供や校正作業でご協力をいただいた製薬会社、漢方製剤の特集号の際にご助言いただいた伊藤 美千穂 先生(京都大学大学院薬学研究科薬品資源学分野)と岩田 健太郎 先生(神戸大学医学部附属病院感染症内科/漢方専門医)、救急医療/市販薬の乱用・依存の特集号の際にご助言いただいた阿部 智一 先生(筑波記念病院 救急科・集中治療科)、石松 伸一 先生(聖路加国際病院 救急部・救命救急センター)、落合 秀信 先生(宮崎大学医学部附属病院 救命救急センター)、上條 吉人 先生(埼玉医科大学病院 救急センター・中毒センター)、嶋根 卓也 先生(国立精神神経医療研究センター 薬物依存研究部)、松本 俊彦 先生(国立精神神経医療研究センター 薬物依存研究部)、小児の市販薬の特集号の際にご助言いただいた西藤 なるを 先生(西藤小児科こどもの呼吸器・アレルギークリニック)、本書の初版からご尽力いただいている株式会社南山堂 編集部の石井 裕之 様、そしてクスリ早見帖シリーズ創刊号に揮毫をご提供いただいた故・日野原 重明 先生に、スタッフ一同、心から深く感謝を申し上げます。

【追悼】日野原 重明 先生

　2013年夏、クスリ早見帖創刊準備のために聖路加国際病院を訪れました。

　そこで日野原 重明 先生の書を拝見する機会があり、その中のひとつに「医師は聞き上手に　患者は話し上手になろう」という揮毫がありました。その揮毫のメッセージと、なんとも味わい深く魅力ある書体に惚れ込み、クスリ早見帖にこの揮毫を是非とも掲載させていただきたいと思い立ちました。そして幸運にも日野原 重明 先生にご面談の機会をいただくことができ、クスリ早見帖の企画を説明し、その揮毫の掲載をお願いしましたところ、今ならもっと良い字が書けるし、文言も少し変更しようと仰り、2013年10月22日にクスリ早見帖への揮毫を頂戴いたしました。

　クスリ早見帖の表紙には、「クスリ早見帖にとっての大切なこと」を伝えるアートとして、日野原 重明 先生の揮毫を掲載させていただいております。この他にも、先生の数多くのご著書から、多大なる学びを得てきました。これからも、その教えを心に刻んでいきたいと思います。

　今、あらためて先生に残していただいたもの、そしてご厚情とご親切に感謝申し上げるとともに、先生の魂の平穏を謹んでお祈り申し上げます。

株式会社プラメドプラス

代表取締役　平　憲二

＊「クスリ早見帖（フリーペーパー）」と「クスリ早見帖ブック（書籍）」

　「クスリ早見帖」は2013年に創刊された医療機関向けの市販薬データ集（30頁程度の冊子）で、これまでに8号発行し、全国の病院・診療所・保険薬局に無償配布しています。「クスリ早見帖ブック」は、過去に制作された「クスリ早見帖」のデータをまとめた書籍で、全国の書店で販売します。「クスリ早見帖ブック」の初版は2018年1月発行で、2021年4月発行の本書は2版となります。

著　者　略　歴

株式会社プラメドプラス　代表取締役(医師 / 医学博士 / 総合内科専門医)

1966年宮崎県生まれ。1991年宮崎医科大学(現・宮崎大学)を卒業し、1991年麻生飯塚病院、1995年京都大学病院総合診療部、2001年京都大学大学院医学研究科博士課程内科系専攻臨床疫学卒業、2001年テキサス大学ヒューストン校健康情報学研究員、2003年京都大学病院総合診療科助手を経て、2005年に株式会社プラメドを設立、2013年に株式会社プラメドプラスを設立し、現在に至る。

販売名索引

アルファベット順

JPS知柏地黄丸料エキス錠N	162
LABOMO ヘアグロウ ハナミノキ	152
LABOMO ヘアグロウ ミノキシ5	152
NewマイティアCL-s	126
NewマイティアCL-Wケア	127
NewマイティアCLアイスクラッシュ	126
NewマイティアCLアイスリフレッシュ	127
NewマイティアCLクール-s	126
NewマイティアCLクールHi-s	126
NewマイティアCLビタクリアクール	127
Vロート　アクティブプレミアム	128
Vロートジュニア	128
Vロートプレミアム	128

50音順

ア

アオーク（AWOUK）	76
アクリアEX	165
浅田飴AZうがい薬	113
浅田飴AZのどスプレーS	115
浅田飴せきどめ	56
アシノンZ胃腸内服液	83
アシノンZ錠	83
アスクロン	57
アセス	119
アセスL	119
アセス液	119
アセスメディクリーン	120
アセムヒEX	140
アダムA錠	42
アネトン アルメディ鼻炎錠	64
アネトンせき止め液	57
アネトンせき止め顆粒	57
アネトンせき止め錠	57
アネロン「キャップ」	78
アネロン「ニスキャップ」	78
アフタガード	116
アフタッチA	117
アラセナS	118
アラセナSクリーム	118
アルガード鼻炎クールスプレーa	113
アルピタン	158
アルピタンγ（茵蔯五苓散）	154
アレグラFX	65
アレグラFXジュニア	65
アレジオン20	65
アレルギール錠	71
アレルビ	65
アロゲイン5	152
アロパノール内服液	168
アンメルツゴールドEX　NEO	104

イ

イソジンうがい薬	114
イノセアグリーン	84
イノセアプラス錠	85
イハダ ダーマキュア軟膏	129
イブ	42
イブ<糖衣錠>	42
イブA錠	42
イブA錠EX	43
イブクイック頭痛薬	43
イブクイック頭痛薬DX	43
イブメルト	42
イボコロリ	144
イボコロリ絆創膏ワンタッチS	144

ウ

ウィズワンエル	94
ヴイックス ヴェポラッブ	103
ウオノメコロリ	144
ウオノメコロリ絆創膏足うら用	144
宇津救命丸	75
宇津救命丸「糖衣」	75
宇津こどもかぜ薬AⅡ	22
宇津こどもかぜ薬CⅡ	22
宇津こどもかぜシロップA	22
宇津こども整腸薬TP	90
宇津こどもせきどめ	57
宇津こどもせきどめシロップA	58
宇津こども鼻炎顆粒	65
宇津こども鼻炎シロップA	66
宇津ジュニアかぜ薬A	22
ウット	75
ウナコーワエースL	129

エ

エアミットサットF	78
エキセドリンA錠	43
エキセドリンプラスS	43
液体アセムヒEX	140
液体ムヒS2a	138
液体ムヒアルファEX	139
液体ムヒベビー	139
エスエスブロン液L	62
エスエスブロン錠	62
エスタックイブ	23
エスタックイブFT	23
エスタックイブNT	23
エスタックイブTT	23
エスタックイブ顆粒	24
エスタックイブファイン	24
エスタックイブファインEX	24
エスタックイブファイン顆粒	24
エスタック総合感冒	22
エスタック鼻炎カプセル12	66
エスタロンモカ12	76
エスタロンモカ錠	76
エスタロンモカ内服液	76
エバステルAL	66
エパデールT	99
エバユーススリムF	165
エメロットALGプラス点鼻薬	109
エルキスN	129
エルペインコーワ	44
エンペキュア	129
エンペシドL	149
エンペシドLクリーム	149
エージーアレルカットEXc<季節性アレルギー専用>	109
エージーノーズ アレルカットC	109
エージーノーズ アレルカットM	110
エージーノーズ アレルカットS	110

オ

太田胃散	85
太田胃散<分包>	85
太田胃散A<錠剤>	85
太田胃散整腸薬	90
太田胃散整腸薬　デ・ルモア錠	90
太田胃散チュアブルNEO	82
太田漢方胃腸薬Ⅱ	154
太田漢方胃腸薬Ⅱ<錠剤>	154
奥田胃腸薬（錠剤）	85
奥田脳神経薬	75
オシリア	147
オロナインH軟膏	130

カ

改源	24
改源かぜカプセル	25
カイゲン顆粒	25
カイゲン感冒液小児用	25
カイゲン感冒カプセル「プラス」	25
改源錠	25
カイゲンせき止め液W	58
カイゲンせき止めカプセル	58
カイゲン咳止錠	58
カイゲン点鼻スプレー	110
カイゲン点鼻薬	110
カコナール2	155
カコナールかぜパップ	103
カコナールカゼブロックUP錠	26
ガスター10	83
ガストール細粒	86
葛根湯エキス顆粒Sクラシエ	155
葛根湯クイック	155
カフェクール500	77
カフェロップ	77
亀田六神丸	99
肝生	101
漢方せき止めトローチS「麦門冬湯」	164
カーフェソフト錠	77

キ

キアガード	158
キオフィーバ	103
キッズバファリンかぜシロップP	32
キッズバファリンかぜシロップS	32
キッズバファリンシロップS	32
キッズバファリンせきどめシロップS	60
キッズバファリン鼻炎シロップS	69
ギャクリア	168
キャベジンコーワα	86
救心	100
救心カプセルF	100
救心錠剤	100
キューピーコーワゴールドα	98
キューピーコーワゴールドα-プラス	98
響声破笛丸料エキス顆粒KM	156
キンカン	130
キンカン　ノアール	130
キンカンソフトかゆみどめ	130
銀翹散エキス顆粒Aクラシエ	26

ク

グ・スリーP	73
「クラシエ」漢方葛根湯エキスEX錠	154
「クラシエ」漢方五苓散料エキス顆粒	158
「クラシエ」漢方芍薬甘草湯エキス顆粒	159
「クラシエ」漢方小青竜湯エキスEX錠	160
「クラシエ」漢方麦門冬湯エキス顆粒A	163
「クラシエ」漢方半夏厚朴湯エキス顆粒	164
クラシエ当帰芍薬散錠	162
クラシエ八味地黄丸A	164
クラシエヨクイニンタブレット	101
クラリチンEX	66
クラリチンEX　OD錠	67

項目	ページ
クリーンデンタルN	120
グレラン・ビット	44
グレランエース錠	44
クロキュアEX	130
クロマイ-N軟膏	131
クロロマイセチン軟膏2%A	131
クールワン去たんソフトカプセル	59
クールワンせき止めGX	59
クールワンせき止めGX液	59
クールワン鼻スプレー	110

ケ

項目	ページ
ケラチナミンコーワ20%尿素配合クリーム	131
ケラチナミンコーワ乳状液20	131
下痢止め錠「クニヒロ」	92
ケロリン	44
ケロリンA錠	45
ケロリンIBカプレット	45
ケンエーうがい薬S	114

コ

項目	ページ
コイクラセリド	101
抗アレルギー錠「クニヒロ」	71
口内炎軟膏大正クイックケア	117
口内炎パッチ大正A	117
口内炎パッチ大正クイックケア	117
杞菊地黄丸クラシエ	157
固形浅田飴 クールS	56
小太郎漢方せき止め錠N	160
コッコアポEX錠	165
コッコアポG錠	162
コッコアポL錠	165
小粒タウロミン	71
後藤散	45
後藤散いたみどめ顆粒G	45
後藤散かぜ薬顆粒	26
後藤散せきどめ	59
こども解熱坐薬	103
こども咳止め漢方ゼリー	157
こどもパブロン坐薬	103
コフト顆粒	26
コムレケアa	159
コムロン	159
コリホグス	56
五淋散カプレット「コタロー」	157
コルゲンコーワIB2	27
コルゲンコーワIB錠TXα	27
コルゲンコーワIB透明カプセルαプラス	27
コルゲンコーワ液体かぜ薬	167
コルゲンコーワ鎮痛解熱LXα	45
コルゲンコーワ鼻炎ジェルカプセルα	67
コルゲンコーワ鼻炎フィルムα	67
コーラック	95
コーラックII	95
コーラックMg	95
コーラック坐薬タイプ	147
コーラックハーブ	95
コーラックファイバーplus	96
コーラックファースト	96
コールタイジン点鼻液a	111

サ

項目	ページ
ザ・ガードコーワ整腸錠α3+	86
再春痛散湯エキス顆粒	102
サクロン	83
サトウ口内軟膏	117
サトラックス	96
サトラックス「分包」	96
サリドンA	46
サリドンWi	46
サリドンエース	46
サロメチールジクロLα	104
サロメチールジクロα	104
サロメチールジクロゲル	104
サロンパス	105
サロンパスAe	105
酸化マグネシウムE便秘薬	95
サンテFXVプラス	121
サンテFXネオ	121
サンテPC	121
サンテPC　コンタクト	122
サンテボーティエ	122
サンテボーティエ　コンタクト	122
サンテボーティエ　ムーンケア	122
サンテメディカル12	122
サンテメディカルアクティブ	123
サンテメディカルガードEX	123
サンテメディカル抗菌	123
ザーネメディカルクリーム	131
ザーネメディカルスプレー	132

シ

項目	ページ
ジキニン顆粒ゴールド	28
ジキニンC	28
ジキニン顆粒エース	28
ジキニン錠エースIP	29
ジキニンファースト顆粒N	29
止逆清和錠	86
シジラック	163
四物血行散	101
十味敗毒湯エキス錠クラシエ	160
小中学生用ストッパ下痢止めEX	92
小中学生用ノーシンピュア	51
小児用感冒薬リココデS液	39
小児用ジキニンシロップ	28
小児用ノバコデS	31
小児用バファリンCII	52
小児用バファリンチュアブル	52
生葉液薬	120
生葉漢方内服薬	163
生葉口内塗薬	120
女性保健薬　命の母A	99
女性薬　命の母ホワイト	99
新・ロート防風通聖散錠満量	165
新ウィズワン	94
新ウィズワンα	94
新ウナコーワクール	129
新エスエスブロン錠エース	62
新エスタック顆粒	23
新カイゲンせき止め液W	58
新コフジスシロップ	59
新コルゲンコーワうがいぐすり	114
新コルゲンコーワうがいぐすり「ワンプッシュ」	114
新コルゲンコーワ咳止め透明カプセル	60
新コンタック600プラス	67
新コンタック600プラス小児用	67
新コンタック鼻炎Z	68
新コンタックかぜEX持続性	27
新コンタックかぜ総合	27
新コンタックせき止めダブル持続性	60
新コンタック総合かぜ薬　トリプルショット	28
新サラリン	96
新ジキニン顆粒	29
新ジキニン錠D	29
新生補中益気湯内服液	166
新セデス錠	46
新セルベール整胃プレミアム〈細粒〉	82
新セルベール整胃プレミアム〈錠〉	82
新トニン咳止め液	60
新ビオフェルミンS細粒	91
新ビオフェルミンS錠	91
新フステノン	61
新ブロン液エース	62
新リココデ錠	63
新ルル-A錠s	39
新ルルAゴールドDX	40
新ルルAゴールドDX（PTP）	40
新ルルAゴールドDX細粒	40
新ルルAゴールドs	40
新ルル点鼻薬	113

ス

項目	ページ
スクラートG	86
スクラート胃腸薬（顆粒）	87
スクラート胃腸薬（錠剤）	87
スクラート胃腸薬S（散剤）	87
スクラート胃腸薬S（錠剤）	87
ストッパエル下痢止めEX	92
ストッパ下痢止めEX	92
ストナアイビー	30
ストナアイビージェルEX	31
ストナ去たんカプセル	60
ストナジェルサイナスEX	30
ストナシロップA小児用	29
ストナデイタイム	30
ストナプラスジェルEX	30
ストナメルティ小児用	30
ストナリニ・サット小児用	68
ストナリニS	68
ストナリニZ	68
ストナリニZジェル	68
スピール膏ワンタッチEX	144
スマイル40　プレミアムDX	123
スマイル40　メディクリアDX	123
スマイルザメディカルA　DX	124
スマイルザメディカルA　DX　コンタクト	124
スメクタテスミン	92
スラジンA	71
スリーピン	74
スルーラックS	97
スルーラックデトファイバー	97
スルーラックファイバー	97

セ

項目	ページ
清風散	31
正露丸	93
正露丸クイックC	93
セイロガン糖衣A	93
セデス・ハイ	46
セデス・ハイG	47
セデス・ファースト	47
セデスV	47
セデスキュア	47
セレキノンS	84
センパア　Kidsドリンク	79
センパア　トラベル1	79
センパア　ドリンク	79
センパア　プチベリー	79
センパア　ラムキュア	79
センパア・QT	80
センパアQT<ジュニア>	80

ソ

項目	ページ
総合かぜ薬A「クニヒロ」	26
疎経活血湯エキス錠クラシエ	161
ソフトサンティア	124
ソフトサンティアひとみストレッチ	124
ソルマックプラス	82

タ

品名	ページ
ダイアフラジンAソフト	132
ダイアフラジンA軟膏	132
ダイアフラジンEX軟膏	132
ダイアフラジンHB軟膏	132
第一三共胃腸薬〔細粒〕a	87
第一三共胃腸薬プラス細粒	88
大正胃腸薬G	88
大正胃腸薬K	88
大正胃腸薬K〈錠剤〉	88
大正胃腸薬P	84
大正胃腸薬バランサー	88
大正漢方胃腸薬	89
大正漢方胃腸薬〈錠剤〉	89
大正口内炎チュアブル錠	72
大正トンプク	47
タイレノールA	48
タウロミン	72
タケダ漢方便秘薬	161
ダスモックa	161
タナベ胃腸薬<調律>	89
タナベ胃腸薬ウルソ	82
ダマリンL	145
ダマリングランデX	145
タリオンAR	69

チ
チクナインa	161
鎮痛カプセルa	49

ツ
ツムラ漢方葛根湯エキス顆粒A	155
ツムラ漢方加味逍遙散エキス顆粒	156
ツムラ漢方桔梗湯エキス顆粒	156
ツムラ漢方桂枝茯苓丸エキス顆粒A	157
ツムラ漢方小青竜湯エキス顆粒	160
ツムラ漢方猪苓湯エキス顆粒A	162
ツムラ漢方当帰芍薬散料エキス顆粒	162
ツムラ漢方麦門冬湯エキス顆粒	164
ツムラ漢方半夏厚朴湯エキス顆粒	164
ツムラ漢方補中益気湯エキス顆粒	166
ツムラ漢方麻黄湯エキス顆粒	167
ツムラの婦人薬　中将湯	99
ツラレス	159

テ
ディアポピー	115
テイラック	158
テラ・コートリル軟膏a	133
テラマイシン軟膏a	133
デリケアb	133
デリケアエムズ	133
テレスHi　クリームH	133
デントヘルスB	120
デントヘルスR	121

ト
ドキシン錠	56
トメダインコーワフィルム	93
トメルミン	77
トラフル　ダイレクト	118
トラフル錠	73
トラフル軟膏PROクイック	118
トラベルミン	80
トラベルミン　チュロップぶどう味	80
トラベルミン　チュロップレモン味	80
トラベルミン　ファミリー	81
トラベルミン・ジュニア	81
トラベルミンR	81
トランシーノⅡ	100
ドリエル	74
ドリエルEX	74
ドリーミオ	74
トレンタムGクリーム	134
トレンタムGローション	134

ナ
ナイシトール85a	166
ナイシトールZa	166
ナザールαAR0.1%<季節性アレルギー専用>	111
ナザールαAR0.1%C <季節性アレルギー専用>	111
ナザール「スプレー」	111
ナシビンMスプレー	111
ナロンLoxy	49
ナロンエースR	48
ナロンエースT	48
ナロン顆粒	48
ナロン錠	48

ニ
ニコチネルスペアミント	150
ニコチネルパッチ10	150
ニコチネルパッチ20	151
ニコチネルマンゴー	150
ニコチネルミント	150
ニコレット	151
ニコレットアイスミント	151
ニコレットクールミント	151
ニコレットフルーティミント	151
ニューアンメルツヨコヨコA	104
人参養栄湯エキス顆粒クラシエ	163

ネ
ネオカキックス細粒「コタロー」	159
ネオデイ	74

ノ
ノアールCL	124
のどぬ～るスプレー　EXクール	116
のどぬ～るスプレーB	116
のびのびサロンシップF	105
乗りもの酔いの薬「クニヒロ」	78
ノーシン	49
ノーシンアイ頭痛薬	50
ノーシンエフ200	50
ノーシン「細粒」	49
ノーシン錠	50
ノーシンピュア	51
ノーシンピュア（ピルケース入り）	51
ノーシンホワイト<細粒>	50
ノーシンホワイト錠	50

ハ
ハイエナル"88"内服液	77
バイエルアスピリン	51
ハイタミン錠	51
パイロンPL顆粒	31
パイロンPL錠	31
パイロンPL錠　ゴールド	32
バストップケア	134
ハッキリエースa	52
パテックスうすぴたシップ	105
バファリンA	52
バファリンEX	53
バファリンジュニアかぜ薬a	32
バファリンプレミアム	53
バファリンライト	52
バファリンルナi	53
バファリンルナJ	53
パブロン50錠	33
パブロンSα〈錠〉	34
パブロンSα〈微粒〉	34
パブロンSゴールドW錠	34
パブロンSゴールドW微粒	34
パブロンSせき止め	61
パブロンうがい薬AZ	114
パブロンエースPro錠	35
パブロンエースPro微粒	35
パブロンキッズかぜ錠	33
パブロンキッズかぜシロップ	33
パブロンキッズかぜ微粒	33
パブロンゴールドA<錠>	33
パブロンゴールドA<微粒>	34
パブロンせき止め液	61
パブロン点鼻	112
パブロン点鼻EX	112
パブロントローチAZ	116
パブロンのど錠	73
パブロン鼻炎アタックJL<季節性アレルギー専用>	112
パブロン鼻炎カプセルSα	69
パブロン鼻炎カプセルSα小児用	69
パブロン鼻炎速溶錠EX	69
パブロンメディカルC	35
パブロンメディカルN	35
パブロンメディカルT	35
パラデントエース	121
ハリックス55EX　温感A	105
ハリックス55EX　冷感A	106
ハルンケア内服液	102
ハレナース	73
パンシロン01プラス	89
パンシロンAZ	83
パンシロンG	89
パンシロンキュアSP	90
パンシロントラベルSP	81
パンセダン	76
バンテリンコーワ液α	106
バンテリンコーワクリーミィーゲルα	106
バンテリンコーワクリームα	106
バンテリンコーワゲルα	106
バンテリンコーワパットEX	107
バンテリンコーワパップS	107
パープルショット	116
パープルショットうがい薬F	115

ヒ
ヒアレインS	125
鼻炎薬A「クニヒロ」	66
ビオスリーHi錠	90
ビオフェルミン　ぽっこり整腸チュアブル	91
ビオフェルミンVC	91
ビオフェルミン下痢止め	93
ビオフェルミン止瀉薬	94
ビオフェルミン便秘薬	97
ピシャット下痢止めOD錠	94
ヒビケアFT	134
ヒビケア軟膏a	134
樋屋奇応丸特撰金粒	102
ヒヤこどもかぜシロップS	36
ヒヤこどもせきシロップN	61
ヒヤこどもせきどめチュアブル	61
ヒヤこども総合かぜ薬　M	36
ビューラックA	97
ヒルマイルドクリーム	135
ヒルマイルドローション	135

ピロエースW液 ……………………… 145	ボルタレンACαテープ ……………… 108	ユースキン リカAソフトP ………… 143
ピロエースZ液 ……………………… 145	ボルタレンACαテープL …………… 108	ユースキンAa ……………………… 143
ヒロレス 加味帰脾湯錠 …………… 155	ボルタレンEXテープ ……………… 108	ユースキンI ………………………… 143
ヒロレス 酸棗仁湯錠 ……………… 158	ボルタレンEXテープL ……………… 108	ユービケア ………………………… 156
ヒロレス 十全大補湯錠 …………… 160	ボーコレン ………………………… 157	
ヒロレス 当帰芍薬散錠 …………… 163		**ヨ**
	マ	抑肝散加陳皮半夏エキス顆粒クラシエ ……… 168
フ	マイティアV ………………………… 125	
ファイチ …………………………… 98	マイティアアルピタットEXα ……… 125	**ラ**
ファモチジン錠「クニヒロ」 ………… 84	マイティアアルピタットNEXα …… 125	ラックル …………………………… 54
フェイタス5.0 ……………………… 107	マイティアピントケアEX …………… 125	ラッパ整腸薬BF …………………… 91
フェイタスZαジクサス ……………… 107	マイティアピントケアEX マイルド ……… 126	ラミシールATクリーム ……………… 146
フェイタスZαジクサスゲル ………… 107	マイトラベル錠 …………………… 81	ラミシールプラスクリーム ………… 146
フェミニーナ軟膏S ………………… 135	麻黄湯エキスEX錠クラシエ ……… 167	ラリンゴール ……………………… 115
フェルゼア DX20ローション ……… 135	マキロンs …………………………… 137	ラングロン ………………………… 100
フェルゼア HA20クリーム ………… 135	マスチゲン錠 ……………………… 98	
フェルゼア クリームM ……………… 136	マスチゲン錠8〜14歳用 …………… 98	**リ**
ブスコパンA錠 ……………………… 84		リアップ …………………………… 152
ブテナロックVαクリーム …………… 145	**ミ**	リアップX5プラスネオ ……………… 152
プリザSクリーム …………………… 147	ミルコデ錠A ………………………… 63	リアップジェット …………………… 153
プリザS坐剤 ……………………… 147	ミーミエイド ……………………… 137	リアッププラス …………………… 153
プリザS坐剤T ……………………… 147		リアップリジェンヌ ………………… 153
プリザエース坐剤T ………………… 148	**ム**	リハビット ………………………… 167
プリザエース注入軟膏T …………… 148	ムヒ・ベビーb ……………………… 139	リポスミン ………………………… 75
プリザエース軟膏 ………………… 148	ムヒAZ錠 …………………………… 72	龍角散 ……………………………… 63
フルコートf ………………………… 136	ムヒDC速溶錠 ……………………… 72	龍角散せき止め錠 ………………… 63
フルナーゼ点鼻薬〈季節性アレルギー専用〉 ……… 112	ムヒER ……………………………… 141	龍角散ダイレクトスティックピーチ ……… 64
プレコールCR持続性錠 …………… 36	ムヒHDm …………………………… 140	龍角散ダイレクトスティックミント ……… 64
プレコールエース顆粒 ……………… 36	ムヒS ……………………………… 138	龍角散ダイレクトトローチマンゴーR ……… 64
プレコール持続性カプセル ………… 36	ムヒアルファEX …………………… 139	龍角散のせきどめ液 ……………… 64
プレコール持続性せき止めカプセル …… 62	ムヒアルファSⅡ …………………… 140	龍角散鼻炎朝夕カプセル …………… 70
プレコール持続性鼻炎カプセルL ……… 70	ムヒエイチディ ……………………… 140	リングルアイビー …………………… 54
プレコール持続性鼻炎カプセルLX …… 70	ムヒソフトGX ……………………… 138	リングルアイビーα200 …………… 54
プレバリンαクリーム ……………… 136	ムヒソフトGX乳状液 ……………… 139	リングルアイビー錠α200 ………… 55
プレバリンマイケア ………………… 136	ムヒのきず液 ……………………… 137	
プレフェミン ……………………… 101	ムヒのこどもかぜ顆粒a …………… 39	**ル**
プレミナスIP ……………………… 53	ムヒのこども解熱鎮痛顆粒 ………… 54	ルナフェミン ……………………… 154
	ムヒパッチA ……………………… 137	ルナールi …………………………… 55
ヘ		ルミフェン ………………………… 55
ペアアクネクリームW ……………… 136	**メ**	ルルアタックCX …………………… 41
明治うがい薬 ……………………… 115	ルルアタックEX …………………… 41
ペラックT錠 ………………………… 73	メソッド ASクリーム ……………… 141	ルルアタックEX顆粒 ……………… 41
ペラックコールドTD錠 ……………… 37	メソッド AS軟膏 …………………… 141	ルルアタックFXa …………………… 40
ヘルペシアクリーム ……………… 118	メソッド ASローション …………… 141	ルルアタックNX …………………… 41
ベンザエースA ……………………… 37	メソッド CLローション …………… 141	ルルアタックTR …………………… 41
ベンザエースA錠 …………………… 37	メソッド UFクリーム ……………… 142	
ベンザ鼻炎スプレー ……………… 112	メソッド WOクリーム ……………… 142	**レ**
ベンザ鼻炎薬α〈1日2回タイプ〉 ……… 70	メソッド シート …………………… 142	レスタミンコーワ糖衣錠 …………… 72
ベンザブロックIP …………………… 38	メソッドプレミアム ASクリーム …… 142	
ベンザブロックIPプレミアム ………… 39	メソッドプレミアム AS軟膏 ……… 142	**ロ**
ベンザブロックIPプレミアム錠 ……… 39	メンソレータム エクシブW液 …… 146	ロイヒ膏ロキソプロフェン ………… 108
ベンザブロックL …………………… 38	メンソレータム エクシブWきわケアジェル …… 146	ロイヒつぼ膏 ……………………… 109
ベンザブロックLプレミアム ………… 38	メンソレータム エクシブWディープ10クリーム …… 146	ロキソニンS ……………………… 55
ベンザブロックLプレミアム錠 ……… 38	メンソレータム フレディCC1 …… 149	ロキソニンSテープ ………………… 109
ベンザブロックS …………………… 37	メンソレータム フレディCC1A … 149	ロキソニンSプラス ………………… 55
ベンザブロックSプレミアム ………… 37	メンソレータム フレディCCクリーム …… 149	ロキソニンSプレミアム …………… 56
ベンザブロックSプレミアム錠 ……… 38	メンソレータム フレディCC膣錠 …… 150	ロキソプロフェンT液 ……………… 49
ベンザブロックせき止め錠 ………… 63	メンソレータム メディカルリップnc ……… 119	ロキソプロフェン錠「クニヒロ」 …… 44
扁鵲 ………………………………… 102	メンソレータムADクリームm ……… 143	ロートアルガード こどもクリア …… 127
		ロートアルガード 鼻炎内服薬ゴールドZ ……… 70
ホ	**モ**	ロートアルガードST鼻炎スプレー … 113
ポケムヒS ………………………… 138	モアリップN ……………………… 119	ロートアルガードクリアノーズ 季節性アレルギー専用 …… 113
ポケムヒSハローキティ …………… 138	モリピン内服液 …………………… 78	ロートアルガードゼロダイレクト …… 71
補中益気湯エキス錠N「コタロー」 …… 166		ロートこどもソフト ………………… 127
補中益気湯エキス錠クラシエ ……… 167	**ユ**	ロートジーb ……………………… 128
ポパドンA …………………………… 54	ユクリズム ………………………… 156	ロートジープロd ………………… 128
ボラギノールA注入軟膏 …………… 148	ユリナールb ……………………… 161	
ボラギノールM坐剤 ……………… 148	ユースキン リカAソフト …………… 143	
ポリベビー ………………………… 137		

JCOPY <出版社著作権管理機構 委託出版物>
複写を行う場合はそのつど事前に，(一社)出版社著作権管理機構（電話 03-5244-5088，FAX 03-5244-5089，e-mail：info@jcopy.or.jp）の許諾を得るようお願いいたします．
本書の内容を無断で複写することは，著作権法上での例外を除き禁じられています．また，代行業者等の第三者に依頼してスキャニング，デジタルデータ化を行うことは認められておりません．

クスリ早見帖ブック 市販薬730

2021年4月5日 2版1刷 発行 ©2021

著　者　平 憲二
　　　　ひら　けんじ

制　作　株式会社 プラメドプラス

発行者
株式会社 南山堂　代表者 鈴木幹太
〒113-0034 東京都文京区湯島 4-1-11
TEL 代表 03-5689-7850　www.nanzando.com
ISBN 978-4-525-77782-1

A7778210201-A